A senhora do jogo

OBRAS DO AUTOR PUBLICADAS PELA EDITORA RECORD

As areias do tempo
Um capricho dos deuses
O céu está caindo
Escrito nas estrelas
Um estranho no espelho
A herdeira
A ira dos anjos
Juízo final
Lembranças da meia-noite
Manhã, tarde & noite
Nada dura para sempre
A outra face
O outro lado da meia-noite
O plano perfeito
Quem tem medo de escuro?
O reverso da medalha
Se houver amanhã

INFANTOJUVENIS
Conte-me seus sonhos
Corrida pela herança
O ditador
Os doze mandamentos
O estrangulador
O fantasma da meia-noite
A perseguição

MEMÓRIAS
O outro lado de mim

COM TILLY BAGSHAWE
Um amanhã de vingança (sequência de Em busca de um novo amanhã)
Anjo da escuridão
Depois da escuridão
Em busca de um novo amanhã (sequência de Se houver amanhã)
Sombras de um verão
A senhora do jogo (sequência de O reverso da medalha)
A viúva silenciosa
A fênix

SIDNEY SHELDON

e TILLY BAGSHAWE

A senhora do jogo

25ª edição

Tradução de
MICHELE GERHARDT MACCULLOCH

EDITORA RECORD
RIO DE JANEIRO • SÃO PAULO
2024

CIP-BRASIL. CATALOGAÇÃO NA FONTE
SINDICATO NACIONAL DOS EDITORES DE LIVROS, RJ

Sheldon, Sidney, 1917-2007
S548s A senhora do jogo / Sidney Sheldon, Tilly Bagshawe; tradução Michele
25ª ed. Gerhardt. – 25ª ed. – Rio de Janeiro: Record, 2024.

Tradução de: Mistress of the game
Sequência de: O reverso da medalha
ISBN 978-85-01-08851-2

1. Romance americano. I. Bagshawe, Tilly. II. Gerhardt, Michele. III. Título.

09-5303 CDD: 813
CDU: 821.111(73)-3

Para Alexandra Sheldon, com amor e gratidão

Título original em inglês:
SIDNEY SHELDON'S THE MISTRESS OF THE GAME

Texto revisado segundo o Acordo Ortográfico da Língua Portuguesa de 1990.

Direitos exclusivos de publicação em língua portuguesa somente para o Brasil adquiridos pela
EDITORA RECORD LTDA.
Rua Argentina, 171 – Rio de Janeiro, RJ – 20921-380 – Tel.: (21) 2585-2000,
que se reserva a propriedade literária desta tradução.

Impresso no Brasil

ISBN 978-85-01-08851-2

Seja um leitor preferencial Record.
Cadastre-se no site www.record.com.br e receba
informações sobre nossos lançamentos e nossas promoções.

Atendimento e venda direta ao leitor:
sac@record.com.br

PRÓLOGO

AS MÃOS DE LEXI TEMPLETON tremiam enquanto lia a carta. Sentada na cama, vestida de noiva, no que um dia fora o quarto da sua bisavó, sua ágil mente estava a mil.

Pense. Você não tem muito tempo.

O que Kate Blackwell teria feito?

Aos 41 anos, Lexi Templeton ainda era uma mulher bonita. O sedoso cabelo louro não tinha nenhum fio branco, e o corpo esbelto e pequeno não mostrava nenhum sinal da recente gravidez. Prometera a si mesma que recuperaria o corpo monumental antes do casamento. Queria fazer justiça ao vestido ***vintage*** de Monique Lhullier, um modelo coluna apertado da melhor renda marfim, quase branca. E fizera.

Mais cedo, por volta de cem convidados reunidos em Cedar Hill House, a lendária propriedade da família Blackwell no Maine, prenderam a respiração quando Lexi Templeton apareceu no gramado de braço dado com seu pai. A bela e a fera. Peter Templeton, pai de Lexi, que já fora um renomado psiquiatra e um dos solteirões mais cobiçados de Nova York, agora era um homem velho. Frágil, arqueado por causa da idade e do sofrimento, Peter Templeton conduziu sua linda filha ao altar coberto de rosas.

Ele pensou: ***agora eu posso ir. Agora posso ir me juntar à minha querida Alexandra. Nossa menininha finalmente está feliz.***

Ele estava certo. Lexi Templeton ***estava*** feliz. Sabia que estava deslumbrante. Estava se casando com o homem que amava, cercada pela família e pelos amigos. Só estava faltando uma pessoa. Essa pessoa nunca mais testemunharia nenhuma conquista de Lexi. Ele nunca mais se alegraria com outro de seus fracassos. A vida dele e a de Lexi estavam entrecruzadas desde que nasceram, como raízes de uma enorme árvore. Mas agora ele se fora, para nunca mais voltar. Apesar de tudo que tinha acontecido, Lexi sentia saudades dele.

Você está me vendo, Max querido? Está assistindo? Agora, sente pena de mim?

Por um momento, Lexi Templeton sentiu uma pontada de tristeza por causa da perda. Então, olhou para seu futuro marido, e todos os desgostos evaporaram. Hoje seria perfeito. O clichê. O conto de fadas. O dia mais feliz de sua vida.

O presidente dos Estados Unidos não pôde comparecer ao casamento. Havia um pequeno conflito no Oriente Médio. Mas enviou um telegrama parabenizando-a, lido em voz alta pelo irmão de Lexi, Robbie, quando os recém-casados cortaram o bolo. E todo o resto do mundo estava lá. Presidentes de indústrias, primeiros-ministros, reis, astros e estrelas do cinema. Como presidente da poderosa Kruger-Brent Ltda., Lexi Templeton era uma celebridade norte-americana. Parecia uma rainha porque era uma rainha. Tinha tudo: indiscutível beleza, imensa fortuna e poder que se estendia aos quatro cantos do mundo. Agora, graças a seu novo marido, também tinha amor.

Mas também tinha inimigos. Inimigos poderosos. Um dos quais estava determinado a destruí-la, mesmo do túmulo.

Lexi leu a carta de novo.

"Eu sei o que você fez. Eu sei de tudo."

A teia estava se fechando. Lexi sentiu o medo revirar em seu estômago como leite estragado.

Tem de haver um jeito de sair dessa. Sempre existe um jeito. Eu não vou para a prisão. Não vou perder a Kruger-Brent. Não vou perder a minha família. Pense!

Algumas horas antes, na recepção, o governador do Maine tinha feito um discurso sobre Lexi.

"...uma mulher notável, de uma família notável. Todos conhecemos a coragem e a integridade de Lexi Templeton. Sua força, sua determinação, seu tino para os negócios, sua honestidade..."

Honestidade? Se eles soubessem!

" ...essas são as características da Lexi Templeton pública. Mas hoje estamos aqui para outra celebração. Uma alegria particular. Um amor particular. E um amor que aqueles de nós que conhecem Lexi sabem que ela muito merece."

Lexi pensou: ***nenhum de vocês me conhece. Nem mesmo meu marido. Eu não "mereço" o amor dele. Mas batalhei por ele e o conquistei, e não vou deixar ninguém tirá-lo de mim. Muito menos você.***

Agora, a maioria dos convidados tinha ido embora. Robbie e seu acompanhante ainda estavam no andar de baixo. Assim como a filhinha de Lexi, Maxine, e a babá. A qualquer momento seu marido viria procurá-la. Estava na hora de partir para a lua de mel.

Estava na hora...

Lexi Templeton foi até a janela. Além dos perfeitos gramados de Cedar Hill House, podia ver os vários telhados brancos de Dark Harbor e, atrás deles, o mar escuro e sombrio. Nesta noite, as rebeldes águas pareciam ainda mais ameaçadoras.

Estão esperando. Um dia, elas vão engolir toda a ilha. Uma grande onda virá e levará tudo. Como se nada disso jamais tivesse existido.

Dois homens de terno saíram do carro e se aproximaram da guarita. Mesmo antes de eles mostrarem seus distintivos,

Lexi sabia quem eram. Era exatamente como a carta dizia: "***A polícia está a caminho. Você não tem como fugir, Alexandra. Não desta vez.***"

Lágrimas encheram os olhos de Lexi. Podia ouvir a voz de sua tia Eve como se ainda estivesse viva, provocando-a, carregada de ódio. Ela estava certa? Era realmente isso? O final do jogo? Depois de todos os esforços de Lexi? Lembrou-se de um poema de Dylan Thomas que aprendera na escola: "Não entre tão depressa nessa noite escura. Ira, ira de encontro ao fenecer da alvura."

Soltarei minha ira, com certeza. Não permitirei que aquela bruxa velha me vença sem lutar.

Os policiais estavam atravessando o portão agora. Estavam quase na porta.

Lexi Templeton respirou fundo e desceu para recebê-los.

LIVRO UM

Capítulo 1

DARK HARBOR, MAINE. 1984

ATRAVÉS DOS GALHOS, Danny Corretti olhou para as agitadas pessoas embaixo e sentiu uma onda de vertigem.

— Que diabos estamos fazendo aqui?

Fechando os olhos, ele segurou com mais força o galho da antiga árvore, garantindo que ele e sua câmera continuassem escondidos na densa folhagem verde.

— Ganhando dinheiro — sussurrou seu colega, excitado. — Olhe, ela está ali!

— Onde?

Seguindo a linha de visão de seu amigo, Danny Corretti ajustou o zoom em uma figura no meio da multidão de luto. Vestida de preto da cabeça aos pés, com um manto de renda que caía até o chão cobrindo seu terninho Dior de corte impecável, era impossível ver seu rosto. Poderia ser qualquer pessoa. Mas ela não era qualquer pessoa.

— Está brincando comigo? — Danny Corretti franziu a testa. Abaixo dele, o cemitério parecia balançar ameaçadoramente, os antigos túmulos subindo e descendo como cavalos em um carrossel desagradável. — Não consigo ver nada. Tem certeza de que é ela? Poderia ser Johnny Carson embaixo de toda aquela renda.

Seu colega sorriu.

— Não com aquela bunda. Tenho certeza de que é ela.

Da árvore à sua esquerda, Danny Corretti escutou os cliques da câmera de seu rival. Focalizou mais uma vez o zoom e começou a fotografar.

Vamos, doçura. Dê um sorrisinho para o papai.

Uma boa foto do rosto de Eve Blackwell poderia valer uns cem mil para o fotógrafo que a conseguisse primeiro. Qualquer um que fosse capaz de capturar a barriga proeminente poderia esperar ganhar o dobro disso.

Duzentas mil pratas!

Talvez não fosse muito dinheiro para os Blackwell, herdeiros da multibilionária Kruger-Brent Ltda. — o império de diamantes que se transformara em um conglomerado tornara a família a mais rica dos Estados Unidos; mas era uma fortuna para Danny Corretti. Foram os Blackwell que trouxeram Danny e outros paparazzi ao cemitério de St. Stephen nesta manhã gelada de fevereiro. Eles vieram enterrar a matriarca da família, Kate Blackwell, que morrera na avançada idade de 92 anos.

Olhe para eles. Parecem moscas-varejeiras voando em volta do corpo da velha senhora. Repugnante.

Danny Corretti sentiu-se nauseado de novo, mas tentou não dar atenção a isso — nem à intensa dor nas costas depois de passar seis horas em cima de uma árvore. Sua vontade era se esticar, mas não ousava mexer um músculo sequer, para não arriscar ser visto pelos seguranças da Kruger-Brent. Observando as silhuetas taciturnas dos ex-fuzileiros navais vestidos de preto que andavam por todo o perímetro do cemitério, com suas armas grudadas ao peito como objetos de estimação, Danny Corretti sentiu uma pontada de medo. Duvidava que Kate

Blackwell tivesse contratado algum deles por causa do senso de humor.

Você vai ficar bem. Só precisa conseguir a foto e dar o fora daqui. Vamos Eve, doçura. Olha o passarinho.

Danny Corretti realmente não fora feito para esse tipo de trabalho. Um homem alto e magro, com pernas sobrenaturalmente compridas e cabelos muito louros, quase brancos, por cima de sua pele italiana azeitonada; não havia muitos lugares no cemitério de Maine capazes de esconder seu corpo de 1,90m. A velha árvore fora a melhor opção, mas ele tivera de chegar absurdamente cedo para superar seus rivais e conseguir um lugar estratégico e tão cobiçado. Agarrado aos galhos mais altos agora, cada tendão de seu corpo parecia em chamas, apesar do dia extremamente frio. Rangeu os dentes, amaldiçoando suas longas pernas.

Pense no dinheiro.

Ironicamente, se não fosse por causa de suas pernas compridas, Danny nem estaria nesta profissão maluca.

Se não fossem suas pernas compridas, o marido de sua amante nunca teria visto seus pés tamanho 44 sob a cama de casal.

Ah, Carla. Deus, ela era linda! Aqueles seios, tão macios e suculentos quanto dois pêssegos maduros. Nenhum homem conseguia resistir a ela. Se aquele brutamontes com quem ela se casou não tivesse saído mais cedo do trabalho...

Foram as pernas compridas de Danny que fizeram com que levasse uma surra de quebrar ossos e fosse parar no hospital público (sem plano de saúde). Graças às suas pernas compridas, sua esposa Loretta descobrira o caso, se divorciara dele e ficara com a casa. Agora, graças às suas pernas compridas, o advogado com cara de rato de Loretta estava exigindo que Danny pagasse uma pensão de mil dólares por mês.

Mil dólares? Quem eles pensavam que ele era, o maldito Donald Trump?

Sim, toda a culpa por sua difícil situação atual era de suas pernas compridas. Por que outro motivo passaria uma manhã de domingo apertado e congelando em cima de uma árvore de 400 anos em um cemitério, arriscando o pescoço por uma mísera foto da mulher que os tabloides apelidaram de "A Fera dos Blackwell"?

As pernas compridas de Danny Corretti tinham muito pelo que responder.

Ele ia conseguir a foto de Eve Blackwell mesmo que isso acabasse com ele.

A VOZ DO PADRE ECOAVA pelo ar gelado de fevereiro, intensa, forte e poderosa.

— Deus misericordioso, o Senhor conhece o tormento dos pesarosos...

Por trás do grosso véu, Eve Blackwell riu com desdém. ***Pesaroso? Ver aquela bruxa velha morta e enterrada? Por favor. Se eu fosse dez anos mais nova, estaria dando pulos de alegria.***

Hoje, Eve estava enterrando uma de suas inimigas. Mas não descansaria até enterrar todos eles.

Uma já tinha ido, faltavam três.

— O Senhor escuta as orações dos humildes...

Eve Blackwell olhou em volta para o pequeno grupo de familiares e amigos que tinham vindo se despedir de sua avó Kate, e se perguntou se algum deles poderia ser descrito como humilde.

Sua irmã gêmea idêntica, Alexandra, estava ali. Aos 34 anos, ela ainda era linda, com as maçãs do rosto salientes, cabelo louro e os deslumbrantes olhos cinza que herdara do bisavô, fundador da Kruger-Brent, Jamie McGregor.

Eve estreitou os olhos com ódio. O mesmo ódio que sentia pela irmã desde o dia em que nasceram.

Como ousa! Como minha irmã ousa ainda ser linda!

Alexandra chorava copiosamente, segurando com força a mão de seu filho, Robert. O menino louro, delicado e doce de 10 anos era uma cópia de sua mãe. Um pianista talentoso, ele era o preferido de Kate Blackwell e herdeiro da Kruger-Brent.

Não por muito tempo, pensou Eve. ***Vamos ver quanto tempo o garoto vai durar sem Kate por perto para protegê-lo.***

Eve Blackwell sentiu um aperto no peito. Como odiava os dois, mãe e filho, e suas lágrimas de crocodilo! Se ao menos fosse o corpo de Alexandra a ser colocado naquele buraco de terra gelada. Então, a felicidade de Eve seria realmente completa.

Ao lado de Alexandra, estava seu marido, o famoso psiquiatra Peter Templeton. Alto, moreno, bonito, com olhos azuis, Peter Templeton parecia mais um atleta do que um psiquiatra. Ele e Alexandra formavam um lindo casal. Peter já fora arrogante o suficiente para achar que compreendia Eve. Acreditava que podia ver através dela, até o âmago do ódio que borbulhava dentro dela. Alexandra, com toda a sua bondade, nunca conseguira ver o quanto sua irmã gêmea a odiava. Mas seu marido via.

Eve sorriu.

Tolo inútil. Ele acha que me conhece, mas não consegue vislumbrar mais que a superfície.

Não, Peter Templeton não era humilde.

E seu próprio marido, o famoso cirurgião plástico Keith Webster? Muitas pessoas o viam como uma pessoa humilde. Eve podia ouvir os gratos pacientes dele: "O querido Dr. Webster, que cirurgião talentoso, mas tão tímido e modesto em relação ao seu dom." Eve sentiu um arrepio quando Keith envolveu seus ombros com um braço marital e protetor.

Protetor? Ele não é protetor. É possessivo. E psicótico. Me chantageou para casar, depois deliberadamente destruiu meu

rosto, mutilando minhas lindas feições e me transformando neste monstro. Tudo para que eu não o deixasse.

Um dia vou fazer o desgraçado pagar pelo que fez.

Eve Blackwell era muitas coisas, mas não era burra. Sabia que as árvores e moitas em volta da igreja St. Stephen estavam cheias de fotógrafos, e sabia o porquê: todos queriam uma foto de seu espantoso rosto desfigurado.

Bem, podiam ir todos para o inferno. Por trás, ainda era possível ver o corpo perfeito e feminino de Eve. Mas a parte da frente estava escondida. Nenhuma lente no mundo conseguiria penetrar o espesso véu de renda tecida a mão. Eve se certificou disso.

Um dia famosa por sua beleza, nos últimos anos Eve Blackwell se transformara em uma prisioneira em sua cobertura em Manhattan, com medo de mostrar ao mundo seu rosto coberto por cicatrizes monstruosas. Na verdade, não era vista em público havia dois anos. A última vez fora na festa de aniversário de 90 anos da avó em Cedar Hill House, a Camelot particular da família, a poucos metros de onde a velha mulher estava sendo enterrada para o repouso eterno.

Kate Blackwell tinha sorte. Fora se juntar aos seus amados fantasmas: Jamie, Margaret, Banda, David, e os espíritos do passado africano longo e violento da Kruger-Brent. Mas Eve não teria tal descanso. Com os boatos já circulando sobre sua gravidez — ambas, Eve e Alexandra Blackwell, estavam grávidas, embora a família se recusasse a confirmar para a imprensa —, Eve tinha plena consciência de que o preço de sua cabeça tinha dobrado. Não havia um editor de tabloide dos Estados Unidos que não venderia a alma por uma foto mais ou menos decente da Fera dos Blackwell ***carregando um filho.***

E pensar que eles me ***chamam de monstro...***

— Senhor, escute o Seu povo, que implora em necessidade...

Eve observou silenciosamente o caixão de Kate Blackwell baixar no túmulo recém-aberto. Brad Rogers, o número dois de Kate na Kruger-Brent por três décadas, abafou um soluço. Ele mesmo um homem bastante velho agora, com o cabelo tão branco e fino quanto a neve embaixo de seus pés, estava completamente arrasado com a morte de Kate. Ele a amara em segredo durante anos. Mas fora um amor que ela nunca conseguiu retribuir.

Como ela está pequena!, pensou Eve, enquanto a patética caixa de madeira desaparecia nas profundezas da terra. Kate Blackwell, que fora gigante quando viva, respeitada por presidentes e reis, parecia insignificante no final.

Não vai ser um bom banquete para os vermes de sua amada Dark Harbor, vai, vovó?

Durante anos, Kate Blackwell fora a nêmesis de Eve. Fizera tudo ao seu alcance para evitar que sua neta malvada atingisse seu objetivo na vida: assumir o controle da empresa da família, a poderosa Kruger-Brent.

Mas agora Kate Blackwell se fora.

— Garanta seu descanso eterno, ó, Pai, e que Sua luz perpétua brilhe sobre ela.

Já vai tarde, sua bruxa velha e vingativa. Espero que apodreça no inferno.

— Que ela descanse em paz.

DANNY CORRETTI OLHOU INFELIZ os negativos na sua frente. Suas costas ainda o estavam matando depois dessa manhã, e agora ele sentia uma enxaqueca se aproximando.

— Conseguiu alguma coisa?

Seu amigo tentou parecer esperançoso. Mas já sabia a resposta.

Nenhum deles conseguira a foto de duzentos mil dólares.

Eve Blackwell fora mais esperta que todos.

Capítulo 2

NA MATERNIDADE DO Mount Sinai Medical Center em Nova York, a enfermeira Gaynor Matthews observou o bonito pai de meia-idade pegar pela primeira vez a filha recém-nascida nos braços.

Ele fitava a bebê, indiferente a tudo mais ao redor. A enfermeira Matthews pensou: ***Ele está maravilhado com sua beleza.***

Gaynor Matthews era uma agradável enfermeira gorducha, com um rosto redondo e simpático e um sorriso pronto que acentuava as linhas ao redor de seus olhos. Parteira há mais de uma década, já vira esse momento se repetir milhares de vezes — centenas delas neste mesmo quarto —, mas nunca se cansava. Pais maravilhados, os olhos embevecidos de amor, do tipo mais puro que se pode sentir. Momentos como este faziam seu trabalho como parteira valer a pena. Valer as exaustivas horas. Valer o salário baixo. Valer os obstetras arrogantes que se viam como deuses só porque tinham um diploma de médico e um pênis.

Valer os raros momentos de tragédia.

O pai acariciou com gentileza o rosto do bebê. Era um homem bonito, observou a enfermeira Matthews. Alto, moreno, ombros largos, um atleta clássico. Exatamente como ela gostava.

Corou. O que estava fazendo? Não tinha o direito de pensar nessas coisas. Não em uma hora como esta.

O pai pensou: ***Jesus Cristo. Ela é tão parecida com a mãe.***

Era verdade. A pele da menininha tinha a mesma delicadeza, a mesma transparência da pele da garota por quem se apaixonara tantos anos atrás. Seus grandes olhos inquisitivos tinham o mesmo tom cinza-claro, como a névoa da manhã vindo do oceano. Até seu queixo com covinha era uma miniatura do da mãe. Por uma fração de segundo, o coração do pai acelerou ao ver a filha, um sorriso involuntário brincando em seus lábios.

Sua filha. A filha ***deles.*** Tão pequena. Tão perfeita.

Então, viu sangue em suas mãos.

E gritou.

ALEX ESTIVERA TÃO animada naquela manhã quando Peter a levou para o hospital.

— Consegue acreditar que daqui a poucas horas ela estará aqui?

Ela estava de pijama, o longo cabelo louro descabelado depois de uma noite de sono interrompida, mas, para Peter, ela nunca estivera mais radiante. Havia um sorriso maior do que o Lincoln Tunnel em seu rosto, e se estava nervosa, não demonstrava.

— Finalmente, vamos conhecê-la!

— Ou conhecê-lo. — Ele esticou o braço e apertou a mão da esposa.

— De forma alguma. É uma menina. Eu sei.

Ela acordara às 6 horas com contrações fracas, e insistiu em esperar mais duas horas antes de permitir que ele a levasse para o Mount Sinai. Duas horas em que Peter Templeton subira e descera as escadas da casa deles em West Village 16 vezes, preparara quatro xícaras de café rejeitadas, queimara três torradas e gritara com o filho Robert por não estar pronto para a escola a tempo, antes de a empregada lembrar-lhe que estavam no meio de julho e que o garoto estava de férias havia cinco semanas.

Até no hospital, Peter andou em vão de um lado para o outro, como uma galinha.

— Quer alguma coisa? Uma toalha quente?

— Estou bem.

— Água?

— Não, obrigada.

— Raspas de gelo?

— Peter...

— E aquela música de meditação que você sempre escuta? É relaxante, não é? Posso ir até o carro correndo e pegar a fita?

Alex riu. Surpreendentemente calma.

— Acho que você precisa mais do que eu. Sério, querido, precisa relaxar. Vou ter um neném. Mulheres têm bebês todos os dias. Ficarei bem.

Ficarei bem.

Os primeiros problemas começaram uma hora depois. A parteira franziu a testa quando olhou para um dos monitores. A linha verde começara a subir de repente, dando pulos.

— Afaste-se, por favor, Dr. Templeton.

Peter observou o rosto da enfermeira em busca de pistas, como um passageiro fitando os comissários durante uma turbulência... Se ela ainda estivesse sorrindo e distribuindo drinques, ninguém ia morrer, certo? Mas a enfermeira Matthews teria sido uma jogadora de pôquer de primeira. Movendo-se de forma confiante e segura pelo quarto, um sorriso profissional e tranquilizador para Alex, uma ordem brusca — ***encontrem o Dr. Farrar imediatamente*** —; suas feições redondas não revelavam nada.

— O que é? Qual é o problema?

Peter se esforçava para afastar o pânico de sua voz, por Alex. A mãe dela morrera ao dar à luz Alex e Eve, um pedaço da história da família Blackwell que sempre o aterrorizara. Amava tanto Alexandra. Se alguma coisa acontecesse com ela...

— A pressão sanguínea da sua esposa subiu um pouco, Dr. Templeton. Ainda não há motivo para se preocupar. Já pedi para o Dr. Farrar vir avaliar a situação.

Pela primeira vez, o rosto de Alexandra mostrou sinais de ansiedade.

— E a bebê? Ela está bem? Está sofrendo?

Era típico de Alex. Nunca pensava em si, apenas no bebê. Fora exatamente a mesma coisa com Robert. Desde o dia em que o filho deles nasceu, dez anos atrás, ele passara a ser o centro do universo da mãe. Se Peter Templeton fosse um tipo de homem diferente, um homem menor, poderia ter ficado com ciúme. Mas a ligação entre mãe e filho o enchia de alegria, um prazer tão intenso que às vezes mal conseguia conter.

Era impossível imaginar uma mãe mais dedicada, abnegada e carinhosa do que Alexandra. Peter nunca se esqueceria da vez em que Robert pegou catapora, um caso bem severo. Ele tinha 5 anos, e Alex ficara sentada à sua cabeceira durante 48 horas, tão concentrada nas necessidades do filho que se esquecera até de beber água. Quando Peter voltou para casa do trabalho, encontrou-a desmaiada no chão. Estava tão desidratada que precisou ser hospitalizada e ficar no soro.

A voz da parteira o assustou, trazendo-o para o presente.

— O bebê está bem, Sra. Templeton. Na pior das hipóteses, precisaremos acelerar o processo e fazer uma cesariana.

Alex ficou branca.

— Uma cesariana?

— Tente não se preocupar. Provavelmente, não precisaremos chegar a isso. Neste momento, os batimentos cardíacos estão excelentes. Seu bebê é forte como um touro.

A enfermeira Matthews até arriscou um sorriso.

Peter se lembraria desse sorriso enquanto vivesse. Seria a última imagem da sua antiga e feliz vida.

Depois do sorriso, realidade e pesadelo começaram a se misturar. O tempo perdeu todo o significado. O obstetra estava lá, Dr. Farrar, um homem alto, severo, de uns 60 anos, com o rosto enrugado e óculos que pareciam nunca sair dali, o risco iminente de caírem de seu nariz longo como o de uma bruxa. A linha verde no monitor tomou vida, alguma mão invisível puxando-a cada vez mais para cima, até que parecesse um esboço fluorescente na face norte da montanha Eiger. Peter nunca tinha visto nada tão feio. Então começaram os bipes. Primeiro em uma máquina, depois em duas, três, cada vez mais alto, berrando e gritando com ele, e os gritos se transformaram na voz de Alex: ***Peter! Peter!*** e ele pegou a mão dela, e era o dia do casamento deles, e suas mãos tremiam.

Você aceita esta mulher?

Aceito.

Aceito! Estou aqui, Alex! Estou aqui, minha querida.

Então, veio a voz do médico:

— ***Pelo amor de Deus, alguém pode tirá-lo daqui?***

Empurraram Peter, ele empurrou de volta, e alguma coisa caiu no chão fazendo um estrondo. Então, de repente, os sons sumiram, e tudo ficou colorido. Primeiro branco: jalecos brancos, luzes brancas, tão fortes que quase cegaram Peter. Depois, vermelho, vermelho do sangue de Alex, vermelho por todos os lados, rios e rios de sangue tão vivo e brilhante que parecia de mentira, como em uma cena de filme. E finalmente preto, conforme o filme se apagava em sua mente, e Peter caía em um poço bem fundo, na escuridão, e imagens de sua querida Alex fulguravam na sua frente como fantasmas enquanto ele caía:

Flash!

O dia em que se conheceram, no consultório de psiquiatria de Peter, quando Alexandra ainda era casada com aquele psicopata George Mellis.

Flash!

O sorriso dela, que vinha de dentro, ao caminhar pela nave para se casar com ele, um anjo de branco.

Flash!

O primeiro aniversário de Robert. Alex radiante, com o rosto todo sujo de chocolate.

Flash!

Esta manhã no carro.

Nós finalmente vamos conhecê-la!

Dr. Templeton? Dr. Templeton, está me escutando?

Estamos perdendo-o. Está desmaiando.

Rápido! Peguem-no!

Mais nenhum flash. Apenas silêncio e escuridão.

Os fantasmas foram embora.

A REALIDADE NÃO VOLTOU até que escutasse seu bebê chorar.

Estava acordado há quase meia hora, escutando o médico e sua equipe, e assinando documentos. Mas nada daquilo era real.

— O senhor deve entender, aquele nível de hemorragia, Dr. Templeton...

— A velocidade da perda de sangue...

— Altamente raro... talvez algum histórico da família?

— Depois de um certo ponto, não é possível evitar a parada cardíaca.

— Sentimos muito pela sua perda.

E Peter assentira, sim, sim, ele entendia, claro, tinham feito tudo o que podiam. Viu quando eles levaram a maca de Alex embora, seu rosto cinzento coberto por um lençol do hospital sujo de sangue. Ficou parado ali, inspirando e expirando. Mas, claro, não era real. Como podia ser? Sua Alex não estava morta. A coisa toda era um absurdo. Mulheres não morriam mais ao dar à luz, pelo amor de Deus, não hoje em dia. Estamos em 1984. Na cidade de Nova York.

O choro agudo e triste veio do nada. Mesmo em seu profundo estado de choque, algum instinto primário não permitiu que Peter ignorasse. De repente, alguém estava lhe entregando uma pequena trouxa embrulhada, e no momento seguinte Peter estava fitando os olhos de sua filha. Em um instante, todos os tijolos do muro de proteção que tentara construir em volta do coração desmoronaram. Por um momento de felicidade, seu coração foi invadido pelo mais puro amor.

Então acabou.

ARRANCANDO A BEBÊ dos braços dele, a enfermeira Mathews entregou-a a um auxiliar de plantão.

— Leve-a para o berçário. E chame um psiquiatra imediatamente. Ele está alterado.

A enfermeira Matthews era boa em momentos de crise. Mas, por dentro, estava se corroendo de culpa. Nunca poderia ter permitido que ele segurasse a criança. Em que estava pensando? Depois de tudo que o homem passara? Ele poderia tê-la matado.

Em sua defesa, porém, Peter parecera tão ***estável.*** Quinze minutos antes, ele estava assinando documentos e conversando com o Dr. Farrar e...

Os gritos de Peter ficaram cada vez mais altos. Do lado de fora, no corredor, os visitantes trocavam olhares preocupados e esticavam seus pescoços para ver melhor pela janela da sala de parto.

Havia mãos nele de novo. Peter sentiu a picada de uma agulha em seu braço. Conforme perdia a consciência, sabia que nunca mais veria a escuridão tranquila do poço.

Isso não era um pesadelo. Era real.

Sua amada Alex se fora.

PARA A IMPRENSA foi um prato cheio.

ALEXANDRA BLACKWELL MORRE NO PARTO!

Para o público, ela sempre seria Alexandra Blackwell, assim como Eve sempre foi conhecida por seu nome de solteira. "Templeton" e "Webster" simplesmente não tinham o mesmo impacto.

HERDEIRA DA KRUGER-BRENT MORRE AOS 34.

FAMÍLIA MAIS RICA DOS EUA SE ESFORÇA PARA LIDAR COM A PERDA.

O fascínio nacional pelos Blackwell estava na sua quinta década, mas os jornais não tinham um assunto tão suculento desde o "acidente" cirúrgico de Eve Blackwell. Havia inúmeros boatos.

Não havia bebê algum: Alexandra morrera de Aids.

Seu lindo marido, Peter Templeton, estava tendo um caso amoroso e, de alguma forma, planejara o fim da vida de sua esposa.

Era uma conspiração do governo, planejada para derrubar o preço das ações da Kruger-Brent e limitar o enorme poder que a empresa tinha no panorama mundial.

Assim como Peter Templeton, ninguém podia acreditar que uma jovem saudável e rica pudesse dar entrada na melhor maternidade de Nova York no verão de 1984 e acabar, 24 horas depois, no necrotério.

O silêncio da família e da Kruger-Brent só davam mais combustível para a imprensa. Brad Rogers, presidente da empresa desde a morte de Kate Blackwell, aparecera uma única vez diante das câmeras. Parecendo ainda mais velho do que seus 88 anos, uma aparição de cabelos brancos, suas mãos finas como papel tremiam enquanto lia a breve declaração:

— A trágica morte de Alexandra Templeton é um assunto totalmente particular. A Sra. Templeton não desempenhava nenhum papel oficial na Kruger-Brent, e seu falecimento não é, de forma alguma, relevante para a administração nem para o futuro dessa grande empresa. Solicitamos que os pedidos de privacidade da família sejam respeitados neste momento difícil. Obrigado.

Recusando-se a responder perguntas, voltou apressado para a sede da Kruger-Brent, como um pássaro perdido procurando a segurança do ninho. Não se teve mais notícias dele desde então.

A falta de informação oficial não fez os tabloides recuarem; pelo contrário, até os encorajou, deixando-os livres para inventar o que bem entendessem. Logo, a indústria de boatos se tornara tão forte que já tinha vida própria. Mas, a esta altura, já era tarde demais para a família ou qualquer outra pessoa impedir.

— Precisamos fazer alguma coisa em relação a essas matérias.

Peter Templeton estava no seu escritório em casa. Com seus gastos tapetes persas, um antigo piano vertical vitoriano, paredes de imbuia e estantes repletas de primeiras edições, esse era o cômodo favorito de Alex, um lugar para onde escapar no fim de um dia estressante. Agora, Peter andava furiosamente de um lado para o outro como um tigre enjaulado, sacudindo o jornal que tinha em mãos.

— Pelo amor de Deus, isto aqui é ***The New York Times***, não um jornaleco. — O desdém em sua voz era palpável ao ler em voz alta: — "***Acredita-se que Alexandra Blackwell já vinha***

sofrendo de complicações em seu sistema imunológico há algum tempo." Quem acredita? De onde eles tiraram esse absurdo?

Dr. Barnabus Hunt, um homem gordo, estilo Papai Noel, com uma coroa de cabelo branco em volta da careca e com bochechas permanentemente coradas, tragou pensativo seu cachimbo. Colega psiquiatra e amigo de longa data de Peter Templeton, ele se tornara frequentador assíduo da casa desde a morte de Alex.

— Importa de onde eles tiraram isso? Você já sabe qual é o meu conselho, Peter. Não leia essas imundícies. Seja superior a isso.

— Está bem, Barney. Mas e Robbie? Ele está escutando esse tipo de veneno dia e noite, coitadinho.

Era a primeira vez em semanas que Peter expressava preocupação pelos sentimentos do filho. Barney Hunt pensou: ***isso é um bom sinal.***

— Como se a mãe dele fosse algum tipo de prostituta — continuava Peter, enfurecido, — ou homossexual ou... droga-da! Não existe ninguém com menos chance de ter Aids do que Alexandra...

Sob outras circunstâncias, Barney Hunt teria gentilmente desafiado as suposições do amigo. Como médico, Peter devia ser superior e não dar crédito a essa ideia perniciosa de que a Aids era algum tipo de castigo moral para os pecadores. Esta era outra coisa pela qual a imprensa devia ser responsabilizada: causar no país inteiro um frenesi de terror sobre o HIV, fazendo com que homossexuais fossem atacados nas ruas, não conseguissem emprego nem abrigo. Como se a terrível doença pudesse se espalhar pelo toque. 1984 não era um bom ano para ser homossexual em Nova York — coisa que Barney Hunt entendia muito melhor do que seu amigo Peter Templeton poderia imaginar.

Mas esta não era a hora de levantar tais assuntos. Seis semanas depois da morte de Alex, a ferida de Peter ainda estava aberta. Seu escritório na sede da Kruger-Brent continuava vazio. Não que ele fizesse muita coisa lá. Quando Peter se casou com Alexandra, insistiu com Kate Blackwell que nunca entraria nos negócios da família.

— Vou continuar clinicando como psiquiatra, Sra. Blackwell, se não for um problema para a senhora. Sou médico, não executivo.

Mas nos anos que se seguiram, a velha senhora conseguiu derrubá-lo. Kate Blackwell esperava que os homens da família contribuíssem com "a empresa", como ela dizia. E o que Kate Blackwell queria, Kate Blackwell sempre conseguia no final.

Mas agora Kate, assim como Alexandra, se fora. Não havia ninguém para impedir que Peter passasse dias inteiros trancado no escritório, com o telefone desligado, olhando distraidamente pela janela.

A verdadeira tragédia resultante da morte de Alexandra não foi a fuga de Peter da vida. Foi a lacuna que deixou entre Peter e seu filho, Robert.

Robbie Templeton era afilhado de Barney Hunt. Conhecendo o menino desde seu nascimento, Barney presenciara o crescimento de um elo incomum entre Robbie e Alexandra. Como psiquiatra, Barney sabia melhor do que a maioria das pessoas como podia ser devastador para um menino de 10 anos perder a mãe. Se o assunto não fosse tratado de forma correta, era o tipo de evento que podia fatalmente alterar a personalidade de uma pessoa. Mães mortas e pais distantes: dois ingredientes-chave para um comportamento psicopata. Era disso que ***serial killers***, estupradores e homens-bomba eram feitos. Mas Peter se recusava a enxergar isso.

— Ele está bem, Barney. Deixe-o em paz.

A teoria de Barney era que, como o menino internalizara o sofrimento (Robbie não chorara nenhuma vez desde a morte de Alex, um sinal imensamente preocupante), Peter se convencera de que seu filho estava bem. Claro que o psiquiatra que existia nele não concordava. Mas o Peter Templeton psiquiatra parecia ter se desligado por enquanto, sobreposto pelo sofrimento do Peter Templeton homem.

Por outro lado, Barney Hunt ainda era psiquiatra o bastante para ver a verdade com muita clareza. Robbie estava gritando pelo pai. Gritando por ajuda, por amor, por conforto.

Infelizmente, seus gritos eram silenciosos.

Enquanto Peter e Robbie andavam pela casa arrastados como dois fantasmas arruinados, um membro da família Templeton oferecia uma minúscula chama de esperança. Chamada Alexandra, em homenagem à mãe, apelidada de Lexi desde o começo, o bebê que Alex perdera a vida para dar à luz já era um total encanto.

Ninguém disse a Lexi que ela deveria sofrer pela perda da mãe. Então, ela gritava, gorgolejava, sorria e balançava as pequenas mãozinhas em um feliz impulso, na feliz ignorância quanto aos trágicos eventos que envolveram sua chegada ao mundo. Barney Hunt nunca fora um grande fã de bebês — solteirão convicto, homossexual enrustido, a psiquiatria era a sua vida —, mas abriu uma exceção para Lexi. Ela era a criatura mais encantadora que ele já vira. Com cabelos louros e lindos traços mesmo com apenas 6 semanas, os olhos cinza indagadores da mãe, ela "sorria para todos que se aproximassem", como a ***Minha última duquesa*** de Robert Browning, tão feliz no colo de um estranho quanto de sua dedicada enfermeira.

Ela guardava, porém, os maiores sorrisos para o irmão. Robbie ficou hipnotizado pela irmã desde o momento em que ela chegou do hospital, correndo para vê-la assim que chegava da escola, irritando a enfermeira por correr direto para o berço sempre que ela chorava, mesmo no meio da noite.

— Não precisa entrar em pânico, Sr. Robert.

A enfermeira tentava ser paciente. Afinal de contas, o menino acabara de perder a mãe.

— Bebês choram. Isso não quer dizer que tenha alguma coisa de errado com ela.

Robbie fazia cara feia para a mulher, cheio de desdém.

— É mesmo? Como ***você*** sabe?

Afastando os macios cobertores de caxemira, ele pegou a irmã no colo, ninando-a até que seu choro parasse. Eram 2 horas, e do lado de fora uma lua cheia iluminava o céu de Manhattan.

Você está aí, mãe? Está me vendo? Está vendo como cuido bem dela?

Todo mundo, incluindo Barney, preocupara-se com a possibilidade de Robbie ter sentimentos conflitantes em relação à bebê. Poderia até se tornar violento com ela, "culpando" Lexi, de uma forma simples, infantil, pela morte da mãe. Mas Robbie deixara todos perplexos com uma efusão de amor fraternal que era tanto inesperado quanto claramente verdadeiro.

Lexi era a terapia de Robbie — Lexi e o adorado piano. Sempre que sentia o marfim gelado e liso embaixo de seus dedos, Robbie era transportado para outra época e outro lugar. Todos os demais sentidos se fechavam, e ele e o piano se tornavam um único instrumento, corpo e alma. Nesses momentos, sua mãe estava com ele. Ele simplesmente sabia.

— Robert, querido, não precisa se esconder. Entre.

A alegria forçada na voz de Peter fez Barney Hunt recuar. Virou-se e viu seu jovem afilhado rondando a porta.

— O seu tio Barney está aqui. Venha dizer oi.

Robbie abriu um sorriso nervoso.

— Oi, tio Barney.

Ele não costumava ficar nervoso, pensou Barney. ***De quem ele está com medo? Do pai?***

Levantando-se, bateu nas costas de Robbie.

— Ei, amigo. Como está?

— Bem.

Mentiroso.

— Eu e seu pai estávamos falando de você. Estávamos nos perguntando como vão as coisas na escola.

Robbie pareceu surpreso

— Na escola?

— É, você sabe. As outras crianças têm implicado com você? Por causa dessas besteiras nos jornais?

— Não, de forma alguma. A escola é ótima. Eu adoro.

Ele gosta da escola porque é uma fuga deste lugar. Uma fuga do sofrimento.

— Você queria me perguntar alguma coisa, Robert?

O tom de voz de Peter era tenso, sua fala, contida. Continuara sentado atrás da mesa desde que o filho entrou, com as costas rígidas, seu corpo inteiro retesado, como um prisioneiro a caminho do pelotão de fuzilamento. Desejava que Robbie fosse embora.

Peter Templeton amava o filho. Tinha consciência de que estava fracassando com ele. Mas toda vez que olhava para o menino, era inundado por uma onda de raiva tão forte que mal conseguia respirar. De repente, a ligação que Robbie e Alexandra tiveram em vida, o amor entre mãe e filho que um dia encantara Peter, agora fazia com que o ciúme o consumisse por dentro. Era como se Robbie tivesse roubado aquelas horas dele, aqueles incontáveis momentos de amor com Alex. Agora ela se fora, para sempre. E Peter queria esses momentos de volta.

Sabia que era loucura. Nada disso era culpa de Robbie. Mesmo assim, a fúria corroía seu peito como um ácido. Ironicamente, Peter só sentia amor por Lexi, a criança que "causara" a morte de Alex. Em sua mente confusa pelo sofrimento, Lexi era uma vítima, como ele próprio. Ela nem conhecera a própria mãe, coitadinha. Mas Robert? Robert era um ladrão. Roubara Alexandra de Peter. Peter não podia perdoá-lo por isso.

Até agora, Peter às vezes escutava o menino conversando com ela.

Mamãe, você está aí? Mãe, sou eu.

Robbie se sentava ao piano, um sorriso extasiado no rosto, e Peter sabia que Alex estava com ele, confortando-o, amando-o, abraçando-o. Mas quando Peter acordava à noite, gritando o nome de Alex, não havia nada. Nada além da escuridão e do silêncio do túmulo.

— Não, pai. — A voz de Robert mal constituía um sussurro. — Não queria perguntar nada. Eu... eu ia tocar piano. Mas posso voltar outra hora.

Com a menção da palavra "piano", um nervo no maxilar de Peter começou a tremer. Ele batia vagarosamente um lápis na mesa. Nesse momento, agarrou-o com tanta força que o quebrou.

Barney Hunt franziu a testa.

— Você está bem?

— Estou.

Mas Peter não estava bem. Sua mão estava sangrando. Uma a uma, lentas e pesadas gotas de sangue foram se espalhando pela madeira polida da mesa.

Barney sorriu de forma tranquilizadora para seu afilhado.

— Não vamos demorar. Em cinco minutos, vou procurá-lo. Podemos treinar uns arremessos, que tal?

— Está bem.

Mais um sorriso tímido e Robbie saiu, tão silenciosamente quanto entrara.

Barney respirou fundo.

— Sabe, Peter, o menino precisa de você. Ele também está sofrendo. Ele...

Peter levantou a mão.

— Já conversamos sobre isso, Barney. Robert está bem. Se quer se preocupar com alguma coisa, pense nesses malditos repórteres. Eles são o maldito problema, OK?

Barney Hunt balançou a cabeça.

Sentia pena de Robert, sentia mesmo. Mas não havia mais nada que pudesse fazer.

EVE BLACKWELL FECHOU os olhos e tentou fantasiar alguma coisa que pudesse levá-la ao orgasmo.

— Está bom, doçura? Gosta disso?

Keith Webster, seu marido, estava encharcado de suor, bombardeando-a por trás como um terrier excitado. Ele insistiu em "fazerem amor", como dizia, com regularidade durante toda a gravidez de Eve. Agora que a hora se aproximava com rapidez, sua barriga estava tão grande que essa era a única posição. Uma pequena felicidade para Eve, que não era mais forçada a olhar para Keith, cujo rosto fraco ficava maliciosamente distorcido em uma máscara de êxtase sexual toda vez que fazia amor com ela.

Se é que isso podia ser chamado de fazer amor. O pau de Keith era tão pequeno, que causava apenas uma leve irritação. Como uma criança malcriada sentada atrás de você no cinema que não para de chutar a poltrona.

Eve fingiu um gemido.

— Está maravilhoso, querido. Estou quase gozando!

E de repente, gozou, sua mente perdida em uma lenta e deliciosa apresentação de slides de imagens do passado:

Ela, aos 13 anos, seduzindo seu professor de inglês casado, Sr. Parkinson. Quando o acusou de estupro, acabou com a vida do patético homem. Mas ele merecera. Todos mereceram.

Usando o sexo para abrir seu caminho para a academia militar que ficava próxima à escola particular onde ela e Alexandra estudavam na Suíça. Como o sexo era embriagante naquela época, quando os homens se jogavam aos seus pés.

Esfaquear o coração de George Mellis e jogar seu corpo no mar em Dark Harbor. Só de pensar na expressão de surpresa no rosto de George enquanto a lâmina rasgava sua carne, Eve às vezes chegava ao clímax.

O mundo conhecia George Mellis como o primeiro marido de Alexandra Blackwell — uma nota de rodapé na ilustre história da família Blackwell. Na verdade, ele era um playboy sádico e mentiroso compulsivo, que estuprou e sodomizou Eve, um crime pelo qual acabou pagando com a vida.

É claro que Alex não soube a verdade sobre George Mellis. Nunca soube que ele estava mancomunado com sua irmã gêmea má; nunca soube que Eve e George continuaram sendo amantes durante o curto casamento deles; nunca soube que os dois tinham a intenção de matá-la e roubar sua herança; nem que Eve fora forçada a matar George quando seus planos seguiram o caminho errado.

Alex nunca soube da verdade. Mas Eve sabia. Eve sabia de tudo.

Não que tivesse se importado em matar George. De fato, fora um prazer.

Keith Webster aumentou o ritmo de seus golpes, tremendo de prazer enquanto as delicadas mãos do cirurgião apalpavam os enormes seios da esposa grávida.

— Oh, Deus, Eve, eu amo você! Vou gozar, vou gozar!

Ele soltou um ruído que parecia um uivo misturado com gemido. Eve lembrou-se de George Mellis no momento da morte, então, mentalmente, substituiu o rosto de Keith pelo dele. Atingiu o orgasmo na mesma hora.

Keith deslizou pelas suas costas como um sapo desliza por uma pedra molhada. Deitou no travesseiro, os olhos fechados curtindo a satisfação pós-coito.

— Foi incrível. Você está bem, querida? O bebê está bem?

Eve acariciou a barriga cheia de amor.

— O bebê está bem, querido. Não precisa se preocupar.

Keith Webster estava neurótico com a gravidez da esposa desde o começo, mas com a morte de Alexandra algumas semanas antes, sua ansiedade multiplicara-se por dez. Todo mundo sabia que a mãe de Eve e Alexandra, Marianne, morrera ao dá-las à luz. Agora, o mesmo destino caíra sobre Alex. Era fácil imaginar que Eve poderia ser a próxima. Que algum misterioso defeito genético estivesse esperando para arrancar sua amada dele.

Keith Webster amava Eve Blackwell desde o momento em que a vira pela primeira vez. Era verdade que, pouco depois do casamento, deliberadamente mutilara o rosto dela. Brincando com a vaidade inata dela, ele a convencera a fazer uma pequena cirurgia para apagar as linhas de expressão ao redor dos olhos. Então, uma vez que ela estava anestesiada e totalmente à sua mercê, ele começara a destruir cada um dos lindos traços dela.

No início, Eve ficara furiosa, claro. Ele já esperava isso. Mas agora ela via as coisas mais claramente. Ele ***precisava*** fazer isso. Não teve escolha. Enquanto Eve possuísse essa beleza inebriante, ele sofria o risco de perdê-la. Perdê-la para outros homens menos dignos, homens que nunca conseguiriam amá-la como ele. Homens como George Mellis, que uma vez batera tanto em Eve que ela quase morrera. Keith Webster restaurara a aparência dela depois do ataque. Foi no dia em que se conheceram. Eve ficara tão deliciosamente grata, que ele se apaixonou por ela na mesma hora.

Mas o que Keith Webster dava, Keith Webster também podia tirar.

Era uma lição que Eve precisava aprender.

Os outros podiam achar que o rosto de sua esposa coberto por cicatrizes grotescas fosse repugnante, mas não Keith Webster. Aos seus olhos, Eve sempre seria linda. A criatura mais linda do mundo.

Keith Webster não tinha ilusões sobre a própria aparência. Quando se olhava no espelho, via um homem pequeno, míope, com alguns fios de cabelo castanho-claro que ainda restavam em sua cabeça quase careca, como algas grudadas em uma pedra. As mulheres nunca se interessaram por ele, ponto final, muito menos as loucamente atraentes como Eve Blackwell. Na época, não sentira nenhum remorso em chantagear Eve para se casar com ele (Keith sabia que ela tinha matado George Mellis e ameaçou contar à polícia se ela não se casasse com ele), e continuava não sentindo nenhuma culpa. Afinal, de que outra forma ele a possuiria? Para cumprir o destino dela, e o dele próprio?

Mais uma vez, Eve não lhe dera alternativa.

Com a mão carinhosa sobre a barriga dela, Keith se sentiu completamente feliz. Morrendo de medo de ser fotografada e ridicularizada como um monstro em um show de bizarrices, Eve se tornara praticamente uma prisioneira na cobertura em que moravam desde que ele a "recriara", como ele gostava de pensar. Não tendo mais nada para fazer com as longas e solitárias horas de sua existência além de realizar todos os caprichos dele, ela finalmente cedera e dera a ele o que mais desejava: um filho, o filho deles, uma prova viva do amor deles.

O que mais um homem podia querer?

Ela teve uma gravidez difícil, com violentos acessos de enjoo matinal ao longo de todos os meses. Embora Keith soubesse que nunca houve muito amor entre sua esposa e a irmã gêmea, tinha certeza de que a morte repentina de Alexandra tinha assustado Eve.

Mas agora só faltavam algumas semanas.

Abaixando a cabeça com reverência, ele beijou a barriga da esposa, murmurando palavras de carinho para o filho que ainda não tinha nascido.

Logo o bebê deles nasceria. E todos os problemas acabariam, a dor do passado seria esquecida.

O TRABALHO DE PARTO de Eve foi longo e agonizante. Enquanto a imprensa se amontoava como abutres embaixo da janela de seu quarto no hospital, Eve suportou 16 horas sentindo seu corpo sendo rasgado por dentro.

— Tem certeza de que não quer tomar um analgésico, Sra. Webster? Uma injeção de petidina aliviaria as contrações.

— Meu nome é Blackwell. — Eve sibilou entre os dentes. — E não.

Eve estava inflexível. Nada de drogas. Nada de alívio. Concebera esta criança para colocar em prática a sua vingança, para fazer seus inimigos sofrerem o que merecem, e para reclamar sua herança roubada: a Kruger-Brent. Era certo que ele viesse ao mundo pelo sofrimento. Que o primeiro som que escutasse fosse os gritos de sua mãe.

Se não o desprezasse tanto, Eve poderia até ter ficado com pena de Keith Webster. O patético, incompetente e frouxo, com quem fora forçada a se casar, realmente acreditava que ela estava ***feliz*** por dar à luz o filho dele! Rondando-a como uma empregada velha, morrendo de pena pelos enjoos matinais dela... exceto que não eram, de forma alguma, enjoos matinais. Os violentos acessos de vômito de Eve eram causados por pura aversão. A simples ideia da semente de Keith crescendo dentro dela lhe provocava ânsia.

Verdade, ela permitira que ele a engravidasse. Esse bebê fora planejado.

Ele acha que eu o concebi com amor.

Eve riu alto. A arrogância da loucura de Keith não tinha limites.

A verdade era que Eve Blackwell odiava seu marido. Odiava com uma paixão cruel tão intensa que estava surpresa que as enfermeiras não captassem o cheiro misturado ao seu suor.

Quando Keith tirara os curativos de Eve e lhe mostrara seu rosto destruído, cinco longos anos atrás, ela gritara até desmaiar. Nas semanas que se seguiram, ela soluçara e se enfurecera, suas emoções indo do choque à descrença e ao terror. No início, ficara tão desesperada que realmente se agarrara a Keith. Sim, ele tinha feito algo terrível, mas era tudo que ela tinha. Sem a proteção dele, ela tinha medo de ser jogada para os lobos, despedaçada como uma presa. Conforme os anos foram passando, porém, Eve deixou de se preocupar em ser abandonada por Keith. Percebeu, para seu horror, que o homem era tão doente que ainda a considerava atraente. Keith Webster transformara Eve Blackwell em um monstro: ***A Fera dos Blackwell.*** Mas ela era o monstro ***dele.*** Para Keith, era só o que importava.

— O bebê está coroando, Sra. Web... Sra. Blackwell. Estou vendo a cabeça!

Eve desejava que as enfermeiras parassem de sorrir. Não percebiam a agonia pela qual estava passando? Era como se uma tropa de colegiais idiotas estivesse cuidando dela.

Graça a Deus Keith concordara em ficar na sala de espera destinada aos pais.

Eve implorara:

— Quero que ainda me ache sexy, querido. Você sabe o que dizem sobre homens que assistem às esposas dando à luz. Dizem que destrói, sabe, ***aquilo***, para sempre.

Keith insistiu que nada poderia diminuir a paixão que sentia por ela. Mas, para assombro de Eve, ele concordara em ficar na sala de espera.

— Mais uma vez! Está quase conseguindo!

A dor era tão forte que Eve ficou surpresa de não desmaiar. Era como se algo pressionasse dentro dela até que não tivesse mais consciência de nada a não ser das sensações no interior do seu útero.

Pensou em Alex, percebendo pela primeira vez como a morte dela deve ter sido dolorosa e assustadora.

Bom.

Era irônico. Eve pensou em todo o tempo e energia que dedicara para tentar matar sua irmã gêmea no decorrer dos anos: colocando fogo na camisola dela na festa de 5 anos; providenciando acidentes de cavalo, de barco e, finalmente, todo o complicado plano de assassinato com George Mellis. (Sabendo que George não tinha onde cair morto e era psicótico, e que seu estilo de playboy rico era só uma fachada, Eve o encorajara a cortejar e desposar sua irmã. O plano era George conquistar a confiança de Alex, convencê-la a fazer um novo testamento em que deixasse tudo para ele, incluindo sua participação majoritária na Kruger-Brent, depois se livrar dela e dividir a herança com Eve.)

Mas, de alguma forma, Alexandra sobrevivera a cada um dos elaborados esquemas de Eve. A vadia era como aquelas velas de aniversário que ninguém consegue apagar. E, então, ***Bum!*** Do nada, um simples ato de Deus a apagou, como a mancha indesejada que era.

Alexandra Blackwell, herdeira da Kruger-Brent e famosa por sua beleza. Morta ao dar à luz aos 34 anos.

Era tão perfeito. Quase bíblico.

Eve escutou um ruído alto, selvagem. Demorou um momento para perceber que era sua própria voz, gritando conforme a contração final dilacerava seu corpo. Segundos depois, sentiu entre as pernas uma umidade quente e a agitação enérgica de minúsculas pernas. Uma criatura ensanguentada e pegajosa, coberta por uma espécie de cera branca deslizou para os braços da enfermeira que o esperavam.

— É um menino!

— Parabéns, Sra. Blackwell!

Uma das enfermeiras cortou o cordão. Outra limpou a placenta.

Fraca por causa da exaustão e da perda de sangue, Eve caiu sobre os lençóis encharcados de suor. Observou enquanto as enfermeiras limpavam e examinavam o bebê, marcando itens em um formulário. De repente, sentiu uma onda de pânico.

— O que tem de errado com ele? — Sentou-se ereta. — Por que ele não está chorando? Ele está morto?

A parteira sorriu. ***Bem, essa era a reviravolta na história.*** Eve Blackwell fora tão objetiva e hostil durante o parto — francamente, toda a equipe de enfermagem a achava uma megera —, que tinham começado a desconfiar que ela não ***queria*** o bebê. Mas, obviamente, tinham-na julgado errado. A preocupação na voz de Eve era inconfundível. ***Afinal, ela será uma boa mãe.***

— Ele está ótimo, Sra. Blackwell. Aqui, a senhora mesma pode ver.

Eve pegou a trouxa branca. Alguém limpara a criança. O sangue e a cera não estavam mais ali. Quando abaixou o olhar, viu o pequeno rosto com pele azeitonada, a cabeça com um lustroso cabelo preto azulado. O nariz e a boca eram típicos de um bebê, sem características marcantes. Mas os enormes olhos castanho-escuros firmes e atentos emoldurados por cílios pretos, eram extraordinários. O menino olhou para ela, analisando seu rosto em silêncio. Para o resto do mundo, Eve era um monstro. Para seu filho, ela era o universo.

Eve pensou: ***Ele é inteligente. Perspicaz, como um pequeno cigano.***

Ela sorriu e, embora soubesse que não era possível, podia jurar que ele correspondeu ao sorriso.

— Já escolheu o nome?

Eve nem levantou o olhar.

— Max. O nome dele é Max.

Era um nome simples, curto, mas para Eve sugeria força. O menino ia precisar de força para atingir seu propósito e vingar a mãe.

Eve concebera o filho de Keith Webster por um único motivo. Porque precisava de um cúmplice. Alguém que pudesse moldar à sua própria imagem, alimentá-lo com seu ódio e soltar no mundo para fazer todas as coisas que ela, uma prisioneira no próprio lar, não podia mais fazer.

Max faria Keith Webster pagar pelo que fizera a ela.

Max devolveria a Kruger-Brent para ela.

Max a admiraria, adoraria e obedeceria como os homens sempre a admiraram, adoraram e obedeceram antes de Keith roubar sua beleza.

— Toc, toc.

Keith apareceu na porta, carregando um enorme buquê de rosas. Entregando-o à enfermeira, ele deu um beijo indiferente na cabeça dela, antes de pegar o filho no colo.

— Ele é... ele é tão lindo. — A voz dele estava engasgada. Quando levantou o olhar, Eve viu que havia lágrimas de alegria escorrendo pelo seu rosto. — Obrigado, Eve. Obrigado, minha querida. Você não faz ideia do que isso... do que *ele* significa para mim.

Eve sorriu sabiamente.

— De nada, Keith.

E ela caiu em um sono satisfeito e sem sonhos.

Capítulo 3

ROBBIE TEMPLETON SENTIU uma agitação familiar no seu estômago ao atravessar a porta giratória do prédio da Kruger-Brent na Park Avenue.

— Bom dia, Sr. Robert.

— É um prazer vê-lo de novo, Sr. Robert.

— Seu pai o está aguardando?

Todo mundo o conhecia. Os recepcionistas, em seus uniformes de flanela cinza, os seguranças, até Jose, o zelador. Robert Templeton era bisneto de Kate Blackwell, tinha 15 anos e o mundo aos seus pés. Um dia, ele assumiria seu lugar como CEO e presidente da empresa.

Era o que diziam.

Robbie vinha a este prédio com a mãe desde que era bem pequeno. O magnífico átrio com piso de mármore, arranjos de flores de 1,80m de altura e paredes cobertas por inestimáveis obras de arte moderna — quadros de Basquiat, Warhol e Lucien Freud — era o playground de Robbie. Brincava de pique-esconde nos elevadores e pelos longos corredores da empresa. Balançava as pernas e rodava na cadeira giratória de Kate Blackwell até que não conseguisse mais ficar em pé de tão tonto.

Durante toda a vida, tentara amar este lugar. Tentara sentir a paixão e a nostalgia que todos achavam que tinham nascido com ele. Mas não adiantava. Atravessar a conhecida porta giratória hoje causou-lhe a mesma sensação de sempre: como se estivesse atravessando os portões do inferno.

Sua mente voltou para seu aniversário de 7 anos. Sua bisavó, Kate, lhe prometera uma surpresa de aniversário.

— Uma coisa maravilhosa, Robert. Só nós dois.

Lembrava-se de ter ficado tão ansioso que nem conseguiu dormir na noite anterior. ***Uma coisa maravilhosa.*** Uma visita particular a FAO Schwartz, famosa loja de brinquedos? Comer tudo que quisesse no Chuck.E.Cheese? Disneylândia?

Quando Kate o acompanhou pelas portas do maçante prédio da empresa, ele achou que ela tivesse deixado alguma coisa lá. Um guarda-chuva talvez? Ou suas orelhas de Mickey Mouse?

— Não, meu querido — dissera ela, os olhos velhos e úmidos acesos com uma paixão que ele não conseguia compreender. — ***Esta*** é a sua surpresa. Você sabe onde estamos?

Robbie assentiu, infeliz. Estavam no escritório do pai. Estivera aqui centenas de vezes com sua mãe, e sempre se sentiu estranho. Era grande demais. E vazio. Quando gritava bem alto, as paredes produziam eco. Embora não soubesse explicar, sempre teve a impressão de que aquele escritório também deixava seu pai triste. Nenhum deles pertencia a este lugar.

Mas sua bisavó via as coisas de uma forma diferente.

— Este é o nosso reino, Robert! Nosso palácio. Um dia, quando eu não estiver mais aqui e você for adulto, tudo isto será seu. Tudo.

Ela apertou a mão dele. Robbie se perguntou aonde ela estava planejando chegar e quanto tempo levaria. Amava sua bisavó, mesmo que ela ***de fato*** tivesse ideias malucas sobre um prédio velho e chato ser um palácio. Esperava que ela não demorasse muito.

Era domingo, o prédio estava deserto. Acompanhando-o no elevador, Kate apertou o botão do vigésimo andar. Logo, estavam no escritório dela. Depois de colocar Robbie na cadeira giratória de couro atrás da mesa, Kate sentou em uma poltrona no canto, a que era destinada aos visitantes ilustres: embaixadores, presidentes e reis.

Robbie ainda podia ouvir a voz dela.

— ***Feche os olhos, Robert. Vou lhe contar uma história.***

Foi a primeira vez que escutou a história completa da Kruger-Brent, a empresa que tornara a sua família rica, famosa e diferente da família de todas as outras pessoas. Mesmo aos 6 anos, Robbie Templeton sabia que era diferente das outras crianças. Mesmo aos 6 anos, desejava de todo o coração que não o fosse.

Hoje, claro, Robbie Templeton conhecia a Lenda de Kruger-Brent de cor. Fazia parte dele tanto quanto o sangue que corria em suas veias e o cabelo que cobria sua cabeça. Sabia tudo sobre Jamie McGregor, pai de Kate. Sobre como ele fora da Escócia para a África do Sul no final do século XIX, sem um centavo, mas com muita determinação, e fundara a empresa de mineração de diamante mais lucrativa do mundo. Jamie fora traído por um comerciante local, Salomon Van Der Meerwe. Com a ajuda do corajoso empregado negro de Van Der Meerwe, Banda, Jamie se vingara; primeiro, roubando o perfeito diamante de vinte quilates sobre o qual o império Kruger-Brent foi fundado, e depois engravidando a filha de Van Der Meerwe, Margaret — mãe de Kate Blackwell.

O nome da empresa foi um insulto a mais ao comerciante que não apenas o traíra, mas tentara matá-lo. "Kruger" e "Brent" eram como se chamavam os dois guardas Afrikaaner que perseguiram Jamie e Banda enquanto tentavam escapar com vida, com os bolsos cheios de diamantes de Van Der Meerwe.

Kate em si não se lembrava do pai, que morreu quando ela era bem pequena. Mas o tom de voz calmo e cheio de reverência que usava ao falar dele deixava claro que, aos seus olhos, Jamie McGregor era nada menos que um deus. Adorava contar a Robert como ele se parecia com o tataravô. E era verdade, se pudessem se basear no retrato de Jamie McGregor que estava pendurado em Cedar Hill House, a semelhança era realmente incrível.

Robbie sabia que sua bisavó considerava isso um elogio. Mas, mesmo assim, desejava que ela parasse de repeti-lo.

Depois da morte de Jamie McGregor, a Kruger-Brent foi administrada durante duas décadas por seu amigo e braço direito, outro escocês, chamado David Blackwell. Kate se apaixonou por ele. Apesar de David ser vinte anos mais velho do que ela e, em determinada época, noivo de outra mulher, acabaram se casando. Como aconteceu tantas vezes em sua vida, Kate vira alguma coisa que queria e não sossegou até que conseguisse.

David Blackwell foi o segundo grande amor da vida de Kate.

O primeiro era a Kruger-Brent.

Quando David morreu na explosão de uma mina logo depois da guerra, todo mundo achou que sua viúva jovem e grávida fosse ficar de luto por um ano mais ou menos, e depois se casar de novo. Mas isso nunca aconteceu. Depois de perder um amor, Kate Blackwell dedicou o resto de sua longa vida ao outro. A Kruger-Brent se tornou o sol e a lua, o amante, a obsessão, o mundo dela. Sob o comando de Kate, a empresa cresceu e passou de uma empresa bem-sucedida de diamantes africanos a uma gigante mundial, com investimentos em cobre, aço, indústrias petroquímicas, plástico, telecomunicações, aeroespacial, imóveis e software. A Kruger-Brent estava em todos os setores, em todos os mercados, em todos os cantos do mundo. Mesmo assim, a ambição de Kate Blackwell por novas aquisições e expansão continuava insaciável. Entretanto, ainda mais forte era a sua obsessão em encontrar um herdeiro. Alguém dentro do clã Blackwell que pudesse continuar seu bom trabalho e levar a empresa a patamares ainda mais elevados de dominação global quando ela morresse.

Quando seu filho, Tony York, sucumbiu à pressão de sua herança e perdeu a sanidade, Kate transferiu suas ambições para as filhas gêmeas dele: Alexandra, mãe de Robbie, e Eve, a assustadora tia do menino. A mãe de Eve e Alexandra morreu dando-as à luz. Com o pai preso em um sanatório, Kate ficou com a responsabilidade de criar as meninas.

Desde o início, Kate Blackwell estava determinada a que *uma* de suas netas assumisse o comando da Kruger-Brent quando tivesse idade suficiente. Durante muitos anos, seria Eve. Ela sempre foi a gêmea dominante, e sua sucessão parecia natural. Mas, então, algo terrível aconteceu. Algo tão terrível que convenceu a bisavó de Robbie a deserdar Eve definitivamente.

O que quer que fosse essa coisa terrível, era um segredo que Kate levara consigo para o túmulo. Robbie teria perguntado pessoalmente à sua tia Eve o que acontecera tantos anos atrás, mas tinha muito medo. Com o rosto sempre coberto e a forma estranha e enigmática de falar, tia Eve sempre lhe causara pesadelos. Até seus pais pareciam ter um pouco de medo dela, o que o assustava ainda mais.

Ainda assim, ele desejava saber o que tinha acontecido entre sua bisavó e sua tia. Porque, independentemente do que fosse, era responsável por sua posição desconfortável. Como seu avô Tony antes dele, Robbie sonhava com uma vida fora da Kruger-Brent. Tudo que sempre quis foi tocar piano. Mas Kate Blackwell o nomeara seu herdeiro contra os desejos expressos de seus pais e o seu próprio. Nada detinha a força de vontade dela, algo que gerações de sua família acabaram aprendendo da forma mais dura.

Robbie sorriu para Karis Brown, a chefe das recepcionistas. Uma morena de fala mansa com uns 40 e poucos anos, olhos castanhos felizes e sempre enfeitada, Karis tinha aquele tipo de rosto que irradia bondade. Embora muito menos bonita, ela fazia com que Robbie se lembrasse de sua mãe.

— Papai não está esperando. Pelo menos, acho que não.

Sempre existia a possibilidade de o Sr. Jackson, diretor do St. Bede's, renomado colégio particular em que Robbie estudava, tivesse telefonado antes.

Karis Brown levantou a sobrancelha.

— Não está com nenhum problema, certo?

Robbie deu de ombros, tímido.

— Nada fora do normal.

— Bem, neste caso, acho melhor deixá-lo subir. Boa sorte.

Ela entregou a ele um cartão especialmente codificado para o elevador que daria acesso ao vigésimo andar. Os escritórios particulares de todos os membros da família Blackwell ficavam nos últimos dois andares do prédio, e a segurança era cerrada.

— Obrigado.

Karis Brown observou Robbie, com as mãos enfiadas nos bolsos, seguir relutantemente até os elevadores, e imaginou que travessura ele fizera desta vez. Como a maioria dos funcionários da Kruger-Brent, Karis Brown tinha um fraco por Robbie. Como não amá-lo, com aqueles expressivos olhos cinza, o cabelo louro e um jeito adorável de corar sempre que alguém olhava em seus olhos? Todo mundo na empresa sabia que Robbie Templeton era um garoto rebelde. Desde que a mãe morrera, ele saíra dos trilhos mais rápido do que um trem expresso deslizando no gelo, coitadinho. Nos últimos cinco anos, tinha sido expulso de mais escolas que Karis Brown podia contar. Mas olhando para ele, ninguém dizia. Ele parecia ser uma alma gentil, doce, tímida.

As portas do elevador se fecharam atrás dele. Karis Brown esperava que o pai não fosse muito duro com o rapaz.

— VOCÊ FEZ O ***quê?***

Peter Templeton estava tendo um dia ruim. Tinha acordado com a pior das ressacas. Sabia que andava bebendo muito ultimamente, mas a culpa só aumentava ainda mais sua dor de cabeça latejante. As pessoas diziam que seu sofrimento diminuiria com o tempo, mas já fazia cinco anos que perdera Alex e a solidão estava pior do que nunca. As noites eram a pior parte. Durante o dia, aprendera a se ocupar com o trabalho ou com Lexi.

Aos 4 anos, Lexi era uma caixa de Pandora cheia de encantos e surpresas. Todo dia, ela aparecia com alguma coisa nova ou engraçada e derretia o coração do pai mais uma vez. Mas, por volta das 20 horas, a menininha já estava apagada de sono, por mais que Peter tentasse fazer com que ficasse acordada. Quando Lexi ia para a cama, era como se alguém desligasse a máquina que o mantinha vivo. Por volta das 20h30, ele geralmente recorria ao uísque. Às 22 horas, na maioria dos dias, já estava desmaiado.

Esta manhã, com outra ressaca, ele chegara no escritório para encontrar sua mesa com uma pilha de trabalho. Era a época do bônus na Kruger-Brent, uma das épocas mais estressantes do ano. Outros membros do conselho tomavam a maioria das decisões importantes, mas desde que Brad Rogers se aposentara, Peter Templeton recebera o cargo de CEO. Isso significava que seu trabalho era premiar os funcionários brilhantes da Kruger-Brent (uma tarefa impossível; os bons sempre achavam que não estavam ganhando o suficiente), além de repreender aqueles que ficavam aquém das expectativas.

Que direito eu tenho de repreender alguém? Todos sabem que eu sou o maior peso morto desta empresa. Sou psiquiatra, não executivo. Se ao menos eu tivesse sido mais forte com Kate Blackwell tantos anos atrás. A Kruger-Brent não é o meu lugar. Ninguém sabe disso melhor do que eu.

A névoa em sua cabeça começara finalmente a clarear. Então, Robert apareceu, com a maior cara de pau, e avisou que tinha sido expulso de St. Bede's.

— Já contei o que eu fiz, pai. Fumei um baseado. E daí? Um só. Nada demais.

As têmporas de Peter voltaram a latejar ainda mais forte.

— Robert. Você fumou um baseado na ***aula de matemática.*** O que você ***achou*** que ia acontecer? Achou que o professor ia deixar passar?

Robbie estava olhando pela janela. Normalmente, do escritório de seu pai, era possível ter uma vista panorâmica de Manhattan, mas hoje estava tão nublado, que tudo estava encoberto por um assustador arco-íris de tons de cinza.

— Droga, Robert. Não sei mais o que fazer. Não posso ajudá-lo se insistir em sabotar a própria vida. Você não se importa com o seu futuro?

Meu futuro? Como podem esperar que me preocupe com meu futuro se não consigo nem compreender o meu presente? Nem sei quem eu sou.

— Se você acha que vai passar o resto do ano vagabundeando em casa, pode esquecer, meu chapa.

Meu chapa? Ele fala como se fosse um personagem da década de 1950. Não é de se espantar que não entenda.

— Você está de castigo. A partir de agora.

— Achei que você tivesse dito que não me queria vagabundeando pela casa.

— Não me responda! Não ouse falar assim comigo! — Peter falou tão alto que as secretárias do outro lado do corredor escutaram. — Você não vai ver ***ninguém.*** Não vai falar com ***ninguém.*** Quer desperdiçar a sua vida, Robert? Quer acabar na prisão? Bem, talvez esteja na hora de você ver como é viver em uma prisão.

Robbie riu. Sabia que era a pior coisa que podia fazer neste momento, mas não conseguiu se segurar.

Você quer me dar um gostinho de como é a vida na prisão? Meu Deus, pai. A minha vida toda é uma prisão. Sem condicional! Não consegue ver isso? Estou encurralado.

— Você acha engraçado? — Peter estava tremendo de raiva.

Robbie virou-se para encará-lo.

— Não, eu não acho. Eu...

Slap!

O tapa veio do nada. Peter lançou sua mão sobre o rosto de Robbie com tanta força que ele cambaleou para trás. Perdendo o equilíbrio, ele bateu com a parte de trás da cabeça no vidro da janela, então caiu no chão, atordoado.

Por alguns segundos, pai e filho ficaram congelados, em um silêncio estupefato. Então, Peter falou.

— Desculpe, Robert. Eu não deveria ter feito isso.

Robbie estreitou os olhos. O rosto de um vermelho vivo por causa do tapa.

— Não, não devia.

Levantando com um pouco de dificuldade, Robbie passou pelo pai com a cabeça baixa e foi cambaleando até o elevador.

— Robert! Para onde você vai?

Segundos depois, Robbie estava de volta ao saguão. Atravessou a porta giratória e saiu no ar gelado e fresco da rua. Lágrimas escorriam pelo seu rosto.

Deus?

Mãe?

Alguém?

Por favor, me ajude! Por favor!

Correndo pela Park Avenue sem ver nada à sua frente, Robbie Templeton começou a soluçar.

A DEPRESSÃO SE INSTALARA realmente aos 12 anos, no princípio da puberdade.

Antes disso, Robbie se lembrava de períodos de muita tristeza. Épocas em que sentia tanta falta de sua mãe que experimentava uma dor física, como uma faringite muito forte causada pelo sofrimento. Mas eram apenas interlúdios temporários. Tocando piano, saindo para caminhar na rua ou brincando com Lexi, conseguia se livrar da sensação.

Entretanto, quando completou 12 anos, algum abalo sísmico aconteceu dentro dele. A escuridão tomou conta de seu interior e, desta vez, a presença era constante. Robbie sentia como se estivesse atravessando um túnel sem fim e que alguém fechara o buraco pelo qual entrara. Não havia nada a fazer a não ser dar um passo de cada vez, sem esperança, eternamente. Vozes doces, instigando-o ao suicídio, seguiam-no a todos os lugares. Se não fosse por Lexi, já teria atendido a essas vozes anos atrás. E, dessa forma, pelo bem de sua irmãzinha, se esforçava por seguir adiante. Afundando cada vez mais em uma escuridão sem fim.

Uma vez, confidenciara ao seu tio Barney esses sentimentos. No dia seguinte, seu pai apareceu em seu quarto como uma fera, colocando Prozac na sua mão e forçando-o a fazer terapia três vezes por semana. Durante um ano, Robbie escutou educadamente o terapeuta e jogou Prozac na privada. Não sabia mais de muita coisa, mas sabia que os "comprimidos de culpa" de seu pai não eram a resposta para o seu problema.

Essa foi a última vez que Robbie Templeton procurou um adulto em busca de ajuda. Desde então, estava sozinho.

Como se a escuridão não fosse suficiente, Robbie tinha a dolorosa consciência de que também não era "normal" em outros aspectos. As garotas eram um problema. Os seus supostos amigos, o grupo de garotos que andavam com ele porque era rico e bonito e não sabiam nada sobre o menino torturado em seu interior, eram todos obcecados por garotas. Principalmente por seus seios, pernas e vaginas.

— Você viu os peitos de Rachel McPhee este semestre? Aquelas coisinhas lindas, tipo, ***triplicaram*** no verão.

— Annie Mathis tem a xoxota mais gostosa do primeiro ano. Parece o Túnel do Amor!

— Se Angela Brickley não chupar o meu pau até o final do ano, juro por Deus que me mato.

É claro que falavam muita besteira. Contavam vantagem. Robbie sabia muito bem que a maioria dos garotos de sua turma ainda era virgem, apesar de todo o papo sobre xoxotas e paus. Mas essa não era a questão, ou o problema. O problema é que eles tinham ***interesse*** em garotas. Todos eles.

Robbie Templeton não tinha.

Lembrava-se como seu coração parara algumas semanas atrás quando Lexi anunciou alegremente:

— Eu sei por que você não tem namorada.

Pulando pela cozinha no seu vestido rosa de princesa favorito, tomando refrigerante com um canudo espiralado, ela piscava os olhos para Robbie como Mae West.

Quatro anos de idade, e ela já sabe flertar melhor do que eu.

— Não sabe nada, Lexi.

— Eu sei.

Sabia? Era tão óbvio?

Robbie se esforçava de verdade para não olhar para outros garotos em público. Tanto que seus olhos doíam às vezes. Certamente, nunca olhou na escola. Não porque tivesse medo do que os outros poderiam dizer, mas porque sentia nojo dos próprios sentimentos, consumido por uma vergonha que não conseguia compreender nem expressar. Não podia ser gay. Ele ***se recusava*** a ser gay. Além disso, se não fizesse nada em relação aos seus desejos, se não os atendesse, então, tecnicamente, não seria gay. Apenas confuso. Certo?

Lexi fitou-o com adoração.

— É porque você está esperando eu crescer para poder se casar ***comigo***, certo?

O alívio foi tão grande que Robbie caiu na gargalhada. Pegando a irmã nos braços, girou-a até que ela soltasse gritinhos de alegria.

— Isso mesmo, meu amor. É exatamente isso.

— ***Eu sou*** a sua princesa.

— Isso, Lexi. Você é a minha princesa.

— Olhe por onde anda, seu idiota!

Robbie levantou o olhar. Estava tão envolvido nos próprios pensamentos que não estava vendo por onde andava. Deu uma trombada em um executivo indo almoçar, fazendo com que perdesse o equilíbrio.

O homem falou ainda mais alto:

— Você é retardado ou alguma coisa? Maluco.

— Desculpe, eu não vi o senhor.

Robbie continuou andando, de cabeça baixa. Dentro de sua mente, a fita continuou rolando:

Ele está certo. Sou um maluco.

Não fazia ideia de onde estava indo. Acabaria tendo de voltar para casa, mas não podia encarar isso agora. Entrando na Grand Central Station, comprou uma passagem qualquer e entrou no primeiro trem que passou.

Capítulo 4

A GAROTA TINHA CABELO ruivo. Seus seios eram tão grandes que pareciam querer escapar da justa suéter de lã. Sua saia de couro preta era tão curta que Robbie podia ver os desenhos de margarida em sua calcinha de algodão.

O nome dela era Maureen Swanson. Ela era a capitã das líderes de torcida, a garota mais popular da escola. Todos os garotos de St. Bede's queriam transar com ela.

Quase todos.

Maureen Swanson o encarou.

— Eu conheço você, não?

Robbie olhou para os sapatos.

— Ei, Rain Man. Estou falando com você. ***Alôôôô?***

Era muito azar. De todas as centenas, talvez milhares de trens que saíam da Grand Central Station toda tarde, ele tinha de pegar o mesmo que Maureen das Mamas Monstruosas.

— Você é o garoto Blackwell, não é?

Robbie olhou em volta procurando uma forma de escapar, mas não havia nenhuma. O vagão estava lotado de passageiros. Ele estava confinado ali como em uma lata de sardinha.

— Bobby, certo? Primeiro ano?

— Robbie.

— Eu sabia! — Maureen ficou tão triunfante que parecia que tinha acabado de resolver o teorema de Fermat ou de descobrir ou sentido da vida.

— Robbie Blackwell.

Ouvindo o nome Blackwell, outros passageiros se viraram para encarar Robbie. Alguns nem disfarçaram, na tentativa de ver melhor. O garoto realmente era um ***deles***?

— Na verdade, meu nome é Templeton. E você não me conhece. Nunca fomos apresentados.

Maureen se levantou, atraindo olhares admirados dos executivos mais introspectivos e assovios dos mais corajosos. Todas as mulheres do carro olharam furiosamente para ela.

— Bem, Robbie ***Templeton***. — Ela abriu um sorriso malicioso, acomodando-se no colo de Robbie. — Podemos resolver isso agora mesmo.

Robbie sentiu-se derretendo por dentro. Não de desejo. De medo. Por que não se jogou nos trilhos quando teve a chance? Qualquer coisa teria sido melhor do que a morte por sufocamento que estava prestes a encarar no vale Rift que existia no decote de Maureen Swanson.

— Para onde você vai?

Essa era uma boa pergunta. Para onde ele ***estava*** indo? Ainda não fazia a menor ideia. O trem começara a diminuir a velocidade. Pelos alto-falantes, uma voz informou aos passageiros que estavam se aproximando de Bronxville.

— Bronxville. É o meu ponto.

Livrando-se dos braços de Maureen que envolviam seu pescoço, ele começou a abrir seu caminho com o cotovelo para atravessar o muro de pessoas, e conseguiu sair um pouco antes da porta do vagão se fechar. Ficou parado na plataforma enquanto o trem se afastava.

Graças a Deus. Ela foi embora.

A voz de Maureen Swanson soou atrás dele.

— Que coincidência. Este também é o meu ponto.

O desalento atingiu Robbie.

Como ela conseguiu sair do trem sem que ele percebesse? Ela era o quê, Harriet Houdini?

Maureen Swanson era dois anos mais velha do que Robbie Templeton. Ela também era uma deusa. O tipo de garota que poderia conseguir o cara que quisesse. É claro que os caras que ela queria eram os jogadores dos times das faculdades, com físico como o de OJ Simpson. Robbie tinha mais a ver com Wallace Simpson. Sem dúvida era bonito, mas, aos 15 anos, ainda era pequeno e magro, não parecendo ser nem um pouco mais velho do que era.

Por outro lado, Robbie também era o herdeiro da fortuna da Kruger-Brent. Parecia que, por dez bilhões de dólares, Maureen Swanson estava disposta a abrir uma exceção no seu critério para escolher namorados. Robbie Templeton podia não ter o corpo de um jogador de futebol, mas valia mais dinheiro do que a maioria dos profissionais.

Maureen sorriu.

— Conheço um cara que mora por aqui. Tem sempre uma festa rolando na casa dele. Quer ir dar uma olhada?

Robbie avaliou suas opções. ***Não*** queria ir dar uma olhada. ***Não*** queria ir a uma festa, muito menos com Maureen Swanson. Queria ficar sozinho para que pudesse se matar em algum outro lugar, tranquilamente, sem que sua última lembrança fossem os seios de Dolly Parton ou a calcinha de margarida da JC Penney. Era pedir muito?

Por outro lado... Uma festa significa outras pessoas. Barulho. Drogas. Distrações para Maureen.

Drogas.

Robbie deu de ombros. ***Dane-se.***

— Claro. Por que não? Não tenho nada melhor para fazer.

QUANDO PETER TEMPLETON chegou em casa naquela noite, esperava encontrar o filho esperando por ele.

— Robert!

Deixou a porta da frente bater.

— ROBERT!

Peter Templeton não se sentia mais culpado pelo tapa que dera em Robert naquela tarde. Geralmente, ele era contra violência física, ainda mais como forma de controle paternal. Mas situações desesperadas pediam medidas desesperadas. Robert estivera no seu escritório, rindo dele. Rindo de verdade. Depois de todos os problemas que tinha causado para a família: as expulsões, as passagens pela polícia, os furtos a lojas. Depois de todo o dinheiro e tempo que Peter gastara tentando ajudá-lo — todos os terapeutas, viagens de férias e aulas de piano de cem dólares a hora —, Robert ainda via a situação como uma piada.

Bem, a piada tinha chegado ao fim. Para Peter Templeton, bastava.

Subindo as escadas, dois degraus de cada vez, na direção do quarto de Robbie, Peter passou pela empregada, Sra. Carter. Ela estava no corredor, como se pedisse desculpas.

— Acredito que o Sr. Robert não esteja em casa, senhor. Não o vimos desde que saiu para a escola hoje de manhã. Alguma coisa errada?

Peter fechou a cara.

— Tem muita coisa errada. Ele conseguiu ser expulso de St. Bede's. Duvido que ainda haja alguma escola no estado de Nova York que o aceitaria agora. Francamente, nem posso dizer que a culpa seja deles.

— Ah, meu Deus.

A Sra. Carter apertou uma mão na outra, em desespero. Adorava Robbie, mas parecia que ele estava se metendo em muitas encrencas ultimamente.

— Robbie? É você?

Lexi ouvira a porta da frente bater e saiu correndo de seu quarto, já de camisola, ansiosa para ver o irmão. Como sempre, o coração de Peter se alegrou ao vê-la.

Ela estava cada dia mais parecida com a mãe. Tinha os olhos, os lábios e o cabelo de Alex. O sorriso de Alex, meio tímido, meio sagaz, o lábio superior ligeiramente torcido. Ela até andava como a mãe. Mas o temperamento era diferente. Enquanto Alex fora gentil e flexível, Lexi era impulsiva e ativa. A Sra. Carter se referia a ela carinhosamente como "nossa pequena doninha". Até Peter, com sua visão paternal cronicamente pintada de rosa, podia ver que Lexi não era exatamente o ***modelo*** de uma jovem dama "de família". Ele usava a palavra "impetuosa" para defini-la. Observadores menos parciais preferiam "mimada". "Teimosa" também era muito comum. E alguns ainda diziam "totalmente sem controle".

— Aí está a minha princesa. — Peter beijou o topo da cabeça de Lexi. Ela cheirava a biscoitos frescos e talco. Ele sentiu sua raiva derreter.

— O que você está fazendo fora da cama a esta hora?

Lexi franziu a testa, depois fez biquinho, os olhos cinza cheios de lágrimas.

— Robbie! — chorou ela. — Eu quero Robbie! Onde está Robbie? Onde ***está*** ele?

Peter sentiu a amargura sufocando-o. Primeiro Alex, agora Lexi. Robert sugara o amor delas como um vampiro, não deixando nada para Peter. Precisou se esforçar muito para não demonstrar nenhuma emoção na voz.

— Robbie não está em casa agora, docinho. Quer que o papai a coloque na cama? Posso ler uma história que você goste. Aquela do esquilo Nutkin?

— NÃO! — Isso foi um grito. — Papai NÃO! Roooobiiiieee!

A Sra. Carter apareceu, levando Lexi de volta para o quarto bruscamente. Pobre Sr. Templeton. Parecia que tinham jogado ácido em seu rosto. Ele precisava aprender a não levar as coisas tão ao pé da letra. A Sra. Carter tinha quatro filhos. Como todas as mães, ela sabia que crianças podem ser maldosas e imprudentes, principalmente na idade de Lexi. Não se podia levar tudo para o lado pessoal.

Assim que Lexi estava acomodada na cama, a Sra. Carter desceu. Encontrou o patrão no escritório.

— Ela dormiu?

A voz de Peter soou estranha. Abafada e sombria. A Sra. Carter notou o copo de uísque na mão dele, e a garrafa aberta em cima da mesa. Ficou arrepiada, com um mau pressentimento.

— Sim, senhor. Está dormindo profundamente.

Peter tomou um grande gole de seu drinque. Quando levantou os olhos, eles estavam vidrados.

— Que bom. Obrigado. Pode ir.

De repente, a Sra. Carter não achou que seria certo deixar Lexi sozinha em casa com o pai. E se o Sr. Templeton desmaiasse e alguma coisa acontecesse com Lexi? Nunca se perdoaria.

— Tudo bem, senhor. Posso ficar mais um pouco. Pelo menos, até Master Robert chegar em casa em segurança.

O Sr. Carter — Mike — devia estar em casa esperando o jantar. Não ia gostar nem um pouco disso, mas não havia nada que pudesse fazer.

— Posso preparar alguma coisa para o senhor jantar. Tem carne na geladeira. Posso preparar um estrogonofe.

— Não. Obrigado.

Peter esvaziou o copo e, na mesma hora, encheu de novo.

— Vá para casa, Sra. Carter. Nós nos vemos pela manhã.

As palavras foram educadas, mas o tom soava como aço líquido. A empregada hesitou.

Pensou em Lexi e no pobre Sr. Robert. Deveria deixá-los aqui, sozinhos, com o pai bêbado? Provavelmente não. Mas se forçasse a barra e dissesse que ficaria, poderia perder o emprego. O que aconteceria com os seus filhos, então? Com Mike desempregado, o seu salário era tudo com que contavam.

Tomou uma decisão

— Tudo bem, senhor. Se tem certeza.

As crianças ficariam bem. Claro que ficariam. Estava fazendo uma tempestade em um copo d'água. O precioso jantar de Mike estaria pronto na hora, e tudo ficaria bem.

Por que diabos aquele desgraçado preguiçoso não aprendia a ligar o micro-ondas?

ROBBIE SENTOU-SE NA CAMA, tentando se concentrar.

— Eu sei que você quer. Você me encarou a noite toda. O que está esperando?

Maureen Swanson, nua da cintura para cima, engatinhou sobre a colcha até ele. Suas repulsivas e enormes tetas balançavam como gaitas de foles infladas. Quando ela tirou a calcinha e revelou sua moita ruiva muito bem aparada, um forte cheiro de peixe estragado atingiu as narinas dele. Ele sentiu a bile subir por sua garganta.

O que eu estou esperando? Estou esperando Scotty consertar o teletransportador e me levar de volta à Enterprise, é isso que estou esperando.

De repente, uma imagem de William Shatner com sua camiseta verde e calça justa apareceu na cabeça de Robbie. Ele sorriu. Então, Maureen chegou mais perto e o sorriso se apagou.

— Tudo bem — sussurrou ela, rouca —, todo mundo fica nervoso na primeira vez. É só relaxar e deixar a mamãe aqui cuidar de você. Vai ser gostoso.

Ah, Deus, não!

Mesmo com a vista embaçada por causa da cocaína, Robbie viu a sujeira embaixo das unhas dela enquanto enfiava a mão dentro de sua cueca Calvin Klein.

— Mas que diabo?

Maureen fitou-o de forma acusadora. Na palma de sua mão, estava o pênis mole dele, como uma geleca inútil.

— Você é veado ou alguma coisa assim? Não está nem duro.

— Claro que não sou veado. — Finalmente, Robbie conseguiu falar. — Eu... Eu só... Acho que tomei alguma coisa que não me fez bem, sabe. Não estou me sentindo muito bem.

Baita eufemismo. A noite toda fora um pesadelo, um final adequado para um dos piores dias de sua vida. O "amigo" de Maureen era um traficante insignificante e metido a mafioso chamado Gianni Sperrotto, um garoto italiano com uma cara de rato cheia de espinhas, um nariz que escorria como uma torneira e bafo tão podre que quase dava para ver. O "apartamento" de Gianni era no último andar de um armazém condenado. Em um ou dois anos, sem dúvida, algum figurão do mercado imobiliário reformaria o lugar, transformando-o em um ***loft*** com paredes cromadas, para solteiros, e o venderia a preços compatíveis com os da Park Avenue. Nem mesmo um buraco como o Bronxville estava imune à febre de desenvolvimento que varrera os Estados Unidos na última década. Da noite para o dia, parece que uma geração inteira ficou milionária simplesmente derrubando algumas paredes e rebatizando pedaços de relíquias industriais como "coberturas no estilo ***loft***".

Mas não Gianni Sperotto. Ele estava ocupado demais limpando carreiras de coca com o nariz para descobrir a fortuna escondida embaixo do pó. A "festa" dele consistia em um bando de prostitutas e drogados meio mortos deitados em colchões fétidos espalhados pelo chão. A cama para onde Maureen arrastara Robbie era o dormitório do próprio Gianni, separado do resto por uma tela de papelão, sobre a qual o anfitrião jogara cortinas aveludadas psicodélicas, o único colorido em um muquifo pálido e lamentável.

Não havia música, dança, ou qualquer outro homem vagamente atraente para distrair Maureen de sua presa. Robbie percebeu que sua única esperança era deixá-la tão alta que se esqueceria dele. Era um excelente plano, exceto por um pequeno detalhe. Para deixar Maureen alta, ele teria de ficar também. A mente de Robbie ficou nebulosa após um baseado forte. Já Maureen Swanson parecia resistente como um touro. Não, uma boiada inteira. A garota tomava ecstasy como se fossem M&Ms e cheirava pó como se fosse açúcar. As drogas não tiveram nenhum efeito sobre a excitação dela.

— Alguma coisa que não fez bem, é? Vamos ver. Deite-se e feche os olhos.

Desorientado demais para resistir, Robbie obedeceu. Depois, sentiu a língua quente e molhada de Maureen entre as suas pernas. Aparentemente, ela encarava seu estado flácido como algum tipo de desafio.

Se pelo menos eu conseguisse levantá-lo!

Quando abriram a cortina e os homens apareceram, a primeira sensação de Robbie foi puro alívio.

O segundo foi pânico.

— Polícia! — Robbie sentiu uma áspera mão masculina em seu braço. — A festa acabou, crianças. Levantem-se, encostem na parede e coloquem as mãos na cabeça. Agora!

A cabeça de Robbie estava a mil por hora. Anos de noites de domingo religiosamente dedicadas a assistir a ***Carro Comando*** no canal sete diziam a ele que isto devia ser uma batida policial em busca de drogas. Sua calça estava amontoada no pé da cama, com três comprimidos de ecstasy enfiados no bolso de trás: versão de Gianni Sperotto de lembrança da festa.

Lado bom: sou menor. O pior que podem fazer comigo é me mandar para um centro de detenção para menores infratores.

Lado não tão bom: eles podem me mandar para um centro de detenção para menores infratores!

Apesar de toda a ousadia no escritório do pai, Robbie Templeton morria de medo da ideia de prisão. Para ele, parecia pior do que suicídio. Morte significava paz. Significava ficar com a sua mãe. Mas prisão, mesmo o centro de detenção para menores infratores, para um garoto bonito como ele? Iriam comê-lo vivo. E isso seria ***antes*** de descobrirem que ele era um Blackwell e um dos garotos mais ricos do país.

Com as pernas afastadas, seminu, encostado na parede, ele tentou se concentrar. O que não era fácil com Maureen Swanson gritando e xingando ao lado dele como um demônio.

— Seus idiotas, encostem um dedo em mim e juro por Deus que meu pai vai providenciar pessoalmente para que cortem as suas bolas!

O capitão de polícia riu.

— Eu lhe aconselharia a não nos ameaçar, doçura.

— Lindo traseiro — acrescentou o tenente. — Que tal abrir um pouco mais essas pernas?

Robbie estava quebrando a cabeça. Será que tinha algum documento na sua calça jeans? Algo que provasse quem ele era. Cara, era difícil pensar quando se estava alto.

Sem aviso, Maureen Swanson virou e deu um soco no rosto do tenente. A enorme pedra do anel que estava usando cortou o globo ocular dele como se fosse uma faca na manteiga.

— Meu Deus, sua vadiazinha! Você me cegou!

No pandemônio que se seguiu, Robbie viu a sua chance. Correndo para a janela aberta, mergulhou de cabeça.

Sentiu um golpe de ar gelado na parte inferior do corpo. Lembrou-se que estava nu da cintura para baixo. Quando abriu os olhos, lembrou-se de mais uma coisa: o quarto de Gianni Sperotto ficava no sexto andar.

A QUEDA PARECEU levar uma eternidade. O tempo se esticou em câmera lenta. Robbie sabia que ia morrer. A ideia o fez sorrir. Imaginara este momento inúmeras vezes, perguntando-se se sentiria medo quando a hora chegasse. Mas agora que estava realmente acontecendo, sentiu-se tomado por uma intensa satisfação. Quase alegria.

O chão cresceu lentamente até encontrá-lo, verde e cinza sob o luar.

Então, tudo ficou preto.

— *CARA?*

— ***Ei, cara? Tá me escutando?***

Robbie estava perto de um rio, deitado sobre a grama. Estava na África do Sul, no deserto perto de Burgersdorp, a cidadezinha de Transvaal para onde sua mãe costumava levá-lo quando era pequeno. No passado, chamada de Klipdrift, este era o lugar onde Jamie McGregor começara a fazer fortuna. A terra natal da Kruger-Brent, o lugar onde tudo começou. O vento suave balançava os galhos das acácias. Acima dele, via o rosto de sua mãe, a melhor visão do mundo. Os lábios dela se moviam. Estava tentando falar com ele. Mas sua voz estava estranha. Desconhecida.

— ***Seu filho da puta sortudo. Você podia ter morrido.***

Sua mãe estava desaparecendo.

Mãe! Volte!

Mas era tarde demais. Alex não estava mais ali, seu olhar carinhoso substituído pelo escrutínio curioso de três negros estranhos, garotos pouco mais velhos do que Robbie.

Estava deitado de costas, estendido sob alguns arbustos. Os galhos devem ter aparado sua queda. Quando tentou se mexer, a dor na perna esquerda era forte demais. Com um pouco de ajuda, conseguiu levantar.

— Você deve estar muito alto, cara. — O mais velho balançou a cabeça admirado. — O que achou, que era o Super-Homem ou alguma coisa parecida?

Os amigos riram alto.

— E já percebeu que está pelado? Ou talvez ***eu seja*** o Super-Homem? Talvez eu tenha visão de raio x.

Mais gargalhadas.

— Por favor — gaguejou Robbie. — Os policiais... eles vão descer a qualquer segundo. Algum de vocês, me empreste uma calça.

Os garotos se entreolharam.

— O quê? Ninguém vai te emprestar calça nenhuma.

Robbie pensou por um instante, então começou a puxar o dedo mínimo de sua mão esquerda.

— Aqui. Fique com isso. — Ele colocou um anel com sinete de ouro maciço na mão do garoto mais velho. Tinha sido de seu tataravô, Jamie McGregor, e tinha o símbolo de dois carneiros lutando: a logomarca da Kruger-Brent. — É de ouro. Vale pelo menos quinhentos dólares.

O garoto olhou para o anel.

— Jackson, dê a sua calça para o Clark Kent aqui.

Jackson pareceu furioso.

— Vá se foder! Não vou dar a minha calça.

— Eu disse para tirar a calça! Agora! Lá vem a polícia, cara.

Dois policiais uniformizados estavam saindo correndo do prédio de Gianni com lanternas acesas. Robbie pensou: ***eles estão procurando um corpo.***

O garoto negro tirou a calça jeans como se fosse uma cobra tirando a própria pele.

Robbie observou-o sumir nas sombras, o Carl Lewis de Westchester County. Vendo a silhueta de três negros desaparecendo no meio das árvores, os policiais começaram uma perseguição. Isso deu a Robbie alguns valiosos segundos para agir.

Puxou a calça. Era enorme. Apertou o cinto o máximo que pôde só para que ela não caísse. Lentamente, começou a andar. A dor na perna estava piorando. Esquecendo-se de tudo o mais, concentrou-se em Lexi e em sua mãe. Não podia ir para a cadeia. Precisava fugir. Cantarolando baixinho a música que tocava em sua mente — o concerto para piano em dó menor de Grieg —, seguiu mancando pela escuridão.

QUANDO ROBBIE chegou em casa, já eram 6 horas.

Já tinha amanhecido em West Village. Nas portas, os sem-teto estavam começando a despertar, sacos de ossos tentando curar os efeitos do sono e das bebidas e se mandar antes que os primeiros guardas aparecessem. Robbie os observou. Não era a primeira vez que pensava em como era irônico que apenas alguns metros de tijolos separassem esses cascos humanos sem esperança de pessoas como ele: o mais rico dos ricos. Esses vagabundos deviam achar que ele tinha tudo. O que eles diriam se soubessem a frequência com que passa noites acordado em sua confortável cama, sonhando em estourar os próprios miolos?

Estava sem chave. Tinha ficado na calça, com o ecstasy. Desceu mancando até o porão, onde digitou seis números no teclado da porta de serviço, que gentilmente se abriu. ***Bem-vindo ao lar.***

Imaginou o que estaria acontecendo em Bronxville. Será que a polícia conseguiu pegar seus três camaradas negros? Pouco provável. Mas isso não significava que ele estava fora de perigo. Maureen Swanson deve ter dado com a língua nos dentes e dito para a polícia quem ele era e onde encontrá-lo.

Esquece. Se ela falou, não poderia fazer mais nada.

Rastejando pelas escadas da cozinha, ficou aliviado ao ver que a casa estava em silêncio e no escuro. Já estava quase no topo da escadaria principal, quando uma voz soou atrás dele.

— Estou no escritório, Robert.

Merda.

O coração de Robbie quase parou, terror acumulando-se no fundo do estômago.

Por favor, permita que ele não esteja bêbado.

PETER ESTAVA SENTADO no sofá de brocado vermelho. Estava conversando com a esposa.

Você sabe como eles são difíceis nessa idade, querida. Não fui firme o suficiente no passado, esse é o problema. Mas nunca é tarde demais para mudar.

Alex estava concordando com ele. De pé perto da janela, usando o vestido verde Halston que ele lhe dera no décimo aniversário de casamento, ela assentiu, encorajando-o. Onde ele estaria sem ela? Seu amor e apoio eram tudo para ele. Davam-lhe a força de que precisava.

Se fossem só os problemas na escola, eu poderia perdoá-lo. Até as drogas. Mas temos de pensar na Lexi. Ele é uma péssima influência sobre ela, Alex. Está tentando tirá-la de mim. Não posso permitir isso, posso?

Alex balançou a cabeça. ***Claro que não, querido. Mas não vamos desperdiçar a noite toda falando de Robert. Gostou do meu vestido?***

Adorei. Você sabe. Está linda.

Para você, Peter. Estou linda para você.

— Pai?

Peter levantou a cabeça. Alex sumira. A sala balançava devagar, como um navio. Tudo estava tingido em um tom de sépia. Era como estar dentro de uma fotografia antiga do ***Titanic***. O desastre ainda não tinha acontecido, mas era iminente.

Peter Templeton esperou os dois rostos do filho se fundirem em um só antes de falar.

— Onde você passou a noite?

Robbie mudava o peso do corpo de um pé para o outro, em silêncio.

— Fiz uma pergunta.

— Com uma garota.

Não era mentira. Não tecnicamente.

— Que garota? Onde?

Havia tanta raiva na voz de Peter que Robbie percebeu que estava tremendo.

— Em Bronxville. Pegamos um trem — disse Robbie, habilmente respondendo a segunda pergunta e se esquivando da primeira. Falar o nome de Maureen Swanson não ajudaria em nada. — Escute, pai, desculpe pelo que aconteceu na escola ontem. De verdade. Eu não sei por que faço essas coisas. É que às vezes eu...

— Às vezes você o quê?

A raiva de Peter estava aumentando. Não queria escutar desculpas nem explicações. Queria que Robert admitisse a culpa. Aceitasse que merece ser castigado. Castigado por monopolizar o carinho de Alex. Castigado por jogar Lexi contra ele.

— Às vezes, eu simplesmente não consigo aguentar. — Pela segunda vez naquele dia, Robbie começou a chorar.

Não chore, pelo amor de Deus. Seja homem. Foi você mesmo quem causou tudo isso.

Por trás de uma almofada de brocado vermelho, fora de vista, Peter Templeton segurava uma arma.

Quando tirara sua Glock do cofre algumas horas antes, estava fantasiando sobre se matar. Uma garrafa e meia de uísque tinham lhe roubado toda a racionalidade e o deixado amargurado e arrasado. Fracassara. Como homem, como marido, como pai. A arma na mão lhe trazia conforto. Uma fuga. Mas, então, Alex aparecera, a doce e querida Alex. Peter escondera a arma embaixo da almofada para não assustá-la.

Agora pegou-a de novo. O metal frio pressionado contra a palma de sua mão.

Robert tinha vindo para casa.

Robert precisava ser castigado.

Peter só escutou metade do que o rapaz estava falando.

— Não sou como os outros garotos. St. Bede's não é o meu lugar. Não me sinto bem em lugar nenhum. Talvez seja porque sinto tanta saudade da mamãe. Talvez...

Robbie deixou a frase inacabada. Peter afastara a almofada. Estava com uma arma na mão e a sacudia avidamente, como se fosse a batuta de um maestro.

— Continue — disse ele. — Por favor. Isso é interessante.

O medo tomou conta de Robbie. Prendeu a respiração.

— Talvez quando terminar, possa me explicar por que minha filha não quer mais saber de mim? Por que você achou que tinha direito de roubar Lexi de mim?

Robbie tremia tanto que não sabia se conseguiria falar. Já vira seu pai bêbado mais de mil vezes, mas nunca o vira violento. Talvez o tapa que lhe dera mais cedo tivesse despertado algum monstro escondido? Como um tubarão que sente o gosto de sangue e, então, mergulha em um frenesi faminto.

Robbie escolheu com cuidado as palavras seguintes.

— Lexi não tem nada a ver com isso.

Foi exatamente a coisa errada para dizer. Quando Peter respondeu, sua voz era um uivo.

— Não me diga que Lexi não tem nada a ver com isso. Não ***ouse***! Ela tem ***tudo*** a ver com isso. Você está roubando a minha filha de mim, assim como roubou a sua mãe.

Ele deu um tiro para o teto sobre a cabeça de Robbie. Cacos de gesso caíram sobre os ombros do rapaz.

Adrenalina pulsava na veia de Robbie como rock'n'roll.

Ele não está só bêbado. Perdeu a cabeça. Ele vai atirar em mim.

Matar-se era uma coisa. ***Ser*** morto, ainda mais pelo próprio pai, era outra bem diferente. Naquele momento, Robbie percebeu, com uma clareza ofuscante, que não queria morrer. Tinha 15 anos. Queria viver. Agora só precisava descobrir como.

A janela para a rua estava atrás dele. Se ele se virasse e corresse, seu pai atiraria nas suas costas. Não havia como fugir. Sua única esperança era tentar conversar com o pai.

— Pai, eu nunca roubei a mamãe de você. Ela amava você. Ela amava nós dois.

— Não venha me dizer o que a sua mãe sentia por mim! Você não sabe de nada. — Peter apontou a arma diretamente para o peito de Robbie. — Eu e Alex vivíamos muito bem até você chegar.

— Pai, por favor...

O assovio na cabeça de Peter estava ficando cada vez mais alto, como uma chaleira fervendo. Apertou as mãos contra as têmporas. A sala estava balançando de novo.

Estou bêbado. Que diabos estou fazendo?

Olhou pela janela, desejando que Alex estivesse ali. Precisava do conselho dela, nunca precisara tanto. Mas ela se fora.

— Pai, pare com isso! Pare de gritar!

Lexi apareceu na porta, segurando seu bicho de pelúcia favorito, um coelho branco.

O ruído na cabeça de Peter era insuportável.

— Está tudo bem, querida — disse ele. — Venha aqui.

Robbie observou sua irmã dar um passo confiante na direção do sofá. Sem pensar, Peter virou-se para encará-la. Agora, a arma estava apontada para ela.

Robbie precisava salvar Lexi. O instinto o dominou. Soltou um gritou primata, selvagem, correndo na direção do pai como um búfalo enlouquecido.

Peter levantou o olhar. A expressão no rosto de Robbie estava curiosamente congelada, como um filme pausado. O medo tinha desaparecido. Alguma outra coisa o substituíra. Determinação talvez? Ou ódio? Peter não tinha certeza.

Escutou a voz da empregada.

— Não!

A Sra. Carter tivera uma noite péssima. Não dormira nada, passando a noite acordada na cama, ao lado de seu marido, Mike, virando de um lado para o outro, se sentindo culpada. Não devia ter deixado o Sr. Templeton sozinho com aquelas crianças. Ele não estava em condição de cuidar delas. Por volta das 5h, não aguentou mais. Deixou Mike roncando na cama, vestiu as mesmas roupas da véspera sem nem mesmo tomar banho e correu para o trabalho. Quando enfiou a chave na fechadura da porta da frente, escutou o tiro. Com o coração acelerado, seguiu as vozes na direção do escritório. Chegou a tempo de ver seu patrão com a arma apontada diretamente para a cabeça de sua filha de 4 anos.

Peter precisava pensar, mas não conseguia. O assovio na sua cabeça era tão alto que dava vontade de chorar. De repente, ele estava chorando. Abriu os olhos e olhou para o rosto de Lexi.

Ela é tão parecida com Alex.

Um segundo tiro disparou.

O assovio parou.

Capítulo 5

MAX WEBSTER PEGOU o embrulho vermelho da mão da sua mãe e virou-o nas mãos, empolgado.

Era pesado. Alguma coisa sólida. Decidiu que provavelmente não era um brinquedo, apesar do papel de presente infantil com um "Feliz aniversário" escrito em dourado em cima.

— O que é?

Eve Blackwell sorriu para o filho, seus olhos iluminados antecipando o momento.

— Abra e descubra.

Era o aniversário de 8 anos de Max. Uma criança impressionante, com nariz aquilino, predador, olhos muito pretos combinando com o cabelo e as maçãs do rosto que muitas modelos dariam tudo para ter. Havia algo de feminino e adulto nele. Max não tinha nada da inocência de seus amigos. Max era inteligente. Era esguio. Era ousado. Se os outros meninos eram filhotes, Max Webster era um puma entre eles, tão perigoso quanto bonito.

Menos de uma hora atrás, a cobertura na Quinta Avenida em que Max morava com os pais estava cheia de fedelhos de 8 anos com bochechas gordas, todos ansiosos para se engraçar com o colega famoso. A festa foi ideia do pai de Max.

Keith Webster dissera:

— O menino precisa de amigos, Eve. Precisa se socializar. Não é normal um menino da idade dele passar todas as horas livres com a mãe.

Eve não foi contra. Simplesmente se recolheu em seu quarto durante a festa, com a porta trancada. A festa foi adiante, e Max foi inundado por presentes: Transformers e Skalectrix, trens elétricos e vários Action Men. Todo mundo comeu muito bolo e marshmallow e bebeu Coca-Cola até que saísse pelo nariz em correntes espumantes. Keith Webster tirou fotos.

Depois da festa, perguntou ao filho:

— E aí, amigão, se divertiu? — Amor e orgulho iluminavam seu rosto.

Max assentiu. ***Claro, pai. Foi ótimo.***

Max esperou Keith Webster sair. Todo domingo à noite, Keith saía para jogar softball. Ele e outros cirurgiões do hospital tinham um time para ajudar a aliviar a pressão de trabalhar sempre no limiar entre a vida e a morte. Assim que Max escutou o clique da porta da frente, foi procurar a mãe.

— Todos já foram?

— Já, mamãe.

— Todos eles?

— Todos. Só estamos nós dois agora. Sinto muito ter demorado tanto.

Eve destrancou a porta do quarto. Vestida com um robe estilo quimono de seda cor de chocolate que revelava roupas íntimas de renda da mesma cor por baixo, ela puxou o filho para mais perto. Aos 8 anos, Max ainda era bem baixo. O topo de sua cabeça coberta de cabelos negros superava apenas em pouco a altura do umbigo de Eve. Pressionando o rosto dele em sua barriga macia e magra, ela sentiu que ele inspirava seu cheiro, uma mistura do próprio odor animal e feroz de Eve com o perfume Chanel que usava desde menina.

Max só respirava. Mas Eve podia sentir a adoração nesse corpo pequeno e compacto. Uma onda de poder familiar causou-lhe um arrepio.

— Venha se sentar na cama da mamãe. Agora você já pode ganhar seu presente especial.

Max observou, encantado, enquanto a mãe pegava o embrulho na gaveta. Era por ***isto*** que estivera esperando. Não uma festa estúpida com um bando de crianças do colégio que só vieram porque queriam ver a sua mãe. Como se Max fosse deixar isso acontecer!

Pensou mais uma vez em Keith Webster. Seu pai. Como o odiava.

"E aí, amigão, se divertiu?"

Se me diverti? Com você?

Max ansiava pelo dia em que Keith Webster não estaria mais ali. Então sua linda mãe seria toda sua. E finalmente ele poderia parar de fingir.

Com as mãos trêmulas, ele rasgou o papel de presente. Dentro ele viu um brilho de metal preto. Um trem?

— Você gostou?

A voz de Eve saiu rouca, quase um sussurro. Max fitou-a. Para o mundo exterior, sua mãe fazia de tudo para se esconder. Mas não com ele. Max era especial. Precisava ver a verdadeira Eve Blackwell, com cicatrizes e tudo o mais. Amava tanto a mãe que, às vezes, até chorava.

— Mãe! — Ele estava pasmo. — É... de verdade?

— Claro que é de verdade. E é muito antiga. Está na minha família há muito, muito tempo.

Com adoração, Max acariciou o gatilho da arma, os dedos infantis roçando, explorando. Tanto poder. E era toda dele.

— Você já é quase um homem, Max — disse Eve. — Está velho demais para brinquedos. Keith não entende isso, mas eu entendo.

Na frente do filho, Eve Blackwell sempre se referia ao marido pelo seu nome de batismo, nunca como "pai" ou "papai". No início, Keith reclamara.

— Gostaria que você parasse com essa história de me chamar pelo primeiro nome. É horrível. Max não chama você de "Eve".

Mas, em algumas semanas, Keith acabou desistindo de seus esforços esporádicos para introduzir a palavra que começa com "p" no vocabulário do filho.

— Não sou eu, querido — insistia Eve —, é Max. Além disso, não acho nada demais. É apenas uma mania dele. Quanto mais você insistir, mais ele vai bater o pé e continuar com isso. Você sabe como são as crianças.

— Keith sabe que você me deu isso?

Max ainda estava hipnotizado pela arma. Era perfeita. Como sua mãe.

Eve sorriu.

— Não. É nosso segredo. Guardarei no cofre para você, para não levantar suspeitas. Pode pegar sempre que quiser. É só me pedir que eu pego para você.

De repente, Max pensou uma coisa chocante.

— Não é a arma do tio Peter, é? Aquela... você sabe. Quando eu era pequeno.

Quatro anos antes, o tio de Max, o Dr. Peter Templeton, quase atirara nos filhos em um acesso de fúria causado pela bebida. Ninguém sabe se a intenção dele era se matar ou Lexi ou Robert. O próprio Peter estava bêbado demais para se lembrar. As pessoas só ficaram sabendo que, em uma manhã, a empregada chegara mais cedo na casa dos Templeton e escutara tiros; então tentara arrancar a arma das mãos do tio Peter e, na briga, levara um tiro no braço.

A mulher fora indenizada, claro. Max escutara Keith dizer que o cheque fora "de milhões", mas certamente o dinheiro foi muito bem gasto: a história não chegou aos jornais. Daquele dia em diante, o tio Peter de Max não tomou mais nem uma gota de álcool. A arma que ele usou desaparecera misteriosamente.

Eve balançou a cabeça.

— Não, querido. Não é a arma do tio Peter. É muito mais especial. Esta arma pertenceu ao meu avô, David Blackwell. Seu bisavô.

Max encheu o peito de tanto orgulho. Adorava escutar a mãe contar as histórias da família dela. Família dele.

As primeiras lembranças de Max eram da voz intensa e sensual de sua mãe, ninando-o com histórias de seu tataravô, Jamie McGregor, e do império que ele fundou. A primeira palavra de Max foi "mamãe", a segunda, "Kruger", e a terceira, "Brent". Enquanto os outros meninos sonhavam com dinossauros e o Super-Homem, os olhos de Max brilhavam quando ouvia sobre os diamantes roubados com os quais McGregor construíra sua fortuna. ***Minha fortuna.*** Max Webster não precisava de contos de fadas, de princesas injustiçadas, dragões e castelos. Sua mãe era a princesa injustiçada. O reino de Eve fora roubado, e o malvado pai dele a trancafiou na torre de sua cobertura. Ele, Max, era o cavaleiro vingador de Eve. A Kruger-Brent era o castelo deles. Quanto aos dragões, eram muitos para se contar. Todos que Max conhecia eram inimigos, desde o desprezível Keith, aos meninos da escola que riam de sua mãe, até seus primos Templeton, Robert e Lexi.

Seus primos roubaram a sua herança, meu querido. Eles pegaram o que era seu e o expulsaram como uma serpente no deserto. Assim como me expulsaram.

A mãe de Max fazia com que a luta deles soasse profética. E era. Eve fora expulsa do Jardim do Éden. Max era o escolhido, o profeta, o messias. Seria Max que retomaria a terra prometida para Eve.

Só quando devolvesse a Kruger-Brent para sua mãe, Max ganharia o maior prêmio de todos: o amor dela. Esse era o pacto deles, selado com o sangue do nascimento dele. Max pensava constantemente nisso.

Até esse dia glorioso em que completaria seu destino, ele precisava aprender a sobreviver com as migalhas de amor que Eve lhe dava. Geralmente, sua mãe era fria e distante. A constante presença física dela no apartamento era como uma deliciosa tortura. Max ansiava por seu abraço como um rio seco anseia pela chuva, mas isso lhe era negado uma vez atrás da outra. Keith Webster podia tocá-la, com suas mãos frias e doentes. Mas Max não podia. Em raras ocasiões quando sua mãe lhe abraçava forte, como hoje, o garotinho sentia que podia mover montanhas. Encostado nela, perdido no cheiro inebriante de sua pele, a alegria fluía por seu corpo como heroína.

Eve se levantou. Fechando mais o robe de seda, ela foi até a janela.

Max ficou sentado na cama sozinho. Como sempre, o afastamento de sua mãe era como uma dor física. Agarrou a arma, o presente dela, encostando-a carinhosamente em seu rosto.

— Seu bisavô nunca usou a arma. Nunca disparou um único tiro.

Eve estava olhando pela janela. Era como se estivesse falando consigo própria, e não com ele.

— Ele era um covarde.

Max pegou a isca, um filhote inocente pulando para o abatedouro.

— ***Eu*** não sou covarde, mãe. ***Eu*** não tenho medo de usar a arma.

Eve virou-se.

— É mesmo? E para que você vai usá-la, meu querido?

Max não respondeu. Não precisava.

Ambos sabiam para que era o presente.

Usarei para matar Keith Webster.

Usarei para matar meu pai.

Capítulo 6

LIONEL NEUMAN FITOU o jovem sentado à sua frente e sua mente foi transportada para o passado.

Estava em 1952, uma manhã de junho muito parecida com esta. Kate Blackwell estava sentada na mesma cadeira deste jovem. Fazendo as contas, Lionel Neuman percebeu, com um choque, que Kate já devia ter 60 anos na época. A imagem que sua mente guardara com cuidado era de uma mulher de meia-idade, mas ainda bonita: magra, vestida de maneira impecável e com a cabeça coberta por uma cabeleira brilhante preta com apenas algumas mechas grisalhas. Ela estava preocupada com o filho.

Tony não está sendo ele mesmo, Lionel. É como se alguma coisa tivesse morrido dentro dele. Fiz tudo que podia para deixá-lo feliz, mas não adiantou. Ele está determinado a não se casar.

O problema de Kate Blackwell era que, embora às vezes pedisse conselho a Lionel Neuman, Brad Rogers e outros executivos da Kruger-Brent, nunca os seguia. Qualquer idiota podia ver o que estava errado com Tony Blackwell. O garoto queria ser artista, e Kate não permitia. O cruel menosprezo dela pelos sonhos de Tony acabou custando a sanidade dele. Mas Kate Blackwell não conseguia ver as coisas dessa forma. Ela foi para o túmulo acreditando que fizera o melhor para o filho. Que fora ***Tony*** quem ***a*** decepcionara.

Claro, Tony Blackwell se casou. Durante alguns poucos meses, ele foi feliz, muito feliz, até que sua esposa Marianne morreu dando à luz as gêmeas Eve e Alexandra.

Todos eles estão mortos agora. Kate, Tony, Marianne, Alexandra. Mas eu ainda estou aqui. O mesmo escritório. A mesma família. Os mesmos problemas. Como a vida é curiosa.

O jovem sentado à frente de Lionel Neuman era o bisneto de Kate Blackwell, Robert Templeton. Se Tony ***não*** tivesse se casado, claro, o jovem Robert não estaria aqui. Nem aqui neste escritório, nem neste mundo. Mas Kate Blackwell conseguira fazer as coisas do seu jeito, como sempre. Era difícil acreditar, mas o menino já estava com 19 anos, 1,80m e tão louro e escultural quanto um ídolo adolescente.

Mas ele não é uma criança, é? É um homem. Esse é o problema.

— Não há nada que você possa fazer para me impedir.

O tom de voz de Robbie era grosseiro e agressivo. Ele se inclinou para frente, os delicados dedos de pianista sobre o joelho, e fitou o homem idoso de forma desafiadora.

— Agora eu sou legalmente um adulto. Esta decisão é só minha, então me mostre onde tenho de assinar, que darei o fora daqui.

— Acredito que não é tão simples assim, Robert.

Lionel Neuman passou a mão enrugada pelo cabelo grisalho. Robbie achou que ele lembrava um coelho velho. O nariz parecia se mexer o tempo todo, como se pudesse obter nuances de linguagem legal apenas pelo cheiro. Até seu escritório tinha um ar de toca, com sua madeira escura, luz fraca de abajures Tiffany e grossos livros com capas de couro vermelho enfiados em todos os cantos.

— Seu pai...

— Meu pai não tem nada a ver com isso.

Robbie deu um soco na mesa. As folhas de papel por cima da organizada pilha de documentos de Lionel Neuman pularam, consternadas, depois voltaram para o lugar. O velho permaneceu calmo.

Vejo que tem o mesmo gênio de sua bisavó. Mas você não me assusta, garoto. Já recebi mais broncas de Blackwells irritados do que você pode contar.

Uma pena. Robert fora uma criança adorável. Não era de se admirar que Kate o amasse tanto. Mas ele crescera e, na opinião de Lionel Neuman, se tornara um jovem mimado e bandido. Aos 19 anos, Robert Templeton já tinha ficha na polícia por roubo e uso de drogas. ***Roubo!*** O que o herdeiro da Kruger-Brent poderia precisar roubar?

Lionel Neuman já tinha vivido o suficiente para saber que riqueza, na escala da família Blackwell, riqueza obscena, era mais uma maldição do que uma bênção. Robbie Templeton mostrava todos os sinais de seguir pelo mesmo caminho da pobre Christina Onassis, perdida para as drogas, bebidas e depressão. Isso fez com que Lionel se lembrasse de Hamlet, de Shakespeare. O príncipe dinamarquês sofria "as pedradas e flechadas da escandalosa fortuna". A fortuna de Robert Templeton certamente era escandalosa. Pensando nisso, o valor de mercado da Kruger-Brent provavelmente era mais alto do que o PIB da Dinamarca. Quanto às "pedradas e flechadas", o jovem Robert atraiu para si.

Lionel Neuman culpava o pai do menino. Desde o infeliz incidente com a arma, Peter Templeton parecia ter renunciado a todas as suas responsabilidades como pai. Tinha um sentimento de culpa tão grande que não conseguia impor disciplina aos próprios filhos.

Uma temporada no exército, era disso que Robert precisava.

Nada como um pouco de guerra para colocar um delinquente como este no devido lugar.

— Como CEO e membro vitalício do conselho da Kruger-Brent, seu pai tem o direito de ser informado das decisões que podem afetar materialmente a empresa.

— Mas ele não pode me impedir de abrir mão da minha herança. Pode até gritar e xingar se achar que vai se sentir melhor. Mas não há nada que ele possa ***fazer***. Não é?

Lionel Neuman balançou a cabeça. ***Tanta raiva. Tanta arrogância. A arrogância da juventude.***

— De fato, Robert, você está certo. A decisão cabe apenas a você. Entretanto, como advogado da sua família há mais de quatro décadas, é meu dever informá-lo...

Robbie não estava escutando.

Deixe para alguém que queira, vovô. Não quero ***a Kruger-Brent. Nunca quis. E não ligo a mínima para a maldita família. Tirando Lexi, ninguém vale nada.***

Tomara a decisão na noite anterior. Admitia que estava alto na hora, perdido em um nevoeiro de heroína e tequila enquanto tocava o piano imundo e destruído do Tommy's, um bar gay no Brooklyn. Uns caras mais velhos que se aproximaram dele disseram:

— Sabe de uma coisa, garoto? Você podia ganhar a vida com essa merda.

Era apenas um comentário. Mas para Robbie, era como se tivesse levado um tiro na cabeça.

Eu poderia ganhar a vida com isso. Poderia fugir. Fugir do papai, da Kruger-Brent, dos meus demônios. Mudar meu nome. Tocar piano em algum bar desconhecido por aí. Descobrir quem eu realmente sou.

Robbie Templeton não estava interessado nas preocupações, nos conselhos e nos quiproquós do Velho Neuman. Queria ir embora.

— Aqui. — Ele pegou uma folha de papel em cima da mesa de Lionel Neuman. Usando a caneta do advogado, ele rabiscou algumas linhas que mudariam a sua vida para sempre.

Eu, Robert Peter Templeton, por meio desta, renuncio a todos os bens, direitos e herança deixados para mim por minha bisavó, Kate Blackwell, incluindo todos os direitos e ações da Kruger-Brent Limitada. Transfiro esses bens para minha irmã Alexandra Templeton.

— Está assinado e datado. E você testemunhou.

Entregando o papel ao preocupado advogado, Robbie se levantou e saiu. Mais uma vez, Lionel Neuman ficou impressionado com a extraordinária beleza do garoto. Realmente um jovem dourado. Mas os sinais de abuso de drogas já estavam começando a aparecer. Olhos vermelhos e injetados, rosto fundo, acessos de tremedeira involuntária.

Quanto tempo vai levar até ele acabar na rua, outro viciado perdido, impotente e sem rosto?

Seis meses. No máximo.

— Obrigado pela sua ajuda, Sr. Neuman. Não precisa me levar até a porta.

Capítulo 7

LEXI TEMPLETON não era como as outras meninas.

Quando tinha 5 anos, o pai recebeu um telefonema em seu escritório.

— Infelizmente, o senhor terá de vir buscar Lexi imediatamente.

Era a Sra. Thackeray, diretora do jardim de infância de Lexi. Parecia aflita.

— Aconteceu alguma coisa? Lexi está bem?

— Sua filha está bem, Sr. Templeton. Estou preocupada com as outras crianças.

Quando Peter chegou à escola primária Little Cherubs, uma Lexi chorosa se aninhou em seus braços.

— Eu não fiz nada, papai! Não foi culpa minha.

A Sra. Thackeray puxou Peter para um lado.

— Tive de mandar duas crianças esta manhã para a enfermaria. Sua filha as atacou com a tesoura. Um menininho quase perdeu um olho.

— Mas isso é ridículo — Peter olhou para Lexi. Agarrada às suas pernas com seu vestidinho amarelo e fitas combinando no cabelo, ela era a imagem da inocência.

— Por que ela faria algo assim?

— Não faço ideia. Minha equipe me garantiu que ela os atacou sem que tivesse sido provocada. Infelizmente, Lexi não poderá continuar frequentando nossa escola. O senhor precisa tomar providências alternativas.

Na limusine, Peter perguntou à filha o que tinha acontecido.

— Não foi ***nada***. — Lexi balançava as pernas feliz, sem o menor sinal de arrependimento. — Não sei por que criaram tanto caso. Eu estava fazendo colagem. Era a Kruger-Brent. Você sabe, a torre alta onde você trabalha?

Peter assentiu.

— Estava muito linda, toda prateada. Aí Timmy Willard disse que minha colagem estava "muito idiota". E Malcolm Malloy riu de mim.

— Isso foi uma maldade deles, meu doce. Então, o que você fez?

Lexi olhou para o pai compassivamente, como se quisesse dizer ***como assim?.***

— Eu me defendi, como você disse. Ataquei Timmy com a tesoura bem na cabeça. Não se ***preocupe***, pai — acrescentou ela, ao ver a expressão chocada do pai. — Ele não morreu. Podemos almoçar no McDonald's?

TODOS OS PSICÓLOGOS infantis concordavam.

Lexi era altamente inteligente e sensível. Todos os seus problemas comportamentais eram devidos à perda da mãe.

Peter perguntava:

— Mas e essa característica vingativa? A falta de limites morais?

A resposta era sempre a mesma.

Quando ela crescer, vai superar.

— NÃO QUERO ESCUTAR as suas desculpas! Você envenenou a rainha. Sua cabeça vai rolar imediatamente.

Lexi lutava com sua Barbie Sereia edição especial.

— Isso vai lhe ensinar, sua bandida com rabo de peixe. — Ela abriu um sorriso triunfante enquanto arrancava a cabeça. — Agora você está totalmente MORTA!

— Lexi!

A Sra. Grainger, a nova babá, entrou no quarto. Um mar de bonecas decapitadas espalhadas pelo chão. Ela suspirou.

De novo? O que aconteceu com as brincadeiras de panelinhas e bonecas de antigamente?

Meninas de 8 anos certamente tinham mudado muito desde a sua época.

Com 50 e poucos anos, viúva, sem filhos, a Sra. Grainger fora contratada para substituir a infame Sra. Carter. (A ex-empregada dos Templeton aproveitara bem a indenização que ganhara, separando-se do marido rabugento, Mike, e fugindo para o Havaí. Da última vez em que foi vista, estava sendo massageada com óleo de coco por um jovem de 20 anos seminu chamado Keanu. A Sra. Grainger nunca tinha se dado bem com óleo de coco.)

A Sra. Grainger gostava de Lexi, mas não era boba. Essas bonecas Barbie custavam dinheiro. Já perdera a conta de quantas vezes repreendera Lexi por causa disso.

— O que está havendo?

Lexi escutou um sussurro na sua mente: ***a Sra. Grainger está furiosa. O que você pode fazer para que ela não fique assim? O que ela quer escutar?***

— Não se preocupe, Sra. G. Eu só estava brincando. Posso consertá-las facilmente. Olhe.

Pegando a cabeça de Ariel que estava do outro lado do quarto, Lexi se esforçou em vão para colocar a cabeça de volta ao corpo. Não era tão fácil quanto parecia. O pedaço do pescoço era grande demais para o buraco da cabeça que parecia ter encolhido magicamente depois que a cabeça da boneca fora arrancada. Fios de cabelo de nylon vermelho ficavam enrolando nos dedos de Lexi. Gotas de suor começaram a brotar em sua testa.

— Verdade, eu sei fazer isso. Já consegui antes.

— Esta não é a questão, Lexi. Você nem deveria ter tirado a cabeça dela. Este tapete está parecendo ***A noite dos mortos-vivos.***

— A culpa não é ***minha.*** Ariel estava tentando matar a rainha.

Lexi apontou para umas poucas Barbies que ainda tinham seus corpos inteiros. Usando um vestido de veludo vermelho, com uma coroa feita de tirinhas de celofane na cabeça, a boneca loura estava prostrada em cima do "Barbie's Four Poster" que Robbie comprara a um preço ridiculamente alto para a irmã na semana anterior.

Exatamente o que Lexi precisava. Mais brinquedos.

— Ela foi envenenada. Está vendo? É por isso que está com essa cor engraçada.

Com um gemido, a Sra. Grainger percebeu que o rosto da boneca tinha sido desfigurado pelo que só poderia descrever como um ataque frenético com uma canetinha verde. Rezou para que Lexi não tivesse rabiscado roupas e lençóis também. Era muito difícil tirar essas manchas.

Lexi disse solenemente:

— Se você envenenar alguém, Sra. G., vão cortar a sua cabeça. De verdade, aprendi na aula de história.

Sua expressão era tão adoravelmente séria que era difícil não rir.

— Sei. Bem, eu preferia que a história não se repetisse tantas vezes pelo chão do quarto.

O tom de voz da babá foi firme. Mas Lexi sabia que tinha vencido. Era um tom de raiva fingida, e ela era esperta o suficiente para diferenciá-lo de uma raiva legítima.

Vozes alteradas de adulto vieram do andar de baixo. O rosto de Lexi ensombrou-se com preocupação.

— Papai está gritando. Acha que Robbie se meteu em encrenca de novo?

— Não faço ideia. — A Sra. Grainger fechou a porta do quarto com firmeza. — Se ele se meteu, não é assunto para você. Seu irmão é grande e feio o suficiente para se cuidar.

Lexi ficou furiosa.

— Robbie não é feio. Ele é o irmão mais lindo de todo o universo. Todo mundo diz isso.

A Sra. Grainger suspirou. Gostaria que Lexi não levasse tudo tão ao pé da letra. Também gostaria que o Sr. Templeton aprendesse a falar mais baixo. Não fazia ideia de como sua filha era sensível e esperta. Lexi era como um pequeno receptor, captando toda a tensão da casa e traduzindo para sua visão de mundo que estava ficando cada vez mais distorcida.

Hoje ela estava decepando a cabeça de suas bonecas.

Mas e amanhã?

PERVERTIDO! ... perseguindo crianças inocentes... Doentes como ele deviam ser castrados.

Peter Templeton tentava se concentrar em sua respiração. Precisava se manter calmo. Não podia perder a cabeça com esta mulher terrível que estava na sua sala de estar, berrando obscenidades como uma prostituta drogada.

Eu e Ludo poderíamos chamar a polícia, você sabe.

A mulher podia parecer uma prostituta drogada. Na verdade, seu nome era Angelica Dellal, esposa do eminente banqueiro da JP Morgan, Ludo Dellal, e mãe de Dominic Dellal, de 16 anos: astro do futebol americano, capitão do time de Andover, e (se Peter tinha interpretado bem os gritos dela) amante homossexual de seu filho Robert.

Bicha! Aberração!

O abuso cobriu a mente de Peter como uma onda tóxica de esgoto.

Com 40 e poucos anos, traços bonitos e aristocráticos e cabelo imaculadamente penteado que deixava evidente que ela era esposa de um homem rico, Angelica Dellal deve ter sido uma mulher muito bonita. Mas qualquer atrativo sexual tinha desaparecido por baixo de todas as tintas de cabelos, esmaltes e botoxes. Neste momento, ela era feia, a boca esticada, o rosto contorcido pela raiva, as mãos cobertas de diamantes mexendo sem parar.

— ...e aí?

Assustado, Peter percebeu que ela finalmente tinha cansado.

— Desculpe. Qual foi a pergunta?

Parecia que Angelica Dellal pegaria fogo espontaneamente de tanta indignação.

— A ***pergunta*** foi o que o senhor vai fazer para garantir que seu filho nojento e pervertido fique bem longe do meu filho?

— Vou falar com Robert.

— ***Falar?*** Só isso? Meu marido pegou os dois no carro juntos, entendeu? O seu filho estava ***chupando o pau do meu filho***. Está escutando? Estou sendo clara?

Ela apontou uma unha muito benfeita para Peter. Instintivamente, ele deu um passo atrás, segurando no sofá para não perder o equilíbrio. ***Robbie fez isso?*** Ele estremeceu. Era insuportável pensar.

— Talvez seu marido tenha se enganado.

Sua voz era um sussurro. Peter sabia que Ludo não tinha se enganado. Mas não conseguia admitir isso, nem mesmo para si mesmo.

Apesar de três décadas estudando e praticando psiquiatria, Peter Templeton não conseguia aceitar que seu filho era gay. Quantos homossexuais enrustidos atendera durante todos aqueles anos? Dezenas, provavelmente. Daqueles homens desesperados, estranhos sofredores, era fácil sentir pena. Mas com seu próprio filho era diferente. Queria desesperadamente acreditar que o filho desta mulher horrível tinha levado Robert para o mau caminho, e não o contrário. Que era o filho de Peter que estava passando por uma fase. O filho ***dele*** cresceria e superaria, o filho ***dele*** seria um astro do futebol americano em Harvard e teria mulher e filhos, e olharia para trás e veria isso apenas como um deslize da adolescência. Algo como dores do crescimento sexual.

Agarrava-se à esperança como um alpinista sem equipamentos se agarra à pedra. Robbie não era nem remotamente afeminado. Garotas ficavam à sua volta como moscas, implorando por um encontro. Talvez ele fosse apenas tímido? Demorou para amadurecer? Era possível.

O seu filho estava chupando o pau do meu filho.

A Sra. Dellal estava saindo, arrastando seu casaco de pele e a bolsa Chanel como Cruella DeVil.

— Estou falando sério. Se eu vir o seu filho veado a 15 quilômetros da nossa casa ou do colégio de Dom, vou chamar a polícia. E é melhor ***rezar*** para que a polícia encontre seu filho antes que meu marido o encontre.

A porta da frente bateu.

Silêncio.

— Papai?

Lexi estava na porta, usando seu vestido branco de musselina com borboletas bordadas nas mangas e uma boina azul sobre o cabelo louro claro.

Peter pensou: ***como ela é inocente.***

— O que é pervertido?

Constrangido, Peter sentiu seu rosto corando.

— Ah, meu doce, é uma... uma palavra feia.

— Sei, mas o que significa?

— Não significa nada, meu doce.

— Ah. Bem, então, o que é veado?

Pelo amor de Deus. Quanto ela escutara?

— Por que você não vai lá para cima brincar, Lexi? Daqui a pouco eu subo para ficar com você.

— Estou cansada de brincar. — Lexi falou em um sussurro conspiratório. — Pervertido significa S-E-X-O?

— Vá assistir ***The Jungle Book***. Diga a Sra. Grainger que eu permito que veja televisão só hoje.

Lexi foi para seu quarto feliz da vida. Peter afundou no sofá, esgotado. ***Ah, Alex. Por que não está aqui? Por que ainda é tão difícil?*** Sabia que precisava conversar com Robbie sobre o garoto Dellal. Mas não sabia como começar.

Acabou não precisando. O próprio Robbie puxou o assunto. Chegando em casa às 23 horas, muito bêbado, ele encontrou o pai na cozinha.

— Você vai ficar feliz de saber que vou fugir — falou ele de forma ininteligível. — Vou ser livre.

— Você está bêbado, Robert. Não estou entendendo nada.

— Meu ***amigo.*** — A palavra escapou de sua língua maliciosamente. — Eu e meu ***amigo*** Dom vamos fugir. Para Nova Orleans. Vou sumir da sua vida para sempre. Pode estourar o champanhe!

Levantando a mão, como em um brinde, ele perdeu o equilíbrio batendo com a cabeça na mesa da cozinha enquanto caía.

— Opa. — Lágrimas causadas pelas gargalhadas escorriam pelo seu rosto.

— Sua bebedeira não é engraçada, Robert.

— Não? Poxa, que estranho. As suas sempre foram ***hilariantes.*** — Desprezo brilhava nos olhos de Robbie. — Talvez eu deva apontar uma arma para você? Assim as coisas ficam mais animadas. Não seria engraçado, ***pai***?

Peter teve vontade de chorar. Quando essa palavra se tornara um insulto?

— A mãe do Dominic esteve aqui hoje à tarde. Fazendo ameaças. Ela disse que se você chegar perto do filho dela de novo, vai denunciar você à polícia por proselitismo.

— Proje... ***proze-o-quê***? Cara, essa é nova. A gente tem que experimentar isso alguma hora. Dom adora experimentar coisas novas.

Peter estourou.

— Você é repugnante! Está achando que isso é um jogo? O garoto tem 16 anos.

Robbie deu de ombros.

— Ele sabe o que está fazendo. Sabe bem demais até.

— Os pais dele vão entrar com um processo. Você pode ser preso, Robert, não percebe isso?

— Só se conseguirem nos encontrar.

A cabeça de Robbie estava pesada. Depois de sair do escritório de Lionel Neuman naquela tarde, fora de bar em bar, bebendo até ficar entorpecido, em um estado de semiconsciência que se tornara comum para ele recentemente. Manter uma conversa era como tentar nadar em sopa grossa e quente.

A verdade era que nem se importava muito com Dom Dellal. Eles não estavam apaixonados nem nada parecido. Mas a repulsa do pai fazia com que quisesse atacar. Fazia com que Robbie se lembrasse dos seus próprios sentimentos de culpa e autodepreciação.

Sorte minha ser o primeiro gay homofóbico do mundo.

— Fui ver o velho Neuman hoje.

— Mesmo?

— É. Eu me tirei do testamento. — Robbie se desfez em gargalhadas ébrias. — Eu disse para ele: "Pode fazer o que quiser com meu dinheiro. Não quero a Krugerbrendimerda."

Peter suspirou.

— Você não pode simplesmente sair do testamento, Robert. Tem a questão do fundo fiduciário... é complicado.

— Não é mais. Dei tudo para Lexi.

Robbie se levantou. A sala girava como uma máquina de secar roupa. Colocando a mão na testa, ele sentiu o sangue quente em seus dedos.

Peter pensou: ***será que ele realmente repudiou o testamento de Kate? Ele pode fazer isso?***

Em voz alta, disse:

— Você está bêbado demais para raciocinar agora. Conversaremos pela manhã.

— Não estarei aqui de manhã.

Robbie deu um passo desequilibrado para frente, colocando-se diante do pai. Seus olhos brilhavam com uma fúria inconsequente, alcoólica.

Peter sentiu o estômago revirar. Robbie estava tão perto que conseguia sentir o bafo de álcool. ***Estou com medo dele. Estou com medo do meu próprio filho.***

— Vou para Nova Orleans. Com Dom.

— Se sair desta casa hoje, não precisa mais voltar.

As palavras saíram da boca de Peter antes mesmo que ele tomasse consciência delas.

— Não se preocupe. Não vou voltar. Adeus, pai.

— Adeus, Robert.

Peter observou o filho sair cambaleando da sala, sangue ainda escorrendo do corte em sua testa. Segundos depois, escutou a porta da frente bater.

Esperou a culpa chegar. ***Esta é a hora em que devo correr atrás dele. Dizer que eu não estava falando sério.*** Segundos se passaram. Então, minutos. Peter percebeu que o sentimento que ia tomando conta de seu peito não era culpa.

Era alívio.

Apagando as luzes do térreo, subiu as escadas e foi até o quarto de Lexi na pontinha dos pés.

Seremos só nós dois agora, querida. Não precisa do seu irmão. Papai vai cuidar de você.

Não iria acordá-la. Apenas ajoelharia ao lado da cama por um momento. Sentiria seu delicioso cheiro de criança. Buscaria conforto em seu inocente corpo adormecido.

Abriu a porta devagar. O quarto estava escuro como breu. Dirigindo-se para a cama, cuidadosamente desviando da caixa de brinquedos e das roupas espalhadas pelo chão, Peter se ajoelhou ao lado da cama e estendeu seu braço carinhoso.

Um golpe de vento no rosto o pegou de surpresa.

Olhou para cima. A janela do quarto estava aberta.

Sob a luz do luar, ele fitou a cama vazia.

Lexi tinha desaparecido.

Capítulo 8

A PRIMEIRA COISA DE QUE ela teve consciência foi a escuridão.

Total escuridão.

Não a escuridão de seu quarto. Mas a escuridão densa, fria e abafada de um túmulo.

Tentou gritar, mas não conseguiu emitir nenhum som. Havia alguma coisa em sua boca, um gosto amargo de pano. Não conseguia respirar.

Onde eu estou?

O pânico começou a envolver seu coração como uma cobra. Estava sonhando? Sentou-se. Sua cabeça bateu em alguma coisa sólida e de metal.

Um caixão? Não! Ah, Deus, por favor, não!

Papai!

Gritou de novo. E, de novo, engasgou com o pano abafando o som em sua garganta. Lenta e conscientemente, ela começou a respirar pelo nariz.

Fique calma. Você está viva. Não entre em pânico.

Encheu seus pulmões de ar. ***Relaxe.***

Histórias que escutava para dormir de seu tataravô, Jamie McGregor, invadiram a sua mente. Jamie fora corajoso, esperto e engenhoso. Lutara com tubarões e minas terrestres, escapou de um naufrágio e enfrentou assassinos. Nenhuma situação era perdida para ele a ponto de não encontrar uma forma de sair dela.

Tentou pensar logicamente.

O que aconteceu? Como cheguei aqui?

Isso não era bom. Não conseguia se lembrar. A Sra. Grainger colocou-a na cama, e então... e então... escuridão. O medo voltou como uma enorme onda.

Alguém me ajude!

Lexi estremeceu. De repente, percebeu que estava morrendo de frio. Ainda estava usando a fina camisola de algodão com que fora para a cama. Embaixo de suas costas, o chão de metal duro era como uma chapa de gelo.

Bump.

O que foi isso?

O chão estava se mexendo. Vibrava constantemente, e a cada vinte segundos, mais ou menos, jogava seu corpo para cima, como se fosse uma panqueca. De repente, ela entendeu: ***um carro. Estou no bagageiro de um carro. Fui sequestrada, e eles estão me levando para algum lugar. Para o esconderijo deles.***

Se não estivesse acontecendo com ela, provavelmente seria emocionante. Sequestro era uma das brincadeiras favoritas de Lexi. Mas isso não era brincadeira. Era real.

— SAIA.

O homem usava uma máscara. Não daquele tipo que assaltantes de bancos usam nos filmes. Mas uma máscara de borracha usada no dia das bruxas. Fazia com que ele se parecesse com um cadáver.

Consumida pelo medo e congelada de frio, Lexi ficou imóvel. Os olhos arregalados de terror.

Outra voz.

— Não fique aí parado, cara, pegue a menina. Leve-a para dentro antes que alguém apareça.

Um corpo estendeu as mãos para dentro do bagageiro e agarrou os braços de Lexi. Movida pelo instinto, ela lutou com ele, chutando e arranhando como uma gata selvagem.

— Merda! — O corpo segurou o antebraço. A unha afiada da menina tirara sangue. — Sua vadiazinha!

Puxando o braço, ele deu um soco tão forte no rosto dela que ela apagou.

O TEMPO PASSOU.

Ela estava em um quarto sem janelas. Uma lâmpada fraca iluminava o ambiente. Dias e noites eram a mesma coisa. No início, a dor em seu rosto era insuportável, onde o corpo a socara. Mas, lentamente, começou a diminuir.

Havia uma cama em um canto, um penico antigo de porcelana e uma caixa de papelão velha com alguns brinquedos e livros aleatórios. Não havia nada nas paredes; o chão era liso, de linóleo verde. Parecia mais um escritório do que uma casa. Os brinquedos e livros eram para crianças bem mais novas.

Os meus sequestradores não sabem nada sobre crianças.

O medo deu lugar ao tédio. Não havia nada para se fazer, nada para quebrar a monotonia das infinitas horas de solidão. A intervalos regulares, um homem mascarado entrava, esvaziava o penico e o devolvia, e trazia alguma comida para Lexi. Eles nunca falavam com ela, nem respondiam suas perguntas, mas às vezes ela escutava suas vozes abafadas através das paredes.

Eram três homens. Um líder com uma voz gutural e um estranho sotaque estrangeiro, e mais dois: o corpo e um terceiro que usava máscaras de vários bichos, às vezes de porco, de cachorro ou de cobra. Era o terceiro homem, o animal, que realmente a assustava.

ELE ESTAVA PERTO da cama dela. Usava a máscara de porco.

— Se fizer qualquer barulho, eu mato você.

Não mata, não. Se fosse me matar, já teria feito isso. Você precisa de mim viva.

Lexi abriu a boca para gritar, mas era tarde demais. A mão enorme e quente tapou a sua boca. Ele estava na cama, empurrando-a para baixo. O peso dele fazendo com que Lexi não conseguisse respirar. Uma das mãos ainda cobria sua boca, mas Lexi pôde sentir a outra metendo-se embaixo de sua camisola. *NÃO!* Uma dor profunda entre suas pernas encheu seus olhos de lágrimas. Ela tentou se mexer, lutar, mas era inútil. Estava presa como uma folha embaixo de uma pedra.

Ele soltava ruídos estranhos. Gemidos profundos e guturais que Lexi nunca escutara. O cabelo na nuca dela começou a se arrepiar de terror. Então, de repente, o peso levantou.

Vozes.

— O que você está fazendo, cara?

Era o líder.

— A próxima refeição dela é só daqui a três horas.

Lexi não podia ver o rosto do porco, mas percebeu que ele estava com medo.

Ele sibilou para ela.

— Uma palavra e corto sua garganta. Entendeu?

Ela assentiu.

O AGENTE ANDREW EDWARDS olhou para a pilha de fotografias em preto e branco em cima da mesa na sua frente. Era tão grossa quanto a lista telefônica.

— Estão todos aqui?

— Estão sim, senhor. Todos os armazéns, hangares e prédios industriais a um raio de 25 quilômetros de onde o carro foi abandonado.

Já se haviam passado 11 dias, 4 horas e 16 minutos desde que Peter Templeton dera queixa do desaparecimento de sua filha. O agente Edwards já escutara tantas vezes a gravação da voz desesperada de Peter quando ligou para a Emergência que já sabia de cor. Em nove de dez desaparecimentos de crianças, os pais acabavam estando envolvidos. O que se podia dizer? Era um mundo doentio. Mas neste caso, o agente Edwards acreditava no pai. Além de a angústia de Peter Templeton parecer genuína, o bilhete pedindo resgate que foi deixado embaixo do travesseiro da menina tinha todos os sinais de uma operação do crime organizado: nenhuma impressão digital, datilografado no papel ofício mais comum, sucinto, impossível de rastrear.

A família Blackwell tinha duas semanas para transferir dez milhões de dólares para uma conta numerada nas ilhas Cayman. Se a polícia fosse envolvida, matariam a menina na mesma hora.

O agente Edwards era escocês de nascimento, mas nova-iorquino de espírito. Tinha pele clara, olhos castanhos muito claros e cabelo de uma cor indefinida entre o louro e o ruivo. Amava os Yankees, odiava as gangues de rua e os traficantes de drogas que infestavam a cidade, e descrevia suas férias anuais em Jersey como "viagem".

Soltou um suspiro profundo.

— Deve haver uns trezentos edifícios aqui.

— Quatrocentos e vinte.

— Tem alguma novidade para mim, agente Jones?

— Para falar a verdade, senhor, tenho sim. ***Estes*** — o colega do agente Edwards entregou a ele uma pasta muito mais fina — são os abandonados.

— Quantos?

— Apenas 18. — O agente Jones sorriu. — Posso montar vigilância para esta tarde se quiser.

— Não. Ainda não.

— Mas, senhor, temos menos de 60 horas. O prazo...

— Acha que eu não sei qual é o prazo?

O agente Edwards estava irritado. Que tipo de idiotas o FBI vinha empregando atualmente? A última coisa que queria era espalhar agentes do FBI por todos os armazéns de Nova Jersey. Se esses caras se assustassem, matariam a menina na mesma hora.

A família Blackwell assumira um grande risco envolvendo as autoridades. Com o dinheiro e os contatos deles, poderiam facilmente pagar sem que ninguém ficasse sabendo e acabar com isso. Ou contratar capangas para pegar os caras.

Mas não fizeram isso. Procuraram o agente Edwards com um caso que poderia tanto impulsionar como acabar com a sua carreira. Fracassar não era uma opção.

Encontrar o carro dos sequestradores tinha sido uma conquista. O agente Edwards mandou fazer a comparação do DNA dos fios de cabelo encontrados no carro e os que estavam sobre o travesseiro de Lexi. Os dois telefonemas com distorção de voz para o escritório de Peter Templeton provavelmente foram feitos de dentro de uma grande estrutura industrial. A equipe de tecnologia do FBI analisara o eco, se é que se podia confiar nisso.

Mas não foi o suficiente. O agente Edwards não queria 18 alvos. Queria um.

— Mande um helicóptero sobrevoar. Não muito baixo. Deve parecer trânsito aéreo normal.

— Sim, senhor. O que eles devem procurar exatamente?

O agente Edwards fitou seu subordinado de forma ameaçadora.

— A Cidade Esmeralda de Oz. Deus! ***Marcas de pneus***, seu estúpido. Vão procurar marcas de pneus, cacete.

JAMAIS QUIS se envolver.

Estava em um bordel em Phuket quando recebeu a ligação, desfrutando a companhia de duas meninas gêmeas de 11 anos. Xoxotas tão apertadinhas que podiam quebrar cascas de nozes, línguas tão ansiosas e habilidosas quanto de qualquer uma das prostitutas adultas que usava na sua terra. Quanto prazer.

Amava as tailandesas. Um povo tão esclarecido.

— Dez milhões de dólares, divididos por três. A casa tem segurança de terceiro mundo. Confie em mim, vai ser como tirar doce de criança. Entramos, pegamos a menina, pegamos o dinheiro e saímos.

— Não preciso de dinheiro.

Gargalhada.

— Você não tem de ***precisar***. Só tem de querer.

— Agora eu sou um homem correto, viu? Procure outra pessoa.

Fechou os olhos sentindo o prazer enquanto as meninas acariciavam seu corpo com seus dedos e línguas. Na sua terra, pagava para prostitutas se vestirem de colegiais. Mas nada se comparava à coisa real: a pele macia, os seios firmes desabrochando, o paraíso sem pelos entre as pernas...

— Sabe, a garotinha é linda.

A voz ao telefone não desistia.

— Ela é a cara da mãe. É o que todo mundo diz.

Ele hesitou. A imagem de uma jovem Alexandra Blackwell apareceu em sua mente. Lembrava-se bem dela. As pernas compridas e flexíveis, com um bronze da cor exata de caramelo. A cascata de cabelos louros. Os lábios rosados e trêmulos abrindo-se em um sorriso:

Olá, Rory. Quanto tempo.

— Quantos anos você disse que ela tem?

Uma das gêmeas tailandesas passou a língua em seu ânus. A outra colocou suas bolas dentro da boca quente e molhada. Ele gemeu de prazer.

— Ela tem 8.

Oito anos.

A cara da mãe.

É o que todo mundo diz.

— Tudo bem. Estou dentro. Mas é a última vez...

Não conseguiu terminar. A linha ficou muda.

— VOCÊS A encontraram?

Peter Templeton apertou com tanta força a mão do agente Edwards que prendeu sua circulação.

O agente Edwards pensou: ***Coitado. Envelheceu dez anos em duas semanas.***

— Achamos que sim. Um prédio em Jersey, perto de...

— Quando vão entrar?

— Hoje à noite, Assim que escurecer.

— Não pode ser agora?

— À noite é melhor. É a melhor forma, senhor. Confie em mim. Temos muita experiência com situações com reféns.

Peter pensou: ***Rezo a Deus para que ele saiba o que está fazendo.***

O agente Edwards pensou: ***Rezo a Deus para que eu saiba o que estou fazendo.***

Ambos pensaram: ***E se eles a matarem entre agora e o anoitecer?***

— Tente descansar um pouco, senhor. Assim que souber de alguma coisa, aviso.

O LÍDER E O OUTRO homem estavam furiosos com o porco. Lexi escutou-os brigando. Só conseguia captar fragmentos.

Nós concordamos... Não consegue se controlar... e se ela o identificar?

Não vai... a máscara, cara.

Maldito pedófilo...

...quanto tempo ainda? ...quero meu dinheiro.

Logo.

Já se passaram duas semanas... se eles fossem pagar...

Cale a boca, cara! Vai receber o seu dinheiro.

Lexi pressionou o rosto na porta de sua minúscula cela, esforçando-se para captar cada palavra. Não porque estava com medo. Mas porque estava determinada a juntar o máximo de informações possível sobre seus sequestradores. Especialmente sobre o porco, o homem que a machucara, que forçara seu corpo para dentro dela.

Minha família virá me buscar. Um dia, em breve, eles virão. Então farão o porco sofrer pelo que fez comigo.

O pior pesadelo para ela não era morrer, e sim seus sequestradores fugirem. Não podia deixar isso acontecer. Tinham de ser punidos.

— JESUS CRISTO. Quanto ainda falta?

O agente Edwards estava agachado atrás de um carro não identificado na escuridão. Ao lado dele, seu parceiro, agente Jones. Atrás deles, estava Chuck Barclay, o comandante da unidade especial de fuzileiros que conduziria a operação de resgate.

— Doze minutos. — O capitão Barclay sorriu, os dentes brancos iluminando o rosto muito preto. Ele era pequeno, um homem sem nenhuma característica marcante, de 40 e poucos anos, com um corpo muito magro e rosto enrugado. Parecia mais um fox terrier do que o mastim que o agente Edwards esperava. Ainda mais preocupante, o "esquadrão" de Barclay parecia consistir em apenas cinco jovens fuzileiros com óculos de visão noturna e pistolas padrão. Não havia nenhuma automática ou granada à vista.

— Barclay é o melhor — garantira o chefe do agente Edwards.

É melhor que seja mesmo.

Os 12 minutos pareceram horas. Era uma noite quente de verão, mas o agente Edwards sentia os pelos dos braços e da nuca arrepiados. Suor frio emanava de seus poros. A camisa estava encharcada. Percebeu que o agente Jones também estava tremendo. Quase não dava para ver a fábrica têxtil em ruínas no escuro. Mesmo com o ruído do tráfico da Route 206 a distância, parecia o lugar mais desolado da Terra.

Então, de repente, um movimento. O capitão Barclay assentiu para seus homens. Segundos depois, como por mágica, eles tinham dispersado pela paisagem plana, escondendo-se atrás de pequenos arbustos, como folhas silenciosas. Era impressionante.

Os dois agentes do FBI estavam sozinhos.

— É isso, senhor.

O agente Jones tinha medo de seu chefe. Andrews era um desgraçado mal-humorado na melhor das hipóteses, mas o sequestro da menina Templeton colocou a faca no pescoço de todos eles.

— É, Jones. É isso.

— Vai dar tudo certo, senhor. Todo mundo diz que esses caras são os melhores.

— Uhum.

— De acordo com reconhecimento...

— Shhh. — O agente Edwards colocou um dedo nos lábios. — Escutou isso?

— O quê, senhor?

— Um tiro.

— Não escutei um t...

Uma forte luz apareceu. Um barulho que parecia um rugido de leão, mas que era milhares de vezes mais alto, irrompeu em volta deles. Instintivamente, os dois tamparam os ouvidos e se jogaram no chão.

— Que p... ? — As orelhas do agente Jones estavam apitando. Podia sentir terra e grama e poeira na boca.

— Bomba! Fique abaixado!

Outro barulho. Ensurdecedor, como se estivessem sendo sugados por uma nuvem trovejante. Era possível ver chamas em cima do prédio. A fábrica têxtil se iluminou como em uma apresentação improvisada de fogos de artifício. Era assustadoramente bonito.

O agente Edwards apalpou a camisa encharcada em busca de sua arma.

— Ligue pedindo reforços. Vou lá.

— Não faça isso, senhor. Não pode. Não sabe o que está acontecendo, esse prédio pode desabar a qualquer minuto.

Assim como a minha carreira, se eu não tirar a menina Templeton viva daí de dentro.

— Faça o que mandei! — gritou o agente Edwards sobre os ombros. Uma terceira explosão engoliu suas palavras. O agente Jones mergulhou para se proteger de novo.

Quando abriu os olhos, seu chefe não estava mais ali.

LEXI TINHA ACABADO de comer quando escutou o primeiro tiro. Soube na mesma hora o que era.

Eles estão aqui! Vieram me resgatar! Eu sabia que viriam.

Trinta segundos depois, a porta se abriu. Era o líder, o estrangeiro. Não deve ter tido tempo de colocar a máscara. Um cachecol amarrado cobria apenas a parte de baixo de seu rosto.

— Venha aqui. Agora!

Cabelo castanho enrolado. Olhos castanhos. Não tem rugas: é novo, mais novo que o porco. Anel no dedo mínimo. Pequena cicatriz sobre o olho esquerdo.

— AGORA!

Lexi ficou onde estava. Fingiu estar assustada demais para se mexer, mas por dentro estava exultante. Observou o líder hesitar. O terceiro homem, o corpo que deu um soco no rosto dela no dia em que a trouxeram para cá, apareceu na porta atrás dele.

— Deixe a menina aí! Já montei as armadilhas. Vamos dar o fora daqui!

— Meu Deus, Bill, não podemos simplesmente deixá-la aqui. O lugar vai explodir.

Bill. O nome do corpo é Bill.

— Quer pegá-la, então pegue. Eu vou dar o fora daqui.

Lexi o viu fugir. ***Adeus, Bill.***

O líder hesitou por um momento, depois deu um passo na direção dela. Lexi recuou.

Ele não me parece mais um líder agora. Posso ver o medo em seus olhos.

— Tudo bem. Faça como quiser. Fique aqui e pegue fogo.

Ele se virou e correu atrás do amigo.

Lexi esperou até que não escutasse mais os passos deles. Então, saiu do quarto.

Era a primeira vez que se aventurava além da porta de sua cela desde que a trouxeram para cá, quando quer que isso tenha sido. Dias, semanas, meses atrás? Viu que estava em um corredor estreito que se abria uns três metros depois em um espaço amplo, como um hangar. Mas ela não estava curiosa com o lugar. Não estava nem procurando os homens que vieram resgatá-la.

Estava procurando o porco.

Onde ele estava? Já tinha fugido? Por favor, não deixe que ele escape.

Mais uma rápida troca de tiros do outro lado do prédio chamou sua atenção. Lexi virou-se e congelou. Uma bola de fogo gigante estava vindo na sua direção.

Como um cometa em uma pista de boliche. E eu sou o pino.

Ficou tão surpresa que se esqueceu de sentir medo. Depois disso, tudo era um borrão.

Chamas por todos os lados. Vidro, tijolo e madeira caindo do teto. Paredes se dobrando, derretendo com o calor. Então um único e ensurdecedor BUM, tão alto que nem a terra conseguiu conter.

Foi o último som que Lexi Templeton escutou.

Capítulo 9

ELE ERA O ADVOGADO de tribunal mais famoso de Londres.

Descendo a Strand em direção ao Old Bailey, a respeitável corte criminal da cidade, imaculado em seu terno feito em Savile Row e sapatos lustrosos feitos a mão, as pessoas olhavam conforme ele passava.

Vocês sabem quem é, não sabem? Aquele é Gabriel McGregor. Não perdeu nenhum caso em seis anos na ordem. Ele é um gênio.

Um bonito homem louro com olhos cinzentos, Gabe McGregor tinha o corpo de um jogador de rugby, ombros e peitoral largos, e pernas compridas e fortes como carvalhos. Havia uma solidez nele, uma força no corpo, no maxilar, no olhar direto e firme que fazia os jurados pensarem: ***acredito neste homem.*** Por baixo da força física, estava um poderoso intelecto. Gabriel McGregor conseguia julgar as nuances de um caso em questão de minutos. Como por instinto, sabia quando pressionar uma testemunha e quando recuar. Quando brigar, elogiar, seduzir, amedrontar, ajudar. Todos os juízes de Old Bailey o conheciam e respeitavam. Gabriel McGregor era uma classe à parte.

Olhando no relógio, acelerou o passo. Não seria bom chegar atrasado ao tribunal. Seus passos longos pareciam engolir a calçada sem esforço, como uma baleia devorando cardumes inteiros. Era um colosso, um gigante no meio dos homens.

— Gabe, graças a Deus. Achei que você tivesse fugido.

Michael Wilmott era advogado consultivo. Toda vez que Gabe o via, três palavras surgiam em sua mente. ***Fraco. Patético. Frustrado.*** Michael Wilmott estava acima do peso, trabalhava demais e estava sobrecarregado. Vestia um terno barato e brilhoso com manchas de suor embaixo do braço, e sua expressão era sempre atormentada. Se houvesse algo como uma equipe de advogados classe A, Michael Wilmott não fazia parte, nunca tinha feito e nunca ***poderia*** fazer.

— Eu não faria isso, Michael. — Gabe falou com seu suave sotaque escocês. — Eu disse que viria. Nunca quebro uma promessa.

— Não. Só quebra a cabeça de chefes de família inocentes em seis lugares diferentes.

As palavras eram como um balde de água fria sobre a cabeça de Gabe. Com relutância, afastou-se de seu sonho e voltou para a realidade.

Aqui não era Old Bailey. Era o tribunal de pequenas causas Waltham Forrest.

Ele não era um advogado famoso. Era um viciado em heroína de 19 anos, acusado de arrombamento, agressão e lesão corporal grave com intenção de matar.

Michael Wilmott era tudo que restava entre ele e uma pena de 25 anos na cadeia de Wormwood Scrubs.

— Os juízes não querem escutar seus discursos heroicos, nem eu. Mantenha a cabeça baixa, deixe que eu fale e tente parecer arrependido. Certo?

Gabe assentiu obedientemente.

— Sim, senhor.

GABRIEL MCGREGOR nasceu na Aberdeen Royal Infirmary, na Escócia, em 1973. Filho único de Stuart McGregor, um homem pobre que trabalhava no cais, e Anne, seu amor de infância. Gabe era um bebê forte e bonito que se tornou um menino forte e bonito.

Gabe não se lembrava da primeira vez em que escutara o nome de Jamie McGregor. Só sabia que sempre que escutava era pronunciado com veneno e ódio. Escutava o nome com tanta frequência que fazia parte de sua infância, assim como o cheiro de combustível de navio, a sensação desagradável das roupas baratas de poliéster sobre sua pele e a batida ameaçadora do oficial de justiça na porta do apartamento barato da família.

Jamie McGregor era a fonte de todos os seus problemas.

Era culpa de Jamie McGregor o fato de viverem em uma pobreza deprimente, arrasadora.

Jamie McGregor era o culpado por o pai de Gabe beber e bater na sua mãe.

Jamie McGregor fazia sua mãe chorar ao tentar esconder os hematomas com maquiagem barata da Boots.

Jamie McGregor...

Foi só na adolescência que Gabe descobriu a verdade. Jamie McGregor, o famoso empreendedor que fundara a Kruger-Brent e se tornara um dos homens mais ricos do mundo, era irmão de seu bisavô. Jamie McGregor tinha dois irmãos, Ian e Jed, e uma irmã, Mary. Ian McGregor, o irmão mais velho, era o bisavô de Gabe. O filho de Ian, Hamish, era avô de Gabe. O filho de Hamish, Stuart, era o pai de Gabe.

A podridão começara com Ian, irmão de Jamie, no início do século XX. Ian McGregor nunca perdoou seu irmão mais novo por fugir para a África do Sul e fazer fortuna.

— Quem ele pensa que é, para sumir para o outro lado do mundo e nos deixar tomando conta do papai, da mamãe e da fazenda? E não mandar nenhum dinheiro para aqueles que o criaram?

De forma conveniente, Ian se esquecera de que rira na cara de Jamie quando este anunciou sua intenção de viajar para as minas de diamante na África. Que enquanto cresciam, batia sem piedade no menino, frequentemente trapaceando e ficando com sua já pequena porção de comida e dando a ele as tarefas mais árduas e duras na pequena e miserável fazenda da família ao norte de Aberdeen. Na época em que Jamie fundou a Kruger-Brent e ganhou seus primeiros milhões, seus pais já tinham morrido, condenados à morte prematura por causa da pobreza implacável de uma vida inteira trabalhando duro na terra. Jamie mandava dinheiro para Mary, a única irmã que amou e apoiou. Mas quando ela também morreu, de tuberculose, com apenas 30 anos, os pagamentos pararam. Jamie não via nem falava com os irmãos havia mais de uma década. Não achava que devia coisa alguma a eles.

Ian McGregor via as coisas de uma forma diferente. Se fora duro com Jamie, tinha sido para seu próprio bem. Amara o menino como um pai, trabalhara duro para ajudar a sustentá-lo, e o que ganhou em troca? Abandono. Traição. Privação.

Ian começou a beber muito. Conforme a fortuna e a reputação de Jamie cresciam, a amargura e a inveja de Ian aumentavam em igual proporção. Os anos se passaram, e Ian passou todo esse ódio para o filho, Hamish, que, por sua vez, passou para Stuart, pai de Gabe, como algum tipo de terrível doença genética.

Quando Gabe era criança, falar o nome ***Jamie McGregor*** era como invocar o demônio. Com o passar dos anos, acrescentaram-se outros nomes à lista de ódio da família. ***Kate Blackwell. Tony Blackwell. Eve Blackwell. Robert Templeton.*** O avô de Gabe, Hamish, dedicou seus anos de aposentadoria e cada centavo que tinha de suas escassas economias a um processo condenado ao fracasso contra a poderosa Kruger-Brent. Uma vez após a outra, o caso era rejeitado pelas cortes, de Glasgow a Londres a Nova York. A cada vez, os juízes se tornavam mais severos.

Frívolo.

Ganancioso.

Totalmente sem fundamento.

Hamish McGregor morreu um homem amargurado e falido. Vinte anos depois, o mesmo destino decaiu sobre seu filho, o pai de Gabe. Gabe tinha 16 anos quando o pai morreu com a mente corroída pela bebida e pelo ódio, o corpo quebrado por causa dos longos anos de trabalho pesado nas docas.

Apesar de tudo, Gabe amava o pai. Tentava se lembrar dos bons momentos que tiveram juntos. Brincando na praia em Elgin quando tinha 3 ou 4 anos. Assistindo ao jogo do Celtic em Parkhead, gritando feito loucos na arquibancada. Dançando em volta da árvore de Natal na sala da casa deles, junto à mãe, antes de o pai começar a bater nela, antes de a amargura pesar demais.

Duas semanas depois da morte do pai, Gabe saiu de casa.

Sua mãe ficou preocupada.

— Para onde você vai, filho? Não tem nenhuma qualificação. Não vai encontrar trabalho em Aberdeen, não agora que os estaleiros fecharam.

— Não vou ficar na Escócia, mãe. No sul tem trabalho. Muito.

— Você quer dizer ***Londres***?

Anne McGregor não teria ficado mais horrorizada se Gabe tivesse dito que estava indo para Beirute.

— Ligarei para a senhora assim que estiver acomodado. Não se preocupe, mãe. Sei me cuidar.

Capítulo 10

PETER TEMPLETON ESTAVA sentado na sala de espera particular do Mount Sinai Medical Center, fitando a parede. Fora aqui que perdera sua amada Alex. Até o cheiro do lugar, uma mistura de desinfetante com velas baratas de baunilha, era odiosamente familiar.

Será que os deuses ainda planejavam mais tragédias para a sua vida?

Quando acabaria?

Sem pensar, pegou um exemplar gasto da revista *New Woman*.

Eu não quero uma nova mulher. Quero a minha antiga mulher de volta.

Algumas portas à frente no corredor, o agente Andrew Edwards ainda estava vivendo seu drama. Segundo seu parceiro, o homem fora um herói. Incrivelmente corajoso. Depois da segunda bomba, ele correra na direção do prédio em chamas, procurando Lexi. Não desistiu.

Eu deveria estar naquele prédio, não ele. Se ele sobreviver, vou recompensá-lo por sua coragem. Darei o que ele quiser.

Se ele sobreviver.

ALGUMA COISA DERA muito errado. O FBI acreditava estar lidando com um pequeno grupo de sequestradores armados. Esperavam um tiroteio. Mas, em vez disso, toparam com uma série de sofisticadas armadilhas explosivas, que ativavam bombas com poder suficiente para acabar com vilarejos inteiros. O capitão Barclay e seus homens não tiveram a menor chance. A primeira explosão matou três deles na mesma hora. Quando os reforços do FBI chegaram, todos os cinco já estavam mortos, caídos no que logo seriam as ruínas carbonizadas de um incêndio tão catastrófico que podia ser visto a 80 quilômetros de distância.

Tudo indicava que os sequestradores tinham conseguido escapar. Na confusão e nas tentativas desesperadas de encontrar Lexi, perderam um tempo precioso. Se conseguiram sair, podiam estar em qualquer lugar agora, espalhados pelo vento.

Se eles saíram. O incêndio foi tão intenso que levaria semanas até que todos os restos humanos fossem identificados. E não ajudava em nada o fato de ninguém saber exatamente quantos corpos estavam procurando.

Peter escutou o chefe do corpo de bombeiros conversando com um dos cirurgiões.

— É um milagre que alguém tenha saído de lá com vida. O agente Edwards é um cara de sorte.

Queimaduras de segundo grau em oitenta por cento do corpo, ambas as pernas quebradas e grave hemorragia interna? Questionou-se Peter. ***Adoraria conhecer um cara com azar.***

— Dr. Templeton?

Peter olhou. Uma bonita médica estava falando com ele.

— Pode vir agora. Sua filha está acordada.

LEXI PISCOU, olhando à sua volta.

Estava no hospital. Mesmo se a enfermeira não estivesse à cabeceira de sua cama, reconheceria na mesma hora por causa do cheiro. Lembrava-se de quando tirara suas amígdalas no ano anterior. Disso e do fato de a terem deixado tomar sorvete no café da manhã. ***Será que vão deixar desta vez?***

O quarto fora projetado para crianças. Uma faixa colorida do Ursinho Pooh enfeitava as paredes brancas, e ursos de pelúcia entulhavam a poltrona para visitantes. Era um quarto confortável, alegre e agradável. Mas tinha alguma coisa errada.

A enfermeira estava sorrindo para ela. Lexi podia ver que movia os lábios.

Que estranho? Por que ela não está falando alto?

Vagamente, lembranças do sequestro e do resgate voltavam à sua mente. Nada coerente. Fragmentos de fragmentos. O som dos tiros. Portas se abrindo. Luz forte. Lembrou-se do rosto do homem que a pegou nos braços. Tinha pele clara e olhos bondosos. Os lábios dele se moviam também, como os da enfermeira.

Onde será que ele está agora?

No momento seguinte, a porta se abriu e Peter entrou. O coração de Lexi deu um pulo de alegria. Ele correu para seu lado, abraçando-a e cobrindo-a de beijos. Ela podia sentir o calor e a força do corpo dele, o gosto salgado das lágrimas. Era maravilhoso, um sonho se tornando realidade. Mas ainda tinha alguma coisa errada. Sentia-se distante. Separada. Como se alguma parte dela não estivesse realmente ali. Mas qual parte?

Ah, papai! Eu sabia que você viria.

Foi quando ela percebeu.

O silêncio.

Sua boca formava palavras. Podia escutar o som delas em seu peito, sentir o ar empurrando-as para fora. Mas não conseguia escutá-las. Sendo tomada aos poucos por um horror crescente, percebeu que não conseguia escutar nada.

Pai.

Ela tentou falar de novo.

Papai!

Começou a entrar em pânico. Era a mesma sensação de horror que sentira ao acordar no carro dos sequestradores. Tontura, coração acelerado, náusea. Sua mente voltou para a fábrica. Estava na cama de sua cela. A porta se abriu. O porco! Ele estava vindo na sua direção.

Uma palavra e corto sua garganta.

Lexi jogou a cabeça para trás e gritou.

— O que está acontecendo? — Peter estava em pânico. O barulho que Lexi estava fazendo era ensurdecedor, horripilante, ele nunca escutara nada parecido em toda a sua vida. Como um animal no abatedouro. — Pelo amor de Deus, alguém ajude a minha filha!

A médica veio na direção deles, mas Lexi não deixou que chegasse nem perto, agarrando-se a Peter como um bebê chimpanzé se agarra a sua mãe. Seus gritos estavam cada vez mais altos. Suas unhas cravaram o ombro de Peter. Sangue manchava a camisa dele.

— Alguém faça alguma coisa!

A médica encheu uma seringa, mas era difícil. A menina estava se mexendo incontrolavelmente. Puxando o camisolão de Lexi, ela fez uma investida e enfiou a agulha na coxa da menina.

Lexi arregalou os olhos, chocada. Então, de repente, seu pequeno corpo relaxou. Era como uma boneca de pano nos braços de Peter.

Peter deitou-a suavemente na cama. Ele estava tremendo.

— Que diabos aconteceu aqui?

— Pode ter sido muitas coisas — explicou a médica. — Por favor, sente-se.

Sem se importar, Peter jogou os ursos de pelúcia no chão e afundou-se na poltrona.

— Precisamos fazer mais alguns exames. Sua filha... existem sinais de... abuso.

Peter ficou pálido. Percebeu que a médica tinha olhos castanhos, como o cabelo, e sardas espalhadas sobre o nariz.

— Infelizmente, não existe uma forma fácil de dizer isso. Mas acreditamos que Lexi tenha sido violentada, Dr. Templeton. Além dos traumas do sequestro, existem sinais...

A voz da médica sumiu. Talvez ela ainda estivesse falando, mas Peter não escutou nada além de um assovio em seus ouvidos. O assovio foi ficando cada vez mais forte, como um trem ganhando velocidade trilho abaixo.

Violência sexual, violência sexual, violência sexual.

Colocou as mãos nos ouvidos.

— Dr. Templeton? O senhor está bem?

— Ela tem 8 anos. É um bebê.

Lágrimas escorriam pelo seu rosto.

— Sei que é muita coisa para assimilar. — A médica pegou as suas mãos, com carinho e compaixão. — Tente se agarrar ao fato de que ela está viva. Não teve nenhuma queimadura, nenhum ferimento grave, além da audição, claro. O agente Edwards salvou a vida dela.

— A audição?

— Era isso que eu estava falando com o senhor, Dr. Templeton. Precisamos fazer mais alguns exames. Mas aconselho que se prepare para o pior. Existe uma grande chance de sua filha não voltar a escutar.

Capítulo 11

GABE MCGREGOR DISSERA para a mãe que sabia se cuidar. Mas provou ser um péssimo profeta.

Embora não fosse burro, Gabe era disléxico e se entediava com facilidade. Como resultado disso, deixara a escola aos 16 anos sem nenhuma qualificação, embora fosse naturalmente bom com os números. Chegou em Londres sem nada, apenas sua boa aparência, seu otimismo e cinquenta libras em dinheiro no bolso. Não havia muito trabalho.

— Sou trabalhador. Sei que terei de começar de baixo. Que tal a portaria?

Estava sentado na frente da chefe do departamento de recursos humanos do May & Lorriman, um banco de investimento.

— Sinto muito, filho, mas aqui não é um filme de Michael J. Fox. Até os nossos porteiros têm o ensino médio completo.

A chefe dos recursos humanos ficou com pena de Gabe, mas não havia nada que pudesse fazer. Regras são regras. Só concordara em recebê-lo porque ele apareceu no escritório todas as manhãs da última semana, implorando por uma entrevista.

Destemido, Gabe desceu a Moorgate, determinado a não sair da City, o famoso distrito financeiro de Londres, até que conseguisse algum emprego. Mas era a mesma história em todo lugar.

— Terá de enviar uma solicitação por escrito — disseram na Merrill Lynch.

— Ensino médio completo é o mínimo necessário para trabalhar na nossa empresa — disseram na Goldman Sachs.

— Não contratamos trabalhadores temporários — disseram no Deutsche Bank.

Gabe estava desnorteado.

Todos os bancos dizem que querem "empreendedores". Candidatos que consigam "sair do lugar-comum", é isso que seus panfletos dizem. Mas é só mostrar um pouco de espírito empreendedor que eles batem com a porta na sua cara.

Depois, ele tentou as imobiliárias. Havia muito dinheiro investido em propriedades, e no fundo não passava de um trabalho de vendedor. ***Posso fazer isso.*** Foxtons, Douglas & Gordon, Knight Frank, Allsops. Gabe tentou todas, batendo nas portas, errando pelas ruas de Londres, de Kensington a Kensal Rise, até que seus pés doessem e sua cabeça latejasse.

Não preciso de salário. Aceito ganhar só comissão.

Só estou pedindo uma chance.

Sinto muito, filho.

Precisa de ensino médio.

Volte para a escola.

Deprimido e derrotado, Gabe finalmente começou a procurar trabalho manual, mas até isso era difícil. Os irlandeses dominavam a construção civil na capital e odiavam dividir o trabalho com um escocês que não tinha nenhuma recomendação.

Já trabalhou em uma construção antes, rapaz?

Não.

Qual é o seu negócio, escocês? Eletricista?

Não.

Bombeiro?

Não.

Você deve ter alguma habilidade, não?

Gabe sentou-se na cama de solteiro da hospedaria suja em Walworth. Estava com fome, cansado, sozinho e falido.

Você deve ter alguma habilidade. Ele está certo. Tenho de ter. Quais são as minhas habilidades? Em que diabos sou bom?

Por vinte minutos, Gabe fitou a parede, a mente em branco. Então pensou:

Mulheres. Sou bom com mulheres.

As mulheres amavam Gabe McGregor. Sempre fora assim. Na escola, Gabe costumava se livrar de encrencas jogando seu charme para as professoras, e conseguia que as melhores alunas da turma fizessem seu dever de casa. Com seu nariz quebrado e físico de jogador de rugby, não tinha uma beleza clássica. Mas era só fitar seus olhos cinza alegres e espirituosos que as mulheres se ajoelhavam aos seus pés. Gabe era um sedutor nato, um menino mau que precisava de proteção. O sexo oposto considerava uma combinação fatalmente atraente.

Como vou ganhar dinheiro com isso?

Gabe tomou um banho e colocou calças e uma camisa de linho branca limpas. Pegando suas últimas libras, desceu a Elephant and Castle e pegou um ônibus para Knightsbridge.

Trinta minutos depois, estava na Sloane Street. Eram 18 horas de uma tarde quente de julho, e as lojas e bares ainda estavam cheios. À sua volta, Gabe só via mulheres ricas e elegantes. Vestiam modelos Chanel e Ungaro, sobre seus saltos Gucci e diamantes, balançando as mechas muito bem pintadas enquanto passavam. Geralmente, andavam em grupos, conversando e rindo enquanto desfilavam com sacas de compras da Harrods, bebericando champanhe nos cafés espalhados pela calçada. Às vezes, estavam sozinhas. Nunca, ou quase nunca, estavam acompanhadas por um homem.

Onde estão todos os maridos? Ainda nos escritórios na Goldman Sachs, com seus diplomas de Harvard, ganhando dinheiro para pagar todas essas roupas de estilistas.

Como são tolos.

Uma mulher chamou a atenção de Gabe. Morena, atraente, com uns 30 e muitos ou 40 e poucos anos, estava parada na frente da Harvey Nichols, olhando impacientemente para seu caro relógio Patek Philippe. Quem quer que ela estivesse esperando estava, evidentemente, atrasado. Irritada, ela estendeu a mão para chamar um táxi, depois pensou melhor, entrando de novo na loja.

Gabe correu atrás dela. O motorista de um Jaguar buzinou com vontade para ele enquanto atravessava cegamente o trânsito.

— Seu idiota! Está querendo morrer?

Mas Gabe não escutou. Atravessando as portas duplas da Harvey Nichols, alcançou a mulher quando ela estava entrando no elevador.

— Quanta pressa. — Ela riu enquanto as portas do elevador se fechavam. Gabe percebeu que estava ofegante, correra muito rápido. — Com sede?

— Como?

— Eu disse que deve estar com sede. Este elevador vai direto para o bar do quinto andar. É isso que você quer?

Gabe sorriu. De perto, ela parecia mais velha, talvez uns 45, mas tinha belas pernas e um sorriso travesso que se encaixava bem com o que ele tinha em mente.

— Exatamente.

O nome dela era Claire, e Gabe morou com ela — ***foi sustentado*** por ela — por um mês, até que ela finalmente decidiu que bastava.

— Você é um encanto, querido, sabe disso. Mas não posso passar o resto da minha vida com um garoto que tem idade para ser meu filho.

— Por que não?

— Porque é exaustivo. Esta manhã, cochilei no meio de um depoimento. Sou sócia de uma firma de advogados, Gabe, não sou Maggie May. Além disso, está na hora de você encontrar alguma coisa para ***fazer***.

Gabe encontrou alguma coisa para fazer na manhã seguinte. O nome dela era Angela.

Depois de Angela veio Caitlin, Naomi, Fiona e Therese. No primeiro ano, a vida foi boa. Ainda não tinha a menor segurança. Nenhuma poupança. Mas se mudava de um luxuoso apartamento em West End para outro, usava roupas que não eram de poliéster e não pinicavam, jantava nos melhores restaurantes de Londres, curtia o sexo regular com uma série de mulheres mais velhas, bem preservadas e que lhe eram gratas, e tinha acesso a mais cocaína de primeira do que poderia consumir.

No início, a cocaína estava sob controle. Gabe curtia uma ou outra carreirinha nas festas e era só. Mas quando o tédio e o vazio de seus dias começavam a incomodar (há um limite para a quantidade de vezes que dá para ir à academia ou fazer compras enquanto sua namorada vai trabalhar), a coca virou um hábito na hora do almoço também. Em pouco tempo, estava se drogando no café da manhã. Foi quando os problemas começaram.

Fiona, uma empresária no ramo da internet divorciada com uma casa maravilhosa em Chelsea, deu o fora em Gabe quando chegou mais cedo do trabalho e o encontrou cheirando cocaína em sua mesa de centro de imbuia Conran junto a sua filha de 14 anos.

Therese pediu as contas no dia em que começou a dar falta de dinheiro em sua bolsa.

— Engraçado. Tenho certeza de que tinha cem libras na minha carteira. Não parei no caixa eletrônico ontem à noite?

— Sei lá, doçura. Não sou sua babá.

Foi a raiva de Gabe que despertou sua desconfiança. Convencida de que estava sendo paranoica, mas com medo de se queimar de novo, Therese esperou até um final de semana em que Gabe foi para Saint-Tropez, e mandou instalar câmeras escondidas em seu quarto.

Duas semanas depois, Gabe estava na rua.

No fundo, ele não era um rapaz mau. Mas as drogas tiraram toda a decência de seu caráter — o humor, a cordialidade, a lealdade — e a devoraram. Só sobrou uma casca física. Logo, até esta começou a desmoronar. Gabe perdeu peso. Começaram a aparecer manchas em seus dentes. Sem saber como tinha ido parar lá, acordava em portas e começou a furtar de lojas para poder comprar comida.

Sempre tivera uma imaginação ativa, brilhante. Agora, conforme sua realidade ia ficando cada vez mais amarga, ele se fechava no mundo de fantasia que criara para si. Era um banqueiro, um advogado, um sucesso. Era rico e respeitado. Sua mãe estava orgulhosa.

Vivia em uma mansão vitoriana. Walthamstow era uma área perigosa, mas as boas opções de transporte para o centro econômico significavam que ruas boas estavam sendo reformadas. Algumas famílias jovens e bem-sucedidas estavam se mudando para cá, depois da supervalorização de West London pelos árabes e russos. Conseguia uma casa melhor com o dinheiro que tinha, mas também arranjava vizinhos desagradáveis.

Gabe estava ficando em um abrigo para sem-teto a poucas quadras dali. Não tinha quase nenhuma lembrança daquela noite. Poucas imagens, sonhos pela metade. Sua mão estava sangrando. O som de sirenes. Todo o resto a polícia lhe contou na manhã seguinte.

O arrombamento foi por volta de 1 hora, e Gabe estava tão alto quanto o Monte Kilimanjaro. A polícia presumiu que a intenção dele fosse roubar, mas talvez só estivesse confuso e procurando abrigo. De qualquer forma, não conseguiu roubar nada. O dono da casa, um homem de 30 e poucos anos com três filhos, escutou um barulho no andar de baixo e enfrentou Gabe, atacando-o com um abajur. Gabe pegou um atiçador na lareira e começou a "se defender", batendo no homem repetidas vezes na cabeça e no tórax.

Bateu tanto nele que quando a esposa desceu, achou que o marido estivesse morto.

Gabe foi preso na cena do crime. Não tentou fugir, principalmente porque não sabia onde estava nem o que supostamente tinha feito.

— O réu pode se levantar.

Gabe fitava o nada, perdido em pensamentos. Estava em uma caixa de plástico blindada, no canto do tribunal. Michael Wilmott, seu advogado, tinha lhe dito que era à prova de balas. Só réus considerados uma ameaça aos juízes ou aos oficiais de justiça eram colocados ali.

Eles acham que sou perigoso. Um criminoso perigoso.

— De ***pé***, por favor, Sr. McGregor.

Gabe se levantou.

— Devido à natureza séria de seu crime, pelo qual sabiamente confessou sua culpa, sou obrigado a entregar seu caso para o tribunal superior dar a sentença.

Entregar? Gabe olhou para seu advogado cheio de esperança. ***Isso significa que vão me soltar?*** Não cheirava nada havia três dias e estava começando a ficar desesperado. A caixa plástica estava deixando-o claustrofóbico.

— Seu pedido de fiança foi negado. Continuará sob custódia até o dia da sua próxima audiência, que está marcada provisoriamente para 4 de outubro. Quaisquer relatórios de instrução ao processo...

Gabe não estava escutando.

Continuará sob custódia.

Seus olhos cinza imploravam para a juíza. Afinal, ela era mulher. Mas fitou-o de forma impassível, virou-se e saiu da sala. Seu advogado estava com a mão em seu braço.

— Mantenha a cabeça baixa — murmurou Michael Wilmott. — Entrarei em contato.

Então, ele também foi embora. Dois policiais armados escoltaram Gabe até as celas. Depois, seria transferido para uma cadeia.

Cadeia! Não! Não posso! Preciso sair daqui!

Ninguém escutava as vozes. Estavam na sua cabeça.

Capítulo 12

— MAS *POR QUE* PRECISAMOS IR? — Max Webster balançava as pernas, impaciente, chutando o encosto do banco do motorista. — Odiamos os Templeton.

— Não fale besteiras, Max — disse Keith Webster com firmeza. — Não odiamos ninguém. Muito menos nossa família.

Max estava atravessando a cidade com seus pais para visitar sua prima Lexi no hospital. Três semanas depois do dramático resgate, ela finalmente obtivera permissão para receber visitas. Keith Webster insistira com Eve que eles deviam ser os primeiros.

A esta altura, o país inteiro já sabia do sequestro de Lexi. Por milagre, o agente Edwards convencera a imprensa a não publicar nada enquanto Lexi estivesse desaparecida. Qualquer cobertura da imprensa poderia ter colocado a vida dela em risco, e nem Rupert Murdoch nem Ted Turner queriam sangue Blackwell em suas mãos. Mas depois do desastre na fábrica em Nova Jersey, a temporada para a história mais suculenta estava aberta:

HERDEIRA DE 8 ANOS FICA SURDA EM RESGATE DESAJEITADO

MENINA DA KRUGER-BRENT FICA SURDA APÓS TRAUMA

HERÓI DO FBI LUTA PELA PRÓPRIA VIDA

SEQUESTRADORES DA MENINA BLACKWELL AINDA ESTÃO FORAGIDOS

Boatos de que Lexi sofrera abusos, ou até mesmo fora estuprada, reverberavam por toda a alta sociedade de Manhattan, acrescentando um delicioso ***frisson*** de excitação no circuito das festas de verão.

Peter não escutou nenhum dos boatos e não leu nenhuma das manchetes. Não saíra do hospital desde o dia em que Lexi fora internada. À noite, mantinha uma vigília constante em sua cabeceira. Durante o dia, segurava a mão dela durante a bateria de exames, tratamentos e sessões de terapia que tinham se tornado uma nova rotina para os dois. Ele não perguntou aos médicos quando achavam que ela poderia ir para casa. A ideia o aterrorizava. Morria de medo do momento em que o confortável cotidiano do Mount Sinai acabaria e ele seria obrigado a cuidar de Lexi sozinho.

E se ele não conseguisse? E se fracassasse de novo?

A ideia deixava seus olhos marejados de lágrimas.

EM NOVA ORLEANS, Robbie assistia às reportagens sobre o progresso de sua irmã na televisão. Estava no apartamento de um homem que conhecera em um piano-bar na noite em que chegara à cidade: Tony. Tony tinha uns 30 e poucos anos, era escritor e, embora não fosse particularmente atraente nem enérgico, era gentil e confiável. Tony morava em um apartamento barato de dois quartos situado em cima de um restaurante que só vendia frango. O cheiro de óleo, sal e gordura de frango estava impregnado em tudo, das cortinas aos carpetes, sofás e lençóis.

Dom Dellal se acovardara no último momento e decidira ficar em Nova York, mas Robbie não se arrependera. Precisava de um recomeço. Tony lhe dera isso.

— O que você está assistindo?

A voz de Tony vinha da cozinha, mas Robbie não respondeu. Seus olhos estavam grudados na tela e no repórter asiático que estava do lado de fora do Mount Sinai Hospital.

— ***Alexandra Templeton, de 8 anos, foi internada hoje cedo, junto a um adulto supostamente em estado crítico.***

Cortaram para cenas dos bombeiros lutando contra paredes de chamas de trinta metros no que parecia uma fábrica antiga.

— ***Esta é uma das histórias mais dramáticas, se não*** a ***mais dramática, envolvendo a célebre família Blackwell. Parece que a menina Alexandra, conhecida como Lexi, foi sequestrada de sua casa mais de duas semanas atrás por pessoas desconhecidas que pediram um resgate de dez milhões de dólares. Ontem à noite, aconteceu uma operação de resgate ultrassecreta envolvendo o FBI e fuzileiros. No momento, só sabemos que a menina, Alexandra Templeton, está viva. Relatos dizem que várias pessoas que participaram da operação de ontem à noite morreram no incêndio. Mais desta história incrível assim que recebermos novas...***

— Rob, qual é o problema? Parece que viu um fantasma.

Tony Terrell sentou-se no sofá ao lado do lindo rapaz louro que, miraculosamente, entrara em sua vida duas semanas atrás. Não sabia nada sobre o rapaz, a não ser que era lindo. Tão lindo que era até surpreendente o fato de ter falado com Tony, e ainda mais ter ido para sua casa e feito amor com uma paixão comovida e desesperada por cinco horas seguidas. É claro que não podia durar. Rapazes bonitos como Rob não ficavam muito tempo com poetas sensíveis, neuróticos e prematuramente carecas como Tony. Mas Tony guardaria essas duas semanas que passaram juntos pelo resto de sua vida.

— É minha irmã. — Robbie ainda estava olhando para a TV.

Tony riu.

— Tá bom. Só em sonhos, cara. Aquela menina é uma Blackwell. — Então, ele notou a palidez de Robbie. — Ah, meu Deus. Você está falando sério. Ela realmente ***é*** sua irmã.

— Preciso voltar para casa.

EVE OLHOU PELA JANELA escurecida na limusine. Fazia mais de um ano que não colocava o pé para fora do apartamento. As ruas de Nova York tinham uma vida tão intensa que faziam com que seus olhos doessem. Vendedores de sorvete e cachorro-quente em cada esquina, dois velhos discutindo por causa de um táxi, executivos de Wall Street em seus elegantes ternos olhando para meninas bonitas que passavam fazendo ***jogging.***

Sinto saudades da vida. Sinto saudades do mundo. Foi isso que Keith roubou de mim.

Olhou para o filho, que olhava tristemente pela janela do outro lado do carro. Assim como ela, Max não queria estar aqui. Eve o ensinara a detestar os primos Templeton, o alimentou com gotas intravenosas de ódio desde antes de ele aprender a engatinhar.

"***Não odiamos ninguém, Max. Muito menos nossa família.***"

Por baixo de seu véu, um sorriso brincou nos lábios de Eve.

LEXI ESTAVA RINDO. Sentada no chão com as pernas cruzadas junto a Peter e Rachel, sua intérprete, estava jogando pega-varetas.

Na linguagem de sinais, ela disse para Rachel:

— Estou ganhando.

A intérprete, uma bonita moça ruiva que não devia ter mais de 20 ou 21 anos, sorriu e respondeu com outro sinal.

— Eu sei.

O progresso de Lexi era surpreendente. Em uma semana, ela já aprendera a base da linguagem de sinais e sua leitura labial era rápida e precisa. Quando os médicos disseram a Peter que a surdez dela era total e irreversível, ele se desfez em lágrimas. Mas Lexi estava confiante e destemida como apenas uma menina de 8 anos podia ser. Além do episódio isolado dos gritos no primeiro dia, ela não mostrara mais nenhum sinal de trauma ou sofrimento.

— Não é raro crianças terem reações atrasadas a esse tipo de coisa — explicou para Peter o chefe do departamento de psicoterapia. Usando bonecas e desenhos, Lexi mostrara para a polícia e para os médicos exatamente o que acontecera com ela — o abuso sexual e físico —, mas fizera isso com tanta alegria que era quase perturbador.

— O que estamos vendo agora é uma estratégia de autodefesa. Mas ela não vai conseguir bloquear isso para sempre.

Como parte da reabilitação de Lexi, levaram-na à unidade de queimados para visitar o agente Edwards, o homem que arriscara a própria vida para salvá-la. Contrariando todas as probabilidades, ele sobrevivera, mas as queimaduras em seu torso e rosto o desfiguraram permanentemente.

— É possível que ela tenha um ataque — avisaram os psicólogos a Peter. Mas Lexi não teve nenhum ataque. Encaminhou-se calmamente até a cabeceira do agente Edwards, pegou a mão dele e sorriu.

Depois, o agente Edwards disse para Peter:

— Que menina incrível você tem.

— Eu sei. E ela só está viva graças a você.

Naquela tarde, Peter depositou três milhões de dólares na conta bancária do agente Edwards. Não podia devolver o rosto do pobre homem, mas podia garantir que tivesse uma vida confortável. Era o mínimo que podia fazer.

Uma enfermeira bateu na porta.

— Você tem visita.

Keith Webster avisara Peter que ele, Eve e Max estavam a caminho. A visita era uma surpresa. As duas famílias nunca foram próximas. Peter não confiava nem um pouco em Eve, e Keith sempre lhe parecera um pouco estranho. Mas Max parecia um bom menino. Seria bom se ele e Lexi se tornassem amigos.

— Pode deixá-los entrar.

A porta se abriu. Os olhos de Lexi se acenderam como velas em um bolo de aniversário.

— Ei, menina. Senti saudades de você.

Robbie pegou a irmãzinha no colo. Os dois deram um abraço muito forte.

Peter ficou parado no lugar, congelado. Era terrível admitir, mas não pensara nenhuma vez em Robbie nas últimas três semanas. O sequestro de Lexi afastara todos os outros pensamentos de sua mente. Robbie e seus problemas pareciam pertencer a uma outra vida. Mas aqui estava ele. Fazia três semanas que não se viam, mas seu filho parecia diferente.

— Parei de beber, pai. E de usar drogas. Para sempre.

Lexi estava grudada ao pescoço do irmão enquanto ele falava.

— Fiz um acordo com Deus. Se ele salvasse Lexi, se permitisse que ela ficasse boa, eu juntaria os meus cacos. Vou fazer alguma coisa da minha vida, pai. Prometo.

— Espero que sim, Robert.

Peter, um pouco sem jeito, passou o braço em volta dos ombros do filho. Lembrou-se do menino bonito e gentil que Robbie era. Será que aquela pessoa ainda estava guardada em algum lugar lá dentro? E se estava, algum dia seria capaz de perdoar o pai pelo que fizera?

Eu poderia ter atirado nele. Poderia ter matado meu próprio filho.

Ainda abraçada a Robbie, Lexi passou o outro braço em volta do pescoço do pai, juntando pai e filho. Com relutância, o olhar de Peter encontrou o de Robbie. A velha raiva não estava mais ali. Mas ainda havia tristeza. Talvez sempre fosse estar.

Que linda família, pensou a intérprete, Rachel. ***Já passaram por tanta coisa. Não é de se admirar que sejam tão unidos, coitados.***

— Espero que não estejamos interrompendo. Podemos voltar depois, se preferirem.

Keith Webster estava sorrindo na porta. Atrás dele, estavam Eve e Max de mãos dadas.

— Não, não. — Peter se afastou dos filhos, feliz por ter uma desculpa para quebrar a tensão. — Que bom que vocês vieram. Lembram de Robert?

— Claro. — Keith sorriu. — Meu Deus, como você cresceu. Da última vez que o vimos, era pequenininho, não era, Eve?

— Hum, hum. — Eve assentiu.

Cale a boca, seu cretino servil! Que diabos Robert está fazendo aqui? Ele deveria estar se dopando, jogado em uma sarjeta qualquer. Lionel Neuman me contou que ele abriu mão da herança. Será que voltou para recuperar suas ações da Kruger-Brent?

Desde a morte de Alex, Eve e Keith encontraram Peter e as crianças algumas poucas vezes, em eventos de família, mas não eram chegados. Anos atrás, Peter prevenira Alex sobre a personalidade psicótica da irmã, um ato que Eve nunca esqueceu nem perdoou.

— Max. Cumprimente sua prima. — Keith empurrou o menino para frente. — Por que não entrega o presente de Lexi?

Com relutância, Max entregou uma caixa embrulhada em papel brilhante para Lexi.

As duas crianças se encararam cuidadosamente.

Max pensou: ***eu odeio você. Você e seu irmão. Vocês querem roubar a Kruger-Brent de mim.***

Lexi pensou: ***ele me odeia. Por que será?***

Ela abriu o presente. Era a última Barbie edição limitada. A patinadora que passara o verão todo pedindo. Antes de ***aquilo*** acontecer. Antes do terror. Antes do porco.

Os psiquiatras achavam que Lexi estava bloqueando o que acontecera com ela. Ela conseguia ler os lábios deles: ***síndrome da memória reprimida. Respostas pós-traumáticas clássicas.*** Mas eles estavam errados. Todos estavam errados.

Lexi se lembrava de tudo. Cada pelo no braço dele, cada marca na pele, a cadência de sua voz, cada gemido, o cheiro podre de seu bafo.

É possível que ela tenha pesadelos. Medo profundo de que os homens maus voltem.

Lexi não estava com medo. Estava determinada. Sabia que seus sequestradores tinham fugido da justiça e sabia por quê. Porque era o destino ***dela*** encontrá-los, dar-lhes o troco pelo que fizeram. Não disse nada para a polícia. Fingiu não se lembrar de nenhum detalhe. Mas lembra-se de tudo.

Um dia, porco, eu vou encontrá-lo.

Um dia...

— Lexi. — Rachel estava fazendo sinais para ela. — Não vai agradecer?

Lexi olhou para a boneca. Tocou nos lábios com os dedos da frente da mão direita, depois afastou a mão do rosto com a palma virada para cima, sorrindo.

— Este é o sinal para "obrigada" — explicou Rachel.

Max disse:

— De nada.

O lábio dele correspondeu ao sorriso da prima. Mas seus olhos pretos e brilhosos eram tão frios quanto um túmulo.

Capítulo 13

A ÁFRICA DO SUL era linda.

Sem dúvidas. Aqui havia beleza em grande escala. Beleza épica. Beleza impressionante. O tipo de beleza que o Homem, ao longo dos séculos, tentou imitar com suas catedrais, templos e pirâmides, sem esforços humanos em busca de grandeza. Keith Webster era um homem viajado. Já fora ao templo de Karnak no Egito, à Grande Muralha da China, à catedral de Notre Dame, em Paris. Subira ao alto do Empire State Building, maravilhara-se com o Coliseu, em Roma, e fitara embevecido o Taj Mahal, na Índia. Agora, de pé sobre a Table Mountain com o vento em seu cabelo e a Cidade do Cabo esparramada aos seus pés, pensou em todos esses lugares e riu. Assim como Deus deve ter rido:

Vocês chamam aquilo de beleza? Chamam aquilo de grandeza? É realmente o melhor que podem fazer?

KEITH WEBSTER ESTAVA no país havia três semanas. Voltaria para os Estados Unidos no dia seguinte e, embora estivesse ansioso para ver Eve — nunca ficara tanto tempo longe dela desde que se casaram —, percebeu que lamentaria deixar a Cidade do

Cabo. Não apenas por causa da beleza. A Cidade do Cabo fora uma experiência mágica que Keith nunca tivera antes. Mas porque aqui, na África do Sul, finalmente conseguiu criar um laço com o filho. Para Keith Webster, a Cidade do Cabo sempre seria a cidade que o aproximou de Max. A cidade da esperança, da alegria, do renascimento.

FOI IDEIA de Eve.

— Você e Max poderiam ir a algum lugar juntos, sozinhos. Um acampamento só para meninos. Imagine como seria divertido!

Keith pensou em como seria divertido: Max ignorando-o, zombando de todas as suas sugestões de atividades, com a expressão de pétrea impassibilidade em resposta a suas piadas. Rindo enquanto ele não conseguia montar a barraca. Implorando para voltar para a mãe.

— Não sei se é uma boa ideia. Não acho que Max seja o tipo de menino que goste de acampar.

Fazia dois anos desde o sequestro de Lexi Templeton; dois anos desde que Max admitira ao pai, sentado na limusine da família, que odiava seus primos.

Não fale besteiras, Max. Não odiamos ninguém.

Foi o que Keith Webster dissera ao filho. Mas mesmo ao pronunciar essas palavras, pensou: ***ele também me odeia. Sempre me odiou.*** Até aquele dia, Keith nunca admitira essa triste verdade, nem para si mesmo. Era mais fácil inventar desculpas para o comportamento de Max.

Ele é superprotetor em relação à mãe porque ela é tão vulnerável.

Porque ele é filho único.

Porque...

Porque...

O que a professora de Max disse? Sim, era isso. ***Seu filho é extremamente talentoso, Dr. Webster.*** Crianças talentosas têm mais dificuldade em criar vínculos. Com o tempo, isso vai mudar.

Mas, bem no fundo, Keith Webster sabia a verdade.

Max o odiava.

A única coisa que não sabia era o porquê.

Max não falou mais sobre "odiar" Lexi Templeton. De fato, nos anos que se seguiram à primeira visita que ele fez ao hospital, o menino parecia ter desenvolvido um tipo de afinidade com a pobre prima surda. Amizade seria um exagero. Mas havia alguma coisa entre as duas crianças, alguma compreensão, um brilho no olhar sempre que se encontravam, que dera esperança a Keith Webster.

Se ele puder aprender a amar Lexi, talvez um dia possa aprender a me amar também?

Keith não quisera vir a essa viagem de acampamento, mas graças a Deus viera. Graças a Eve! As férias tinham mudado tudo.

Com 10 anos, quase 11, Max ainda era pequeno para a idade. Facilmente, passava por uma criança de 8 ou 9 anos, embora os adultos que o conheciam bem — seus professores, treinador de beisebol, até o tio Peter — percebessem um jeito maduro dissonante com o exterior infantil. ***Uma alma velha***, era assim que as pessoas se referiam a ele. Quando Keith estava por perto, Max costumava ficar mal-humorado e quieto. Mas com os outros ele era altamente articulado.

Keith esperou que o filho desdenhasse da ideia do acampamento para os "meninos", certo de que Max a trataria com o mesmo desprezo que dispensava a todos os esforços de Keith de preencher a lacuna emocional entre eles. Mas, por incrível que pareça, Max ficou entusiasmado.

— Podemos, papai? Nunca fui à África do Sul. Lexi e Robert vão para lá a toda hora, deve ser incrível. ***Por favoooor?***

— Você sabe que a mamãe não vai. — Keith tentou esconder sua surpresa. — Seríamos só nós dois.

— Eu sei, mas mamãe já foi lá, um monte de vezes, então acho que ela não vai se importar. ***Por favor?***

Keith teve vontade de chorar. Max queria ir. Com ele.

Até o chamara de "papai".

Será que estava acontecendo? Depois de dez longos anos, este poderia ser o momento da virada?

— *VAMOS*, PAI, venha aqui. Olhe como estamos no alto!

Keith virou-se para olhar para Max, bem na beirada do canyon, pulando de pedra em pedra como uma cabra montesa. ***Ele é destemido. Não é como eu.*** As nuvens cercavam-no como fumaça de cigarro. Em alguns momentos, uma nuvem maior descia e encobria completamente o menino. Toda vez que isso acontecia, Keith sentia o coração parar.

— Amigão, já disse para se afastar da beirada. Pare de pular assim, não é seguro.

A Cidade do Cabo foi a última parada na grande aventura deles pela África do Sul, e o único lugar em que se hospedaram em um hotel em vez de acampar. Até agora, tinham viajado de uma reserva a outra e de um acampamento a outro por toda a região de Karoo junto ao guia deles, Katele, um nativo Bantu com 1,80m de altura, um sorriso constante nos lábios e um abdômen definido de uma forma que Keith só vira em comerciais de equipamento de ginástica. Ele parecia um figurante de um filme do Tarzan. Keith se sentia fraco e inadequado na presença dele, mas tentava não demonstrar.

Katele contou para um impressionado Max:

— O Grande Karoo é o maior ecossistema natural da África do Sul e uma das grandes maravilhas científicas do mundo. Suas rochas contêm fósseis de mais de 310 milhões de anos. Você pode fazer de tudo lá. Voar de balão, andar a cavalo, observar as estrelas. Aqui ficam as melhores rochas para se escalar do país.

— E os animais?

Katele riu.

— Você não vai se decepcionar. Temos animais dos quais nunca ouviu falar, meu amigo. Cudo, órix, protelo, gnu. E muitos que você já conhece: águias, babuínos, rinocerontes, zebras.

— Podemos caçar?

Keith ficou chocado.

— Estamos aqui para observar a beleza, Max, não para matá-lo. Sinto muito, Katele.

Mas o guia ficou do lado de Max.

— Não tem problema, senhor. É claro que o garoto pode caçar se quiser. Eu levarei vocês para a reserva Sanbona em Klein Karoo. A caça de animais lá é excepcional.

— Podemos, pai? ***Por favoor?***

— Veremos — disse Keith.

Ele não achava certo que garotos de 10 anos pegassem em armas. Na verdade, repreendera Eve poucos dias antes de partirem, quando ela finalmente admitiu que dera a arma de seu avô para Max.

— Ele nunca a ***usou***, querido — garantiu ela. — Nunca nem saiu do cofre. Além disso, é antiga, duvido que ainda funcione.

— Eu não apostaria nisso. — Keith virou a Glock primitiva em suas mãos. À sua própria maneira, tinha beleza.

— Dei a ele como um símbolo — disse Eve. — Uma coisa da herança da família para que ele se sentisse adulto. Não seja um estraga-prazer.

Max implorou para levar a arma para a África.

— Mamãe providenciou a documentação. É permitido levá-la porque é uma velha lança de família.

— Herança de família —, Eve abriu um sorriso indulgente e virou os olhos para Keith como se dissesse: ***viu como ele é inocente?***

— Não tenho tanta certeza, Max. Arma não é brinquedo.

Mas no fim, Keith ficou tão contente por estar bem com Max que deixou a felicidade afetar seu raciocínio. A arma foi colocada na bagagem, mas com a estrita condição de que não seria usada, sob nenhuma circunstância.

— Quer saber? — Keith colocou a mão no ombro do filho. — Por que não esquecemos a caça por enquanto e damos um passeio de balão? Parece divertido, não?

— Claro, pai. O que você quiser.

MAX ESTAVA ansioso.

Queria usar a arma. Um acidente de caça, esse era o plano. Sua mãe lhe dissera para seguir o plano. Max nunca deixara de seguir uma instrução de Eve antes.

Mas um passeio de balão? Era um presente.

Imaginou a cena.

Não consegui impedi-lo! Disse para ele se abaixar, mas queria conseguir uma foto melhor. Ele escorregou e... ah, Katele, foi horrível. Eu o vi cair, ficando cada vez menor, e então desapareceu, e eu fiquei lá em cima sozinho...

Droga. Esse era o problema.

Se Keith sofresse um acidente a muitos metros de altura sobre a represa Gariep e morresse em uma queda, Max ficaria preso no balão sozinho. Como desceria?

É melhor eu descobrir como balões funcionam.

KATELE FALOU para Keith:

— Você tem um filho brilhante, senhor. Incrivelmente curioso.

— Obrigado. Parece que a África despertou o que estava escondido dentro dele.

O guia deu de ombros.

— Naturalmente. Está no sangue dele. Sabia que ele passou a tarde inteira com a nossa equipe de balonagem, aprendendo a usar as cordas?

— Que bom. — Keith forçou um sorriso. — Ele vai poder me ajudar quando estivermos lá em cima e eu entrar em pânico e esquecer tudo o que me ensinaram.

— Se preferir levar um piloto...

Keith balançou a cabeça.

— Não, não. Já voei antes, muitas vezes. Mas não recentemente. Tenho certeza de que, na hora, vou me lembrar de tudo.

Keith decidira que o passeio de balão seria uma excelente oportunidade para estreitar laços com o filho. Queria que Max o visse fazendo algo em que ele fosse bom. Além de cirurgia, Keith Webster tinha poucos talentos, e não seria possível levar seu filho para assistir a uma rinoplastia. Aprendera a pilotar balão na faculdade, em um raro momento de ousadia, e curtiu a novidade por mais ou menos um ano, até que se cansou.

Talvez isso ajudasse Max a vê-lo sob um ponto de vista mais heroico? Não era fácil parecer heroico ao lado de Katele.

— Estaremos em contato pelo rádio o tempo todo. — Katele deu um sorriso tranquilizador. — Se tiverem algum problema, é só avisar.

— Não se preocupe — disse Keith. — Ficaremos bem.

ELES LEVANTARAM VOO ao pôr do sol. Era uma noite perfeita para voar.

— Tem algumas nuvens para o leste, mas os ventos estão a favor. Kurt, o técnico, verificou os tanques de propano e o pirômetro, que media o calor na parte superior do balão, pela última vez. Um africânder enrugado de 60 e poucos anos com uma barba grisalha desgrenhada que parecia as usadas pelos vilões nos contos de fadas, Kurt Bleeker era, na realidade, um homem muito gentil e bondoso.

— Os ventos têm tido uma média de 8 quilômetros por hora, então vocês não devem percorrer mais que alguns quilômetros. Como é o seu primeiro voo solo em muito tempo, tente ficar apenas quarenta minutos, mas não entre em pânico se ultrapassar o tempo. Você tem combustível para o dobro disso. Qualquer problema — Kurt deu um tapinha no walkie-talkie —, entre em contato, certo?

Keith Webster sorriu.

— Pode deixar.

Agora que estava realmente acontecendo, não estava mais nervoso.

Vai ser o máximo. Sobrevoar o Karoo com meu filho, como sultões em nosso reino particular. Só faltava Eve estar aqui para ver como estamos nos dando bem.

LOGO ESTAVAM no ar, flutuando serenamente sobre as montanhas, pequenos picos rochosos que brotavam da planície árida aberta, como furúnculos na pele de um homem velho. Olhando para o lado esquerdo da gôndola, a cesta do balão, tudo parecia árido e morto. Mas uma olhadela para a direita revelava um mágico mundo aquático, tremeluzindo como uma miragem no calor do início da noite. Os rios Orange e Caledon entalharam um caminho pela terra poeirenta, criando uma miríade de pequenas baías, ilhas e penínsulas. Bem abaixo, Keith Webster podia ver pessoas velejando e praticando windsurfe perto do litoral recortado. Por perto, um rebanho de gnus se juntara para beber água, tirando o máximo proveito do clima mais frio e úmido do inverno. Mas as paisagens abaixo não eram nada em comparação com o céu que os cercava. Era como se um Deus, após tomar LSD, tivesse pegado um pincel e borrado uma tela psicodélica com tons de laranja e rosa sobre o crepúsculo.

— O que você acha, Max? Incrível, não é?

— Hum, hum.

Max estava segurando a estrutura de alumínio da gôndola. Ele mal parecia notar o cenário impressionante abaixo deles. Seus olhos estavam grudados no painel de instrumentos. Toda vez que a agulha do altímetro vacilava, ele ficava visivelmente tenso.

Nervoso, pensou Keith. ***Isso é normal no primeiro voo de balão. Vai relaxar assim que se acostumar.***

Max ***estava*** nervoso. Isso seria mais complicado do que pensou. Teria de esperar até que já tivessem se afastado o suficiente para não serem vistos do acampamento. Mas se esperasse muito, Keith se ocuparia com a descida e não se interessaria em tirar fotografias.

— Olhe lá embaixo, pai.

Max apontou para um rebanho de zebras galopando pela planície. A poeira levantava atrás deles como a fumaça de um carro de corrida.

— Quero tirar uma foto.

Keith virou e gritou. Seu filho, de alguma forma, subira nas cordas do balão. Estava precariamente empoleirado na borda da cesta de vime, agarrando as cordas com uma das mãos enquanto se debruçava para fora da gôndola com a câmera na outra mão.

— Meu Deus, Max. Desça daí! Está querendo morrer?

Ainda segurando a câmera, Max pulou para dentro. Lançou um olhar de desdém para Keith.

— O quê? Eu só estava tirando uma fotografia.

— Você ***nunca*** deve subir dessa forma, amigão. É muito perigoso.

— Não, não é. — Max fez uma cara feia. Bem baixinho disse: — Katele faz isso toda hora. ***Ele*** não tem medo.

Keith ficou tenso. ***Ótimo. Maravilhoso. Passo por tudo isso para impressionar Max e ele continua falando de Katele.***

— Se você realmente quer uma foto, amigão, peça para mim. Assim que o voo estabilizar, eu tiro.

— Mesmo? — Os olhos de Max brilharam. — Tudo bem, pai, obrigado! Seria ótimo!

Vinte minutos depois, eles finalmente já estavam afastados o suficiente para Max entrar em ação. Estavam a uns 200 metros de altura agora, sobrevoando a represa Gariep. A enorme estrutura de concreto parecia comicamente pequena abaixo deles, como uma peça de Lego do Max.

— Aquela cachoeira é incrível. Pode tirar uma foto?

— Claro.

Não havia a menor necessidade de subir na borda da gôndola. Era possível tirar uma excelente foto da represa de dentro da cesta. Mas Max o desafiara ao fazer o comentário sobre Katele.

Ele quer coragem? Vou mostrar a ele.

Colocando a corda da câmera de Max em volta do pescoço, Keith tentou apoiar o pé na estrutura de alumínio.

— Agora, lembre-se, filho, nunca deve fazer isso. É perigoso, é coisa para adulto. OK?

— Claro, pai.

Mais um passo. Keith se esticou para pegar a corda que estava acima de sua cabeça, mas era difícil agarrá-la. A palma de sua mão estava molhada e grudenta de suor. ***Jesus Cristo,***

estamos muito alto. O vento balançava seu fino cabelo, e ele sentiu a bile começar a subir por sua garganta. Puxou-se para cima até que estivesse empoleirado na borda, da mesma forma que Max fizera, exceto que Keith estava com os dois pés na gôndola e as duas mãos agarradas à corda para se segurar. Um terror físico invadiu seu corpo. Sentiu-se tonto e começou a suar. ***Devo ter perdido a cabeça.***

— Assim está perfeito, pai. Agora tire a foto!

Para tirar a foto, Keith teria de soltar uma das mãos da corda. Começou a afrouxar os dedos e, imediatamente, sentiu que perdia o equilíbrio. ***Meu Deus.***

— Vamos, pai! O que você está esperando?

— Eu... só um segundo, amigão, OK?

A mente de Max estava a mil por hora. Estimava que Keith pesasse uns setenta quilos. Por volta de 45 quilos a mais que ele. Se seu pai não soltasse uma das cordas, será que Max teria força para empurrá-lo? E se tentasse e não conseguisse?

— Estamos indo rápido, pai. Logo vamos passar. Vai perder a chance.

Keith tentou se lembrar a última vez em que sentira tanto medo. No dia em que Eve ameaçara deixá-lo para ficar com aquele ator com quem ela estava saindo, Rory. Naquele dia, juntou toda a sua coragem. Fizera o que precisava fazer.

Apenas faça! Tire a maldita foto e desça daí.

Keith soltou a segunda corda. De repente, o vento pareceu soprar mais forte, fazendo com que a velocidade do balão aumentasse assustadoramente. Tateou para pegar a câmera, mas sua mão tremia tanto que mal conseguia mirar.

Silenciosamente, Max começou a subir atrás dele.

Keith se debruçou. Achou que a represa estava na mira, mas não tinha certeza. Tudo começou a ficar escuro.

— Controle de terra para Balão Webster. Dr. Webster, câmbio?

O estalido do rádio o assustou tanto que Keith soltou a câmera. Observou horrorizado enquanto ela caía silenciosamente pelo abismo.

— Dr. Webster. — Havia uma urgência na voz de Kut. — Câmbio? A velocidade do vento está aumentando. Vocês precisam descer.

Graças a Deus, pensou Keith.

Max quase não conseguiu descer da borda da gôndola antes que seu pai se virasse.

— Responda, diga a eles que entendemos. Vamos descer agora.

NAQUELA NOITE, na barraca, Keith tentou alegrar Max.

— Não fique tão desapontado. Compro outra câmera para você.

Não quero outra câmera, seu filho da puta. Quero a sua cabeça em um prato para oferecer para a mamãe quando eu voltar para casa.

KATELE disse:

— Seu filho atira muito bem, Dr. Webster. Tem certeza de que nunca praticou?

— Certeza absoluta.

Eve jurou para Keith que Max nunca tinha usado sua preciosa arma. Keith não tinha razão alguma para duvidar dela. Mas tinha de concordar com Katele. O talento do filho na primeira caçada fora extraordinário.

— Aqui, pai. Tente.

Max entregou a arma para Keith. Estavam deitados sobre o mato, espreitando uma jovem gazela.

Keith hesitou.

— Eu? Ah, bem... Não serei um bom atirador.

— Vamos. É fácil. — Os pequenos dedos de menino de Max envolveram a mão adulta de cirurgião. — Segure firme. Isso mesmo. Agora, alinhe aquela ranhura em cima do cano com a mancha branca entre os olhos dela.

Keith obedeceu, nervoso.

— Bom, agora aperte.

Keith puxou o gatilho. Houve um estrondo alto. A jovem gazela empinou as patas traseiras e foi procurar a segurança das árvores próximas.

— Que azar — disse Katele. — É mais difícil do que parece, não?

— Parece que sim.

Max lançou um olhar fulminante para o pai.

— Da próxima vez, tente ficar com os olhos abertos.

CAÇARAM QUASE todos os dias. Mas Katele sempre insistia em ir com eles.

— Não podemos ir sozinhos? — implorou Max para Keith. — É tão mais legal quando estamos só nós dois.

Keith ficou extasiado. Tinha começado a sentir um pouco de ciúmes de Katele. Max parecia idolatrá-lo, e não era difícil entender por quê. Para um garoto, o nativo devia parecer um deus. O fato de Keith Webster ser um cirurgião de renome internacional e respeitado por ter vencido graças ao próprio esforço, e o de que Katele estivesse apenas um degrau acima dos selvagens, vivendo precariamente em uma reserva natural da África, não significava nada para um menino de 10 anos. Katele sabia usar arco e flecha, voar em planadores, tirar a pele de coelhos e fazer fogo usando pedaços de pedra. Era um herói.

— Que bom que acha isso, amigão. Eu também. Mas estamos na África, Max. Não é seguro entrarmos na floresta sozinhos sem um guia.

Keith viu o rosto do filho se apagar.

— Não se preocupe. — Ele riu. — Quando chegarmos à Cidade do Cabo, seremos só nós dois.

Mas Max estava preocupado.

Não sairiam para caçar na Cidade do Cabo. Não teria chance de colocar em prática o plano da mãe.

Preciso fazer isso. Prometi para a mamãe. Preciso encontrar um jeito.

O HOTEL ERA agradável. Uma casa de fazenda branca e simples na periferia de Camps Bay, não era o tipo de acomodação cinco estrelas a que Max estava acostumado. Mas depois de 18 dias acampando, dormir em uma cama era a última palavra em luxo. O chuveiro quente, principalmente, foi a glória.

No café da manhã, Keith perguntou:

— O que você gostaria de fazer hoje?

Eu odeio você. Eu detesto você. Por que ainda está vivo?

— Podemos subir pela costa, seguindo a rota do vinho? Ou fazer um piquenique na praia? Ou, quer saber, podemos fazer compras. Comprar a sua nova câmera. O que acha?

Max não perdia uma oportunidade.

— Eu queria subir a Table Mountain. A dona do hotel me disse que tem uma trilha. Dizem que é a vista mais bonita de toda a África do Sul.

Keith abriu um sorriso.

— Combinado. Vamos para Table Mountain.

— ESTOU FALANDO sério, Max. Saia já daí.

O vento levava as palavras de Keith, transformando seu grito em um sussurro. Max estava dançando em cima de uma das pedras na beirada do penhasco. Longos cachos pretos cobriam seu rosto, e seus membros morenos e finos se mexiam no ritmo de alguma música interior. Era um menino tão bonito. Quase tão bonito quanto a mãe.

Não tem nada meu ali. Exceto meu amor.

— Max!

Com relutância, Keith Webster começou a ir na direção do filho. Abaixo deles, havia uma queda de quase mil metros. A pequena façanha no balão assustara mais Keith do que se dera conta. Toda noite, desde o incidente, ele acordava com pesadelos. Imaginava-se caindo, como a câmera, girando, girando no vazio, acordando poucos segundos antes de seu corpo bater na terra. Podia imaginar a dor, os ossos estraçalhando-se dentro do corpo como vidro quebrado, seu crânio afundando como uma fruta podre, os miolos se espalhando pelo chão.

Se algo acontecesse com Max...

Cristo. Onde ele está?

Max tinha sumido. Mas não podia ter sumido. Estava logo ali, fazendo piruetas sobre a pedra, e então... Keith sentiu um nó no estômago, e seus joelhos ficaram bambos.

— MAX! — Era meio um grito, meio um soluço. — MAX!

Keith estava correndo, cada vez mais rápido na direção da beirada do penhasco, movido por algo maior do que ele próprio, alguma força irresistível. ***Amor.*** Subindo na pedra, todo o medo desapareceu e ele se inclinou para fora, debruçando o corpo inteiro no vazio.

— Max! Está me escutando? MAX!

Abaixo dele, as nuvens eram densas, obscurecendo tudo. A imagem que uma criança faz do paraíso.

— Estou escutando, Keith.

Keith olhou para baixo. Embaixo da pedra, havia uma minúscula moita de grama, agarrada à montanha como uma concha. Era tão pequena que não aguentaria o peso de um adulto.

Mas, Max, agachado como um duende, parecia confortável ali. Levantando a mão, ele agarrou o tornozelo de Keith.

— Max, graças a Deus! Achei que tivesse perdido você.

— Perdido? — Max soltou uma gargalhada terrível, um som maníaco que fez o sangue de Keith gelar. — Você nunca me possuiu. Fracassado.

Keith sentiu um puxão nos seus pés. Instintivamente, levantou os braços, em busca de apoio, mas não tinha nada. Outro puxão, agora mais forte. Keith olhou para baixo. Max o estava encarando, um sorriso torto no rosto.

O sorriso dele é igual ao de Eve.

Keith olhou dentro dos olhos do filho e viu um profundo poço de ódio. A última emoção de Keith Webster não foi medo, nem mesmo tristeza. Foi surpresa.

Não entendo. Agora que estávamos nos dando tão bem...

As nuvens envolveram-no, de forma suave, clara, tranquilizadora.

Então, nada.

ERA A NOITE APÓS o enterro de Keith Webster. Max estava deitado na cama da mãe no apartamento deles em Nova York, os braços de Eve envolvendo-o. A janela do quarto estava um pouco aberta, permitindo que os familiares ruídos de Manhattan entrassem: trânsito, música, gritos, gargalhadas.

A África era linda. Mas aqui era a sua casa.

— Você foi maravilhoso, querido — sussurrou Eve no ouvido do filho. — Ninguém desconfiou de nada. Estou tão orgulhosa de você, meu menino grande.

Eve já estava enlouquecendo de tanta preocupação, esperando em casa a notícia de um “acidente”. Ensaiara tudo com Max infinitas vezes. Realmente acreditava que ele estava pronto. Mas conforme os dias foram se transformando em semanas e nada acontecia, ela começou a temer que o menino tivesse perdido a coragem. Ou pior. E se Max tentou e fracassou? E se Keith agora soubesse de tudo e estivesse voltando para casa para se vingar?

Mas Max não tinha perdido a coragem. Conseguira na última hora, encenando uma queda tão natural que nem houve inquérito. Turistas caíam da Table Mountain quase todo ano, idiotas brincando perto da beirada. Keith era apenas mais uma estatística. Um número. Um ninguém.

— Já sabe que agora ***você*** é o homem da casa? — disse Eve. — Nunca mais vai precisar me dividir com ninguém.

Max fechou os olhos. Sentiu a maciez do robe de seda de Eve acariciando as suas costas.

— Posso dormir na sua cama, hoje, mãe?

Eve bocejou.

— Tudo bem, querido. Só desta vez.

Amanhã, voltariam ao trabalho, os dois. Agora que Keith se fora, estava na hora de começar a segunda parte do plano de Eve: recuperar o controle da Kruger-Brent. Max seria a peça principal dessa estratégia também. Mas por hoje, pelo menos, ele conquistara seu prêmio.

Max esperou até que a mãe tivesse dormindo profundamente. Então, ficou deitado acordado, sorrindo, lembrando-se da expressão de surpresa no rosto do pai enquanto caía.

Agora você é o homem da casa.

Nunca mais vai precisar me dividir com ninguém.

Capítulo 14

PAOLO COZMICI GRITOU irritado com seu namorado.

— Então, vai me contar o que diz?

O maestro mundialmente famoso estava tomando café da manhã na mesa de sempre em Le Vaudeville, na Rue Vivienne em Paris. Um agradável restaurante ***art déco*** popular tanto entre nativos quanto entre turistas, Le Vaudeville era quase um segundo lar para Paolo Cozmici, um lugar onde ele vinha para relaxar. Henri, o maître, sabia onde Paolo Cozmici gostava de se sentar. Sabia que Paolo gostava de leite morno em seu café com leite, não quente; que o croissant de chocolate de Paolo devia ter pouco croissant e muito chocolate; e que Paolo não esperava ter de mudar de mesa para fumar seus adorados cigarros Gauloise.

Todo mundo que conhecia Paolo Cozmici sabia que seu ritual das manhãs de domingo era sagrado e imutável. Seu namorado sabia melhor que ninguém. E mesmo assim, o incompreensível rapaz chegara atrasado para o café da manhã, distraído, ainda usando calças de moletom (Paolo ***odiava*** calças de moletom) e falando sobre uma carta ridícula que recebera de sua irmã mais nova.

Suponho que seja benfeito para mim por me apaixonar por um norte-americano, pensou Paolo filosoficamente. ***Bárbaros, todos eles, de uma costa fedida à outra.***

— Ela quer que eu vá ao aniversário de 16 anos dela no mês que vem. Parece que meu pai vai dar uma festança em Cedar Hill House.

Com desdém, Paolo soltou um anel de fumaça na direção do namorado.

— ***Où?***

— É uma propriedade da família. Fica no Maine, em uma pequena ilha chamada Dark Harbor. Você nunca deve ter ouvido falar, mas é um lugar mágico. Não vou lá desde que minha mãe era viva.

— Você não está pensando realmente em ir, está? — Paolo Cozmici parecia incrédulo. — Robert, meu doce, você tem concertos marcados para todos os finais de semana de julho. Paris, Munique, Londres. Você não pode simplesmente desistir.

— Venha comigo?

Paolo quase engasgou com seu croissant.

— Ir ***com*** você? Claro que não. Agora, tenho provas incontestáveis, ***mon amour***. Você perdeu a cabeça.

— Talvez. — Robbie Templeton sorriu, e Paolo Cozmici sentiu sua determinação derreter como uma barra de chocolate sob a luz do sol. — Mas você sabia que eu era louco quando se apaixonou por mim. Não sabia?

Pegando a mão de Paolo e levando-a até seus lábios, Robbie beijou-a suavemente.

— Hummm — murmurou Paolo. — ***Oui, je suppose.***

O ROMANCE ENTRE Robbie Templeton, o prodígio pianista norte-americano e homem mais bonito do mundo da música clássica, e Paolo Cozmici, o maestro italiano gordo e careca que era famoso pelo gênio difícil, era um mistério para todos que os conheciam e para os milhões que não conheciam.

Começara seis anos antes. Robbie, então com quase 20 anos, tinha chegado a Paris havia pouco tempo e estava vivendo com o pouco de dinheiro que ganhava como pianista free-lancer, indo de bar em bar, de jazz club em jazz club, para onde quer que o mundo o levasse.

— Você está sendo teimoso, Robert. Já disse que posso lhe dar uma mesada.

Peter Templeton estava dividido com relação à Grande Aventura Europeia do filho. Ele e Robbie tinham se reconciliado havia menos de um ano. Agora, Peter estava sentado na frente do filho em uma mesa no Harvard Club, recebendo a notícia de que iria perdê-lo de novo.

— Não quero o seu dinheiro, pai. Preciso fazer isso sozinho.

— Você não faz ideia de como é o mundo real, Robert.

Você ficaria surpreso com o quanto conheço do mundo real, pai.

— Você nem sabe falar francês.

— Vou aprender.

— Pelo menos, deixe-me abrir uma conta para você no Societé Generale. Uma espécie de dinheiro para emergências. Um salva-vidas, caso você precise.

Robbie fitou o pai e sentiu uma pontada de pena. O sequestro de Lexi tivera um efeito permanente em sua aparência. A realidade de cuidar de uma criança surda, mesmo tão determinada e independente como Lexi, também cobrara a sua parte. Todo o tempo que Peter passava longe da filha era um purgatório de ansiedade e culpa: não estivera lá quando Lexi mais precisou dele. O mínimo que podia fazer agora era ficar ao seu lado, protegendo-a, amando-a, ajudando-a a lidar com sua deficiência.

A ironia era que Lexi estava lidando bem com a situação. Era Peter quem estava perdido.

A imagem mental e fixa que Robbie tinha do pai era de um homem jovem, forte e bonito, um atleta e um acadêmico. Mas a verdade era que esse homem morrera anos atrás. O rosto que Robbie encarava agora estava acabado e cansado, marcado com as rugas do tempo e com olheiras escuras embaixo dos olhos. Era como um mapa rodoviário de sofrimento, uma vida de perdas. E tudo começara porque ele se casou com uma Blackwell.

A Kruger-Brent fez isso com ele. A maldição da família Blackwell. Não vê isso, pai? Não posso ficar. Não posso me permitir ser destruído como aconteceu com você.

— Honestamente, pai, agradeço a oferta. Mas não quero dinheiro. Só estou limpo há 11 meses, lembra? Uma conta bancária gorda na França poderia ser uma tentação maior do que eu poderia aguentar.

Foi esse último argumento que finalmente convenceu Peter. Sabia que se Robert voltasse a beber ou a se drogar, ele morreria. Era simples assim.

— Certo. Faça como quiser. Mas me prometa que quando se cansar de toda essa história de "músico morrendo de fome em um sótão", não vai deixar de voltar para casa por causa do orgulho. Eu... eu amo você, Robert. Espero que saiba disso.

Os olhos de Robbie se encheram de lágrimas.

Eu sei, pai. Eu também amo você. Mas preciso ir.

OS PRIMEIROS MESES foram um inferno na terra.

Papai estava certo. Em nome de Deus, em que foi que eu me meti?

Não tendo condições de alugar nem uma caixa de sapato no centro da cidade, Robbie finalmente alugara um quarto em Ogrement, uma parte desvalorizada do subúrbio de Épinaysur-Seine. Era o lugar mais deprimente que já vira. Prédios horríveis dos anos 1960 com janelas quebradas, escadarias cobertas por grafite e fedendo a mijo, eram a casa de um bando de criminosos insignificantes e gangues. Estas pareciam se dividir por raça e religião. Ogrement, certamente, não era o melhor lugar do mundo para ser judeu. Mas também não era nem um pouco acolhedor para norte-americanos louros recém-saídos do colégio, cujas seis palavras que sabiam de francês incluíam ***foie gras*** e ***clavier*** (teclado do piano), mas não ***percer*** (esfaquear) ou ***filou*** (batedor de carteira).

Uma língua que Robbie conhecia eram as drogas. O combustível de Ogrement era a heroína, da mesma forma que o da China era o arroz. Estava em todos os lugares, chamando-o, instigando-o, como uma sereia no mar.

É como alugar um quarto em cima de um jardim de infância para um pedófilo que acabou de sair da prisão. Que Deus me ajude.

Robbie estava determinado a continuar limpo. Sabia que sua vida dependia disso. Mas era difícil. A solidão era opressiva, destruía a alma e estava sempre presente. Não conseguir se comunicar era a pior parte.

Por que eu tinha de "me encontrar" na França? Por que não fui para Londres ou Sydney ou qualquer outro lugar onde se fala inglês?

Claro, Robbie sabia a resposta. Paris era a meca da música. O Paris Conservatoire, onde Bizet e Debussy estudaram, tinha um significado mítico para Robbie. O recém-inaugurado Cité de la Musique, o comemorado anfiteatro, sala de concerto, museu da música e escola do arquiteto Christian de Portzamparc, em La Villette, o antigo distrito criminal, estava atraindo uma nova geração de músicos e compositores para a cidade.

Os maiores talentos musicais do mundo vinham para Paris. Era o centro, o foco, o começo e o fim de tudo para um aspirante a pianista como Robbie.

Infelizmente, ***aspirante*** se tornou a palavra mais influente. Sem treinamento formal e qualificações, o conservatório não aceitou sequer recebê-lo, quanto mais escutá-lo tocando. A simples tarefa de encontrar um bar para tocar era mais difícil do que Robbie imaginara. O problema de se mudar para a cidade mais emocionante do mundo da música clássica era que todas as outras pessoas faziam a mesma coisa. Paris estava cheia de pianistas muito talentosos, e a maioria deles tinha anos de experiência. Robbie era um ianque desconhecido que ninguém conseguia compreender, e cuja única experiência foi tocar ***blues*** em um bar gay em Nova Orleans durante o tenso período de três semanas.

Robbie, porém, tinha três coisas a seu favor: talento, determinação e beleza. Sendo a última a melhor de todas.

— Pagamos cinquenta francos a hora, mais as gorjetas. É pegar ou largar.

Madame Aubrieau ("por favor, me chame de Martine") era uma ex-prostituta de 52 anos que usava uma peruca loura para cobrir suas escassas mechas, pesava aproximadamente a mesma coisa que um bebê hipopótamo e tinha um bafo que era uma mistura de alho, cigarros de mentol e licor Benedictine que fazia com que Robbie tivesse vontade de vomitar. Ela usava uma blusa vermelha curta de tecido barato com um decote que deixava à mostra um pedaço trêmulo de carne branca, e, quando falava com Robbie, encarava sem nenhuma vergonha a braguilha de sua calça.

Além desses atributos, madame Aubrieau era dona do Le Club Canard, um boteco no 12º Arrondissement cujo pianista pedira demissão na semana anterior por causa de salários atrasados. Madame Aubrieau gostou da aparência tímida do jovem norte-americano. Se ele aceitasse o emprego, ela o comeria no café da manhã. Depois, deixaria que ele a comesse. Era bom ser a patroa.

Robbie olhou para o corpo de Madame Aubrieau, que parecia o do Jabba the Hut, e sentiu nojo. Cinquenta francos por hora não era nem o salário mínimo. Por outro lado, seu salário de zero franco por hora estava começando a irritar Marcel, seu senhorio em Ogrement. Marcel não era o tipo de homem que Robbie gostaria de irritar.

— Eu aceito. Quando começo?

Madame Aubrieau bateu com sua mão gorda com unhas sujas na coxa de Robbie e abriu um sorriso desdentado.

— ***Maintenant, mon chou. Suivez moi.***

A PRIMEIRA VEZ QUE Robbie colocou os olhos em Paolo Cozmici foi na sala de concertos de Salle Pleyel na Rue Faubourg St. Honoré. Cozmici estava conduzindo a Orchestre de Paris. E ele estava magnífico.

Como qualquer outro músico em Paris, Robbie conhecia a reputação de Paolo Cozmici. Filho mais novo de uma família muito pobre de Nápole, Cozmici era um compositor, pianista e, agora, maestro autodidata. Apelidado de ***Le Bouledogue*** (o buldogue) pela classe musical francesa, Paolo Cozmici conquistara seu lugar como maestro da Filarmônica de Paris aparecendo sem ser convidado em ensaios para a ***Sinfonia nº 5 em mi menor*** de Tchaikovsky, tirando a batuta das mãos de um confuso Antoine Dechamel e exibindo o tipo de genialidade instintiva que o tornou um dos maestros mais disputados do mundo.

Na fila da frente da gloriosa sala de concerto ***art déco***, Robbie Templeton ficou hipnotizado. Mais tarde, não conseguia se lembrar qual peça Paolo conduzira. Só se lembrava da beleza e da graça de seus movimentos, sintonizados com a música, tomado pela mesma paixão que Robbie sentia sempre que se sentava ao piano. Robbie só conseguiu ver as costas de Paolo

— um paletó de smoking apertado, mal cabendo sobre ombros largos como os de um operário — mas não se importava. Só de assistir Cozmici trabalhando, sentira uma excitação sexual tão forte que teve de se segurar para não pular no palco.

Depois, esperou na porta do palco durante horas. Quando Cozmici finalmente saiu, cansado, irritado e mais do que um pouco bêbado, Robbie percebeu, horrorizado, que não conseguia falar. Olhando para ele, mudo, como um idiota, observou seu ídolo ir embora.

— ***Arretez! Monsieur Cozmici. Je vous en prie...***

— Não dou autógrafos — gritou Cozmici. — Por favor, me deixe em paz.

— Mas eu...

— Você o quê?

— Eu amo você.

Paolo Cozmici só olhou apropriadamente para o rapaz agora. Mesmo com seu olhar embaçado pela bebida, podia perceber que Robbie possuía uma beleza extraordinariamente atraente. Por outro lado, era, sem dúvida, um lunático. Um lunático sensual não era exatamente o que Paolo Cozmici precisava em sua vida.

— Afaste-se de mim. Entendeu? Deixe-me em paz, ou serei forçado a chamar a polícia.

NA MANHÃ SEGUINTE, Paolo encontrou um bilhete escrito a mão em sua caixa do correio.

"Vou tocar piano esta noite no ***Le Club Canard.*** Começo às 20 horas. Vou entender se não puder ir, mas espero que possa." Estava assinado: "***Le garçon de la nuit passée. RT.***"

Paolo Cozmici sorriu. Tinha de admirar o rapaz por sua ousadia. Era famoso pelo mesmo motivo.

Mas não, não iria. Essa história toda era uma loucura.

O lunático sensual teria de encontrar outra pessoa para atormentar.

ROBBIE OLHAVA PARA o salão mal iluminado do bar, procurando o rosto de Paolo Cozmici.

Ele não vem. Eu o assustei. Cara, é claro que o assustei. Que tipo louco grita "Eu amo você" na rua para um homem que nunca viu antes? A solidão deve estar me afetando.

Madame Aubrieau estava ficando impaciente. Era hora de Robbie começar a tocar. Começando com a profunda ***Waltz for Debbie***, de Bill Evans, seguida por uma apaixonada execução de ***My Foolish Heart***, ele ficou constrangido ao ver que tentava lutar contra as lágrimas. Jazz não era o gênero musical preferido dele, mas ninguém podia negar a genialidade de Bill Evans. O fato de que ele fora um viciado em heroína, como Robbie, perseguido pelo vício e pela insegurança durante grande parte de sua vida, fortalecia ainda mais a conexão emocional entre eles. Robbie fechou os olhos e deixou-se levar pela música. Pensou em Lexi e em sua mãe. Pensou no seu lar. Perguntou-se quanto tempo ainda conseguiria suportar sua meia-vida em Paris, sem amigos, sem família, sem esperança.

No início, escutou os aplausos ao longe, como se despertando de um sonho. Não fazia ideia de quanto tempo passara tocando. Como era muito comum com Robbie, a música o transportara para um estado de transe em que tempo e espaço se dissolviam. Mas conforme os aplausos e vivas ficavam mais alto, ele percebeu que os frequentadores geralmente sonolentos do ***Le Canard*** estavam de pé, gritando sua aprovação, implorando para que tocasse mais. Robbie sorriu, assentindo tímido. Assim que se levantou, percebeu um mar de estranhos apertando-lhe a mão e dando-lhe tapinhas nas costas, homens e mulheres. Alguns colocavam bilhetes em sua mão.

— ***Incroyable.***

— ***Absolument superbe!***

— Vinte por cento dessas gorjetas para a casa — lembrou Madame Aubrieau, sendo sucinta. Considerava Robbie sua propriedade e não gostava de vê-lo cercado por outras mulheres mais atraentes.

— Boa noite.

Paolo Cozmici parecia ainda mais baixo e atarracado do que na noite anterior, quando saíra apressado pela porta do palco de La Salle Pleyel. Com terno amarrotado e gravata, uma barriga incipiente sobressaindo sobre a cintura de sua calça, ele parecia facilmente ser uma década mais velho do que seus 30 anos. Mas nada disso importava para Robbie. Estava tão espantado que mal conseguiu falar.

— Achei que você não viria.

— Eu também. Você toca lindamente.

— Eu... obrigado.

— Você tem noção de que está desperdiçando seu talento neste chiqueiro?

Paolo lançou-lhe um olhar agressivo, como se o acusasse de algum crime. Robbie podia ver por que era chamado de ***Le Bouledogue***.

— Preciso do dinheiro. Eu adoraria tocar música clássica, mas não tenho nenhum treinamento formal. Pelo menos, nada que seja reconhecido na França.

— ***Ça ne fait rien***. — Paolo balançou a mão sem interesse. — Você vai tocar para mim. Vai tocar na minha orquestra. Onde mora?

— Ogrement.

Paolo fitou-o diretamente.

— Épinay. Fica no subúrbio...

Pela segunda vez, Paolo estreitou os olhos, a desaprovação clara em seu rosto.

— Pessoas com o seu talento não moram no subúrbio. ***Non***. Você vai morar comigo.

Paolo virou-se e foi pegar seu casaco.

— ***Qu'est ce qu'il y a? Tu viens, ou quoi?***

— ***Oui***. — Robbie riu alto. Isso estava realmente acontecendo? — Sim, eu estou indo.

NA MANHÃ SEGUINTE, Paolo apresentou Robbie à Orchestre de Paris.

— Este é Robert Templeton. Ele é o melhor pianista de Paris. Ele vai tocar conosco amanhã.

Um mar de rostos confusos fitaram Robbie questionadoramente.

— Mas, Maestro. — Pierre Fremeaux, o pianista solista, interrompeu-o educadamente. — Eu deveria tocar amanhã.

Paolo balançou a cabeça.

— ***Non***.

— Mas... mas...

— Não é nada pessoal, Pierre. Escute Robert tocar. Depois me diga quem deve estar no palco amanhã. ***Ça va***?

Quinze minutos depois, Pierre Fremeaux estava arrumando as suas coisas.

Ele era bom. Mas Robert Templeton era algo de outro mundo.

— JÁ DISSE, PAOLO, não tenho tempo para isso. Não vou encontrar um pianista de jazz zé-ninguém que você conheceu em um bar só porque está a fim dele.

Chuck Bamber era representante da Sony Records. Era responsável pela lista de música clássica europeia do selo, e sua função era descobrir e contratar novos talentos. Um texano gordo que falava alto e era apaixonado por ***T-bone steaks*** e corridas de ***dragster***, ele parecia tão estranho ao meio da elite musical de Paris quanto uma prostituta em uma creche. Todos no mundo da música clássica sabiam que Chuck Bamber não tinha alma. Também sabiam que ninguém tinha um ouvido e um instinto comercial como o dele. Chuck Bamber podia começar ou acabar com a carreira de um pianista com um simples toque em seu chapéu.

Paolo Cozmici estava determinado a convencê-lo a conhecer Robbie.

— Ou você o conhece ou vou rescindir o meu contrato.

Chuck Bamber riu.

— Certo, Paolo. Como você quiser.

DOIS DIAS depois, Don Williams, chefe do departamento jurídico da divisão de música clássica da Sony, ligou para Chuck Bamber em pânico.

— O agente de Paolo Cozmici acabou de me mandar um fax. Ele vai sair da gravadora.

— Relaxe, Don. Ele está blefando. Já pagamos a ele trezentos mil dólares de adiantamento. Ele não pode sair sem nos devolver todo esse dinheiro. É quebra de contrato.

Don Williams disse:

— Eu sei. Eles transferiram o dinheiro ontem.

— COZMICI? Que diabos está acontecendo?

— Eu disse, Chuck. Quero que escute Robert tocar. Se você se recusar...

— Já sei, já sei, vai rescindir o contrato. Você é um desgraçado mimado, sabia, Paolo?

— Então, vai ver Robert?

— Vou. Mas já estou avisando, Paolo, é melhor que ele seja realmente bom. Bumbum durinho e abdome sarado não vão me impressionar como impressionaram você. Se este rapaz não for um Nigel Kennedy do piano...

— Ele é, Chuck. Ele é.

ROBERT ASSINOU um contrato para gravar dois discos com a Sony.

A combinação de talento, beleza de artista de cinema e nome famoso era o sonho de qualquer departamento de marketing. A única questão era: em que direção levá-lo?

— Gostaria que considerasse um disco de jazz — disse Chuck Bamber, enquanto tomavam champanhe em seu escritório que mais parecia um palácio com vista para a catedral de Notre Dame. — É mais sexy do que música clássica. Com o seu rosto, seria fácil lançá-lo como o novo Harry Connick Junior.

— ***Non***. — Paolo Cozmici balançou a cabeça. — Não será ***jazz***. — Ele praticamente cuspiu a palavra, como se fosse carne estragada.

— Nossa, Paolo. Pode deixar que Robert fale por si.

— Tudo bem — disse Robbie. — Agradeço a sua oferta, Sr. Bamber, de verdade. Mas confio na opinião de Paolo. Prefiro ficar no clássico, se não houver problema para o senhor.

— Oitenta por cento do tempo de Robert será dedicado a apresentações ao vivo.

— ***Paolo!*** — Chuck Bamber perdeu a paciência.— Dá um tempo aqui, OK? Preciso que ele passe pelo menos seis meses no estúdio. Ele deve voltar para os Estados Unidos.

— Fora de questão.

— Que droga, Cozmici. O que você é, o empresário dele?

— Não — disse Paolo simplesmente. — Eu sou a vida dele.

Era verdade.

Nos cinco anos seguintes, conforme a carreira de Robbie decolava e ele se transformava em verdadeiro "astro", seu elo com Paolo só se fortaleceu. Eles montavam suas agendas de concertos de forma a poderem viajar juntos sempre que possível. Quando estavam separados, eram totalmente fiéis, falando pelo telefone um com outro pelo menos seis ou sete vezes por dia. Paolo era o melhor amigo que Robbie já tivera, o pai constante e forte que perdera. Robbie era o sopro de vida no corpo cansado e único de meia-idade de Paolo. Seu elixir da juventude. Eles se adoravam.

— VOCÊ ESTÁ FALANDO SÉRIO? Quer mesmo ir para o Maine para a festa de aniversário de uma adolescente?

Paolo tomou um gole de seu café e cuspiu na mesma hora. ***Froid. Dégeulasse.***

— Não é "uma adolescente". É a minha irmã. Eu a amo. E, você sabe, não a vejo há anos.

— Eu sei, querido. E também sei o porquê. Sei o que seu pai pensa do seu estilo de vida. O que pensa sobre ***mim.***

Peter Templeton tinha orgulho do sucesso do filho. Mas nunca aceitara sua opção sexual. Agora que Robbie era famoso e dava entrevistas nas quais falava abertamente sobre seu amor por Paolo, a desaprovação de Peter se intensificara.

— É a sua vida — dizia ele a Robbie, rancorosamente, durante os cada vez mais raros telefonemas. — Não sei por que precisa ser tão escancarado sobre isso, é só.

— Eu o amo, pai. Da mesma forma que você amava a mamãe. Você também era bem ***escancarado*** em relação a esse amor, não era?

Peter ficava furioso.

— O seu envolvimento com esse homem nem se compara ao meu amor pela sua mãe. O fato de você achar que se compara só mostra o quanto os seus conceitos morais estão distorcidos. Eu sabia que era um erro permitir que você fosse para Paris.

Paolo nunca tentou se intrometer entre Robert e sua família. Não precisava. A atitude de Peter aliada à agitada vida Robbie na Europa tornava a distância entre eles inevitável.

— Eu não iria pelo meu pai. Faço isso por Lexi.

— Mas Lexi passa todos os verões conosco. Você não pode oferecer uma segunda festa para ela em Paris, depois da turnê?

Robbie balançou a cabeça. Não esperava que Paolo compreendesse sobre Dark Harbor e Cedar Hill House. Sobre o que esses lugares significavam para ele e para sua irmã. Como poderia? Mas estava na hora. Tinha de voltar. O aniversário de 16 anos de Lexi era uma boa desculpa.

— Tem certeza de que não quer vir comigo?

Paolo deu de ombros.

— Certeza absoluta. ***Je t'aime, Robert, tu sais ça.*** Mas uma reunião da família Blackwell em uma ilha remota nos Estados Unidos, batendo papo com seu pai homofóbico? ***Non, merci.*** Você vai sozinho.

Capítulo 15

GABE MCGREGOR ATRAVESSOU os portões da cadeia Wormwood Scrubs para a rua. Eram 6h30 de uma manhã fria de novembro. Ainda estava escuro. Uma leve chuva de gelo estava começando a penetrar pelo fino casaco de lã cinza de Gabe.

Sem a menor sombra de dúvida, era o momento mais feliz de sua vida.

— Tem algum lugar para ir?

O guarda no portão sorriu. Wormwood Scrubs era um lugar de merda para trabalhar. Os guardas odiavam o lugar quase tanto quanto os presidiários. Mas observar homens como Gabe McGregor saborearem o gosto de liberdade depois de oito longos anos — jovens reabilitados com suas vidas pela frente — era uma alegria da qual nunca se cansavam.

Gabe correspondeu o sorriso.

— Tenho sim. Tenho um lugar para ir.

Graças a Marshall Gresham. Devo a minha vida a esse homem.

NA PRIMEIRA NOITE depois de sua condenação, Gabriel McGregor tentou se matar.

Michael Wilmott, seu advogado, dissera para não entrar em pânico. Que a sentença de 16 anos que lhe deram provavelmente seria reduzida se entrassem com um recurso.

— Se reduzir para 12, você provavelmente vai sair em sete ou oito anos.

Sete ou oito? Anos?

O máximo de tempo que Gabe ficara sem heroína eram sete ***dias***. Os piores sete dias da sua vida. Foi na sua primeira semana preso, e ele ainda não tinha aprendido como comprar drogas lá dentro. Uma vez que se conhecia o sistema, era fácil conseguir heroína. Todos os grandes traficantes tinham caras trabalhando para eles dentro das cadeias em um sistema de comissão. Heroína e crack eram vendidos com trinta por cento de acréscimo. Tendo dinheiro e um amigo do lado de fora para fazer pagamentos regulares às gangues, você conseguia. Mas aqueles primeiros sete dias! Gabe nunca se esqueceria do sofrimento. Noites gritando, convulsões tão fortes que ele sentia como se estivesse sendo enforcado, arrastado e esquartejado. Os suores, os vômitos, as alucinações.

Uma pessoa em um cavalo branco estava vindo pegá-lo. Jamie McGregor! Havia um machado na sua mão. Enquanto galopava, balançava-o para a esquerda e para a direita, cortando os braços das mulheres que estavam à sua volta, gritando. Gabe conhecia as mulheres. Era Fiona. Angela. Lá estava Caitlin, implorando pela vida enquanto o homem a cavalo ria como um maníaco, decepando sua cabeça com um único golpe. Todas as mulheres que Gabe usara para sustentar seu vício sofreram o mesmo destino. Então, viu o rosto de sua mãe, contorcido de medo. Ela estava chorando e gritando:

— Gabriel, me salve! É Jamie McGregor! Ele está me matando, ele está matando todas nós!

Gabe acordou. O lençol encharcado de suor. Queria gritar, mas sua garganta estava tão seca e ardida que parecia que ele tinha engolido lâminas de barbear.

No dia seguinte, um companheiro da prisão lhe deu uma amostra. Do lado de fora, por mais desesperado que estivesse Gabe, ele nunca compartilhara agulhas. Aqui, quase arrancou a seringa da mão do cara.

Na véspera de voltar ao tribunal para ouvir sua sentença, escutou dois prisioneiros conversando.

— Se eles me mandarem para Scrubs, estou ferrado. Mike disse que aquilo lá é um maldito deserto.

— Ouvi falar a mesma coisa. O novo carcereiro trabalhava para o czar das drogas. Aquele lugar é mais limpo que a bunda de uma freira.

Gabe pensou: ***É isso. Se eles me mandarem para algum lugar onde eu não consiga drogas, vou me enforcar.***

COMO TODAS AS PRISÕES britânicas, Wormwood Scrubs estava superlotada. As celas quatro por dois e meio foram construídas pelos vitorianos para abrigar um único prisioneiro. Agora, o mesmo espaço apertado era dividido por três, até quatro homens, usando o mesmo vaso sanitário sem tampo.

Os dois companheiros de cela de Gabe não levantaram a cabeça para olhar quando ele entrou. Ambos eram negros, com 20 e poucos anos e corpo forte como o de Gabe.

Pelo menos, eles não parecem gays, pensou Gabe. Depois, lembrou-se que isso não importava mesmo.

A esta hora amanhã, já estaria morto.

Subindo silenciosamente no beliche, deitou e fitou o teto. Seu plano original era se enforcar com os lençóis, mas agora viu que isso não ia dar certo.

Esses caras podem não ser o que chamamos de "sociáveis", mas não vão ficar parados sem fazer nada enquanto eu sufoco até morrer.

Gabe olhou para a cela. Não tinha nada. Nenhuma foto, nenhum gancho, nenhuma cortina, nenhum abajur, nada. Começou a entrar em pânico.

Que diabos eu posso usar?

Foi quando viu.

Perfeito. Vai doer, mas pelo menos posso fazer rapidamente, enquanto eles dormem.

Gabe estava com medo. Não queria morrer. Mas qualquer coisa era melhor que crise de abstinência.

"***Mike disse que aquilo lá é um maldito deserto.***"

Farei esta noite.

NELSON BRADLEY, o maior dos dois companheiros de cela de Gabe, acordou ao som dos gemidos.

— Fique quieto, escocês. A gente quer dormir.

Alguns segundos depois, Gabe vomitou no chão. Ele começou a tremer, depois começaram as convulsões.

Nelson Bradley sentou.

— Duane. Acorde, cara. Tem alguma coisa errada.

Duane Wright acendeu seu abajur de leitura, apontando para Gabe, depois para a poça de vômito. Só que não era vômito. Era sangue. No chão ao lado do beliche de Gabe, havia uma garrafa vazia de água sanitária. Os guardas devem ter esquecido ao lado do vaso depois de limpar.

— Ah, merda. Ele virou toda a maldita água sanitária! — Duane Wright bateu na porta da cela. — Alguém venha aqui. Agora!

QUANDO GABE ACORDOU na enfermaria da prisão, a primeira coisa que pensou foi: ***Meu Deus, meu estômago está pegando fogo.*** A segunda foi: ***Ainda estou vivo. Fracassei.*** A depressão tomou conta dele.

— Você teve muita sorte — disse o médico. — Mais alguns minutos antes da lavagem estomacal, e você teria morrido.

Ah, sim, tenho muita sorte mesmo.

Os psiquiatras perguntaram a ele por que tinha feito isso, e Gabe disse a verdade. Não tinha motivo para mentir.

— Seu imbecil. — O chefe da psiquiatria prescreveu metadona para Gabe. — Você acha que é o primeiro viciado a entrar por essas portas? podemos ajudá-lo. Existem programas...

Mas Gabe não queria programas, e não queria metadona. Queria heroína o suficiente para acabar com seu sofrimento.

Quando estava melhor, foi transferido para uma ala diferente da prisão. Desta vez, tinha apenas um companheiro de cela, um ex-drogado condenado à prisão perpétua chamado Billy McGuire. Billy era irlandês, ex-jóquei cuja vida descarrilou espetacularmente depois que ele se envolveu com drogas. O que começou com algumas "inocentes" corridas arranjadas e esquemas de aposta acabou como uma perigosa guerra entre gangues nas ruas de Belfast. Um pai de família inocente morreu e Billy foi condenado a um mínimo de vinte anos de detenção.

— O IRA não é mais como antes — disse Billy para Gabe.

— Estou confuso. O que eles eram? Não foram sempre um bando de terroristas assassinos?

— Ah, bem, com certeza eles eram. Mas certo ou errado, eles tinham uma causa. Agora só se importam com dinheiro. Dinheiro e drogas. — Billy balançou a cabeça, enojado. — É isso que a heroína faz com a gente, meu chapa. Faz com que se esqueça quem é.

Gabe não tinha argumentos contra isso. O único problema era que Gabe ***queria*** se esquecer de quem ele era: um fracassado sem qualificação, sem talento e com uma ficha criminal séria, sem futuro.

Eu achava meu pai patético, desperdiçando a vida nas docas. Ele era duas vezes mais homem do que eu.

Capítulo 16

LEXI ESTAVA ESPARRAMADA do sofá Ralph Lauren com listras azuis e brancas de Cedar Hill House, examinando a lista de convidados para sua festa.

Aos 16 anos, Lexi Templeton já superara totalmente os dias de menina desajeitada do início da adolescência. Não usava mais o odiado aparelho nos dentes, nem passava mais as manhãs em frente ao espelho, tentando fazer seus seios crescerem por pura força de vontade. Deitada no sofá como Cleópatra, vestindo uma bermuda jeans apertada, com as longas pernas bronzeadas esticadas, Lexi, finalmente, era uma garota sexy totalmente desabrochada. A barriga morena era lisa como uma planície, apesar das três tigelas de cereais que devorara no café da manhã. Um simples sutiã de biquíni branco cobria os seios tão perfeitos, cheios e redondos como pequenos melões.

Para ser mais exato, a lista de convidados que estava examinando não era para a festa ***dela.*** Para seu desgosto, a festa da semana seguinte em Cedar Hill House era, oficialmente, a comemoração dos 16 anos dela e de Max.

Por que eu tenho de dividir o meu aniversário com ele? Não posso ter a minha própria vida?

O que quer que Lexi fizesse ultimamente, seu primo parecia aparecer do nada.

O pai de Lexi tinha pena dele.

— Acho que ele se sente solitário, docinho. Trancado naquele apartamento com a mãe durante todas as férias. Ele provavelmente não tem amigos.

Isso não me surpreende. Ele é tão arrogante e esnobe.

Peter sempre culpava a timidez pelos silêncios de Max. No decorrer de sua infância, Lexi formara outra opinião. Max não era tímido. Era distante. Ela costumava dizer que era o complexo de superioridade dele, o que a irritava sobremaneira.

Olhando pelo lado positivo, pelo menos a falta de habilidade social de Max significava que oitenta por cento dos convidados da festa eram amigos de Lexi de Exeter, e não um bando de mauricinhos de Choate, o prestigiado colégio interno em Connecticut em que Max estudava.

Lexi examinou a lista de novo:

Donna Mastroni, Lisa Babbington, Jamie Summerfield... ah, droga. Lisa não pode ficar ao lado de Jamie. Eles transaram nas férias de primavera quando Jamie ainda estava namorando Anna Massey. Onde posso colocar Lisa?

A resposta era óbvia: Lisa Babbington deveria ficar na mesa de Max. Deus sabia que não faltavam lugares. Lexi hesitou. De alguma forma, a ideia de colocar uma de suas amigas mais atraentes ao lado de seu primo não a agradava.

A verdade era que, embora preferisse morrer a admitir isso, Lexi Templeton tinha sentimentos confusos em relação a Max Webster. Três quartos do tempo, o odiava. Ele a seguia como um cheiro desagradável. Lexi nunca conhecera um garoto tão grosseiro, estranho e arrogante como ele. Durante o estágio que fizeram juntos na Kruger-Brent no último Natal (***não consigo nem ter um emprego por mim mesma***), Max deixava perfeitamente claro que se achava superior a Lexi, intelectualmente e em todos os outros aspectos. Mesmo ele tendo apenas 15 anos, os funcionários da empresa já o respeitavam da mesma forma que um dia respeitaram Robbie. Por causa da surdez de Lexi, as pessoas simplesmente supunham que Max herdaria a empresa um dia. Essa suposição, estimulada pela ideia do próprio Max de que tinha direito, deixava Lexi furiosa. Na Kruger-Brent, Max fazia questão de deixar clara a deficiência de Lexi, tratando-a com muita delicadeza, como se ela fosse uma flor frágil. ***Ele nunca me trata assim quando estamos sozinhos.***

Lexi podia ser surda, mas não era cega. Sabia o que Max estava pretendendo fazer, e isso a deixava irada. Também via, por menos que gostasse de admitir, que ele se tornara um rapaz incrivelmente bonito. Com cabelo preto e olhos ainda mais escuros, Max tinha um irresistível ar de perigo e rebeldia, como Heathcliff ou um jovem Lord Byron. A maioria dos garotos da idade de Lexi eram imaturos e desajeitados. Até os escoceses de Exeter pareciam abobalhados na presença de garotas atraentes como Lexi. Mas Max Webster era diferente.

O olhar de Max passava por Lexi como se ela não existisse.

Então, por que ele anda atrás de mim o tempo todo? Se sou tão invisível assim, se estou tão abaixo do ponto de vista de sua alteza, por que ele não vive a própria vida?

Lexi começou a rabiscar nomes com a caneta, reorganizando as mesas.

Lisa Babbington podia se sentar ao lado de Grady Jones.

Se Max não tinha amigos suficientes para encher suas mesas, o problema era dele.

— VOCÊ GOSTOU? Sei que ainda não é oficialmente seu aniversário, mas Rachel achou que talvez você quisesse usar na festa.

A intérprete de Lexi, Rachel, era mais ou menos sua companhia constante. Peter Templeton contara com o conselho de

Rachel para comprar o presente de aniversário da filha. Ao ver o rosto de Lexi se iluminando, ficou feliz por ter escutado o conselho.

— Pai, eu ***amei.*** Meu Deus!

— Mesmo? — Ele abriu um sorriso de prazer.

— Mesmo.

Maravilhada, Lexi passou a ponta dos dedos pelo vestido de seda bordado. Era um Chanel, da coleção da nova estação. O delicado tecido era exatamente do mesmo tom do cabelo louro champanhe de Lexi. O corte era perfeito, justo e decotado onde tinha de ser, uma obra de arte que ficava longe do vulgar. Era, sem dúvida, o item de vestuário mais lindo que existia.

— Um lindo vestido para a minha linda menina. Vai ficar igual a uma princesa, meu anjo.

Lexi sorriu.

— Obrigada, papai. — ***Ele ainda acha que eu tenho 6 anos.*** — É um presente incrível.

E vai me ajudar a conseguir o presente de aniversário que eu realmente ***quero:***

Christian Harle.

LEXI LOGO APRENDEU que sua surdez era uma faca de dois gumes quando se tratava de namoros.

Ir para a escola com uma intérprete que raramente saía de seu lado definitivamente era um ponto negativo. Lexi sabia ler lábios perfeitamente e sua fala não deixava a desejar, mas ficava constrangida ao se imaginar arrastando as palavras, então preferia fazer sinais sempre que possível e deixar Rachel falar por ela.

Tinha sorte por estar com a mesma intérprete há quase oito anos, desde que estivera internada no hospital. Peter sabia que especialistas consistentes seriam cruciais para a recuperação da filha. Consequentemente, dera dinheiro e benefícios a Rachel, então com 20 anos, aumentando o valor todos os anos para garantir que ela nunca sentisse vontade de ir embora. Agora, com 28 anos, Rachel estava bem mais gordinha, mas trabalhava tão bem e era tão bem-humorada quanto antes. Há muito tempo, Lexi passara do ponto de se notar conscientemente a presença de sua intérprete. Para ela, Rachel era como sua sombra: sempre presente, mas, de alguma forma, quase invisível.

Infelizmente, os garotos não pensavam assim.

— Você não pode se livrar da gordinha por meia hora depois da aula?

Pete Harris, um rebelde com cabelos louros despenteados, tatuagens de skatista no peito e a reputação de ser o maior pegador do primeiro ano, debruçou-se sobre a mesa na aula de matemática e sussurrou no ouvido de Lexi.

A respiração quente em seu ouvido causava uma sensação boa. Lexi conseguia captar a essência das intenções dele apenas pelos feromônios. Mas, claro, sem conseguir ver os lábios dele, as palavras não tinham nenhum significado.

Por sinais, disse a Rachel:

— Peça para ele repetir e para olhar para mim quando falar.

Prontamente, Rachel fez o que ela pediu. De repente, a sala inteira se virou para encarar Pete Harris. Ele não se sentiu mais tão legal.

— Harris, seu burro! Você não sabe que ela precisa ver os seus lábios para poder lê-los?

— É, Pete, vamos lá. Compartilhe com a gente, cara. O que você disse?

— Vocês dois deveriam mesmo namorar. Um burro e uma surda, que casal!

— Des... desculpe — disse Pete Harris, corando até a raiz do cabelo louro. — Você é bonita, mas... não posso fazer isso.

Lexi era filosófica a respeito de Pete Harris. Ele era um gato, mas ***era*** meio que burro. Além disso, ela só tinha olhos para um peixe muito maior: Christian Harle.

LEXI COMEÇOU a ***Operação Christian*** no oitavo ano. Com 14 anos, ela ainda era um peixinho muito pequeno no lago da Exeter School para um cara como Christian Harle notá-la. Dois anos mais velho que ela, com o corpo de um atleta olímpico e um rosto que faria Brad Pitt chorar de inveja, Christian Harle só namorava líderes de torcida e modelos. O fato de ele estar astronomicamente fora do alcance de Lexi não a intimidava nem um pouco. Pelo contrário, fazia com que esse fosse o momento perfeito para construir a base.

Seu plano era simples. Descobriria o que Christian procurava em uma mulher. (Peitos grandes, rosto bonito, jeito avoado, QI de um besouro.) Então, se transformaria na namorada ideal para ele.

Lexi verificou um a um os itens da lista de desejos de Christian.

Não tenho peitos ainda, mas eles vão crescer.

Meu rosto já é bonito, ou vai ficar quando tirar o aparelho.

Sou inteligente o bastante para me fingir de burra. O que mais?

Ah, sim. Avoada e indefesa.

Se o fato de Rachel estar sempre por perto era um ponto negativo para namorar, a surdez de Lexi também oferecia alguns pontos positivos singulares. Por causa de sua deficiência, os garotos tendiam a vê-la como doce e vulnerável: a pobre herdeira surda que precisava da proteção deles. Lexi logo aprendeu como usar essa concepção errada a seu favor. No nono ano, já interpretava a donzela em perigo com louvor.

— Rachel? Poderia pedir para Johnny me ajudar com os livros? Estou ***tão*** cansada esta manhã. Não consigo dar mais nem um passo.

— Desculpe, Sr. Thomas, mas não consegui terminar o meu trabalho esta semana. Tenho tido pesadelos horríveis. Flashbacks do meu trauma.

Os enormes olhos cinza de Lexi se enchiam de lágrimas. Rachel pensava: ***que ótima atriz é esta menina. Ela faz todo mundo de bobo.***

Christian gostava de garotas avoadas? Lexi daria isso a ele.

Junto com a minha maldita virgindade que queima na minha calcinha.

Lexi estava convencida de que era a garota mais velha ainda virgem em Exeter, se não de todos os Estados Unidos. Era concebível que fosse a mais velha virgem do mundo. Além das freiras, claro. E pessoas muito feias como a Tia Eve.

Bem no fundo, tinha medo de que o que lhe acontecera quando era criança a tivesse "estragado" para o sexo. Ainda tinha pesadelos com o porco. ***Será que essa é a razão para eu estar me guardando para Christian? Escolhi alguém tão inacessível porque tenho medo de "fazer aquilo"?***

Independentemente das suas razões, a espera tinha oficialmente acabado. Esta era a noite.

Conforme ia se aproximando a hora da festa, Lexi ia ficando mais e mais nervosa.

E se ele gostar de garotas experientes? Acho que terei de fingir isso também.

Às vezes Lexi achava que fingia tanto que se esquecera de quem realmente era por dentro.

Talvez eu quisesse esquecer?

— AH, MAX, MAX! Não pare! Por favor, não pare! Estou quase lá!

Max Webster olhou para a garota gemendo embaixo dele e se sentiu indescritivelmente entediado. O nome dela era Sasha Harvey-Newton. Seu pai era dono de estaleiros. A mãe do pai tinha campos petrolíferos. Ela tinha 18 anos, era incrivelmente bonita e podre de rica. Era considerada uma das herdeiras mais cobiçadas de Nova York.

Também era ninfomaníaca.

— Com mais força, gato! Mais força!

Sasha Harvey-Newton arqueou seu cobiçado corpo de vinte milhões de dólares para Max e soltou um gemido de êxtase.

— Cale a boca. — Max colocou a mão sobre a boca de Sasha. Ela começou a chupar seus dedos, e ele resistiu à forte vontade de enfiá-los pela maldita garganta dela. Em vez disso, empurrou a cabeça da moça no travesseiro, silenciando seus gemidos.

— Ei. Por que você fez isso?

Ela olhou para ele, o rosto em um tom nem um pouco atraente de vermelho, igual a um morango.

— Você estava fazendo muito barulho. E se a sua mãe nos escutar?

— E daí? Você sabe quantas vezes já tive de ficar ouvindo ela e o professor de tênis mandando ver? Minha mãe é uma piranha.

Max observou Sasha se vestir, puxando a calça jeans justa sem colocar uma calcinha por baixo, e sem se incomodar em se lavar primeiro.

Tal mãe, tal filha.

Sasha sorriu

— Então? Isso significa que vou ser o seu "par" na sua festa de aniversário na semana que vem? Sempre quis conhecer Cedar Hill House.

Max enrugou o nariz por desgosto.

— Não.

— Como assim "não"? — O sorriso tinha desaparecido.

— Não. Entendo que seja uma palavra que você não escute com muita frequência. Mas não posso chamar mais ninguém para a festa, infelizmente. O pessoal da segurança insistiu, mais nenhum convidado.

— O pessoal da segurança? — Sasha bufou. — Quem você pensa que é? O presidente? É uma festa de aniversário de 16 anos, e não uma reunião de cúpula da ONU. Tire alguém da lista se precisar.

— Ah, mas eu não preciso — disse Max. — Você já teve o que queria, Sasha. Não precisa me acompanhar até a porta.

VOLTANDO PARA A Park Avenue, Max refletiu sobre o que fizera naquela tarde. Não gostara de fazer sexo com Sasha Harvey-Newton, e se perguntou por que tinha aceitado ir para a cama com ela. Para que pudesse se gabar? Todos a consideravam uma "boa conquista", afinal. Mas para quem se gabaria? Não tinha um círculo de amigos aos quais ele tentava impressionar. Max Webster só precisava da aprovação de uma única pessoa. Sua mãe não daria a mínima se tinha passado metade do seu dia transando com uma piranha rica e burra que nem mesmo o excitava.

Esse é o problema. Nenhuma delas me excita. Nenhuma delas chega nem aos pés de Eve.

Max detestava festas. Só concordara em dividir a festa de aniversário com Lexi porque sua mãe havia pedido.

— Fique perto dos amigos, e ainda mais perto dos inimigos, meu querido. — Esse era o lema de Eve, pelo menos quando se tratava de Lexi. Eve estava sempre tentando uni-los. — Haverá muita gente importante em Cedar Hill House no final de semana. Os membros do conselho da Kruger-Brent, todos os principais acionistas e executivos. Não pode deixar Lexi ser a estrela do show.

Não havia muito risco disso. Ninguém na Kruger-Brent levava Lexi a sério. Não mais. Mesmo assim, levando em consideração o testamento de Kate Blackwell, ainda existia a chance de ela ser nomeada presidente quando completasse 25 anos. Até que ele, Max, estivesse sentado na cadeira de presidente, não podia se dar ao luxo de ser complacente.

O antigo e familiar ódio que Max sentia pela prima sofrera uma reviravolta perturbante recentemente. Quase do dia para a noite, Lexi se transformara em uma mulher sensual e desejável. O que tornava as coisas piores e mais confusas era o fato de Lexi estar cada dia mais parecida com uma jovem Eve. Afinal, a mãe de Lexi, Alexandra, era irmã gêmea idêntica de Eve, então talvez a semelhança excepcional fosse inevitável. Ainda assim, Max não gostava dessa ironia genética. Na verdade, não gostava de nada que dissesse respeito à sua prima Lexi.

Os paparazzi sempre a adoraram: a menina Blackwell corajosa e linda que sobrevivera ao terrível sequestro. Uma vez, desdenhosamente, Eve descrevera a sobrinha como a ***aleijada favorita dos Estados Unidos***, e não estava longe da verdade. Agora, graças ao desabrochar de Lexi em uma garota linda, o interesse da imprensa por ela parecia ter quintuplicado. Ela não era mais o Bebê Blackwell, mas a Beldade Blackwell. Todo mundo queria saber mais sobre ela.

Ela ama cada segundo disso também, pensou Max, amargurado. No Natal passado, quando os dois trabalharam juntos por um curto período de tempo na Kruger-Brent, percebera Lexi fitando-o silenciosamente. Como se estivesse tentando ver se ele também a desejava, como o resto do mundo.

Esqueça. Eu não.

Por que você não pode simplesmente desaparecer? Ir para uma escola de surdos, casar com algum deficiente e sumir da minha vida?

Sasha Harvey-Newton não sabia a sorte que tinha de não ter sido convidada para a festa de Max. Ele mesmo desejava não precisar ir.

— BEM GRANDE, não é?

Tristram Harwood, chefe do departamento de petróleo e gás da Kruger-Brent, estava conversando com Logan Marshall, que chefiava os negócios relacionados às minas.

— Eu não esperava menos.

Nenhum dos dois vinha à propriedade dos Blackwell em Dark Harbor desde o funeral de Kate Blackwell, quase 17 anos antes. Era maravilhoso ver a antiga casa fervilhando de vida e vitalidade de novo. Para todos os lados que se virava, era possível ver a utopicamente bela e privilegiada juventude norte-americana rindo e conversando e dançando uns com os outros sob os olhares dos pais. As mães carregadas de diamantes, e os pais resmungando sobre a última queda no índice Dow Jones e as novas fortunas que seriam feitas com a internet.

Cedar Hill House continuava praticamente a mesma desde a época de Kate. O mesmo quadro floral Vlamink estava pendurado sobre a lareira da sala de estar. Até o tecido rosa e verde dos sofás permanecia o mesmo, emprestando um persistente toque feminino ao que agora era o lar de um homem. Peter Templeton herdou a propriedade com a morte de Alexandra, mas durante anos achou que a casa estava muito cheia de recordações dolorosas e raramente a visitava. Depois do sequestro de Lexi, porém, ele a trouxe para o Maine para se recuperar. Lentamente, verão após verão, Cedar Hill House foi ganhando vida de novo.

— Ah, lá está ele. O aniversariante. Melhor irmos lá puxar o saco dele de uma vez?

Logan Marshall seguiu o olhar de Tristram Harwood. Max estava na varanda, cercado por um rebanho de admiradores adolescentes. Usando um terno Ralph Lauren e gravata Choate, por fora ele parecia o epítome de um jovem cavalheiro. Mas nem as roupas nem a riqueza tradicional e o ambiente elitista conseguiam esconder a natureza selvagem, ferina de Max. Tristram Harwood se lembrava de uma criatura das selvas que algum antropologista desencaminhado "resgatara" e arrastara, chutando e gritando, para o mundo civilizado. Como se a qualquer momento ele fosse rasgar a camisa Brooks Brothers com os próprios dentes.

— Feliz aniversário, jovem. Acredito que esteja gostando da festa?

Max virou-se. Tirou a expressão entediada do rosto e cumprimentou calorosamente os dois membros do conselho da Kruger-Brent. Sabia que sua mãe estaria observando.

— Claro. Meu tio se esforçou muito. E vocês, estão bem?

Tristram Harwood assentiu.

— Muito bem. Os negócios estão de vento em popa.

Para um rapaz de 16 anos, ele sabia se expressar como um adulto. Tanta maturidade. Tanto equilíbrio. Todo mundo sabia que o testamento de Kate Blackwell favorecia os descendentes de Alexandra em detrimento dos de Eve. Mas quando chegasse a hora de votar quem seria o novo presidente, todos os membros do conselho seriam consultados. Se Max ganhasse por unanimidade, seria difícil a família ignorar a decisão deles. E, falando sério, como uma mulher surda poderia administrar uma das maiores multinacionais do mundo? A ideia era ridícula.

EVE OBSERVOU seu filho conversar com Harwood e Marshall e sorriu, satisfeita. Ela estava sentada em um canto da sala de estar, perto das portas francesas que davam para a varanda. Usando um vestido longo preto, com uma linda máscara pintada a mão em Veneza cobrindo seu rosto destruído, ficou sentada tão quieta e sem chamar atenção quanto uma aranha viúva-negra enquanto a festa fluía ao seu redor.

Bom menino. Enrole-os.

Tristram Harwood sempre fora um oportunista sem-vergonha. Anos atrás, ele tentara seduzir Eve praticamente no mesmo lugar onde estava agora, paparicando o filho dela. Eve brincara um pouco com ele até que sua avó intercedera.

— Ele é um homem casado, Eve, e de vital importância para a empresa. Deixe-o em paz!

Vadia velha estúpida. Como se ela, Eve Blackwell, fosse se interessar por um zangão sem importância como Tristram Harwood!

Foi quando Lexi apareceu na varanda. Viera correndo do jardim, seguida por um rapaz encantador. Seu rosto perfeito estava corado por causa do riso e do esforço. Eve sentiu seu coração se apertar e o ódio tomou conta de seu peito. Era como se olhar em um espelho de 25 anos.

Ela é igualzinha a mim. Ela roubou a minha beleza. Minha juventude. Meu poder. Tudo que me roubaram foi dado àquela aleijada. Cria de Alex.

— Meu Deus! — Logan Marshall sussurrou para Tristram Harwood. — Alguém cresceu rápido.

Max olhou quando os dois homens se viraram para admirar sua prima. Lexi realmente estava maravilhosa. O vestido que seu tio Peter comprara para ela se ajustava em seu corpo com perfeição. O cabelo, penteado para cima e preso frouxamente com um pente de diamantes que pertencera a Kate Blackwell, caía em mechas sensuais em volta de seu lindo rosto. Max sentiu o início de uma ereção.

Eu a odeio.

Foi quando um estrondo vindo da casa de barcos chamou a atenção de todo mundo.

— Que diabo foi isso?

Um homem magro, louro, com pernas incrivelmente longas e uma câmera com zoom pendurada no pescoço estava mancando em direção ao cais. A julgar pelo buraco no telhado da casa de barcos e pelos escombros espalhados pela grama, ele devia estar escondido em cima de alguma árvore e, de alguma forma, perdeu o equilíbrio.

— Chamem a segurança! — Um Peter Templeton com expressão sombria saiu. — Alguém vá atrás daquele homem.

— Não se preocupe, papai — disse Lexi, enquanto Danny Corretti se enfiava dentro de uma lancha e se afastava no meio da noite. — É só um paparazzo. Estou acostumada.

— Certo. Mas você não deveria estar acostumada a isso — disse Peter. Virando-se para Tristram Harwood, acrescentou: — Esses desclassificados seguem a minha filha como um bando de hienas. É uma desgraça.

Os olhos de Max estavam grudados em Lexi.

Uma desgraça? Besteira. Ela adora cada segundo.

Um garçom uniformizado saiu da sala de estar.

— Senhoras e senhores. O jantar está servido.

ROBBIE SENTOU-SE ao lado de seu padrinho, Barney Hunt.

— Então, vai tocar para nós esta noite? — perguntou Barney. — Um recital ao vivo com o grande Robert Templeton?

Robbie colocou na boca mais uma colher de um delicioso pedaço de torta Floresta Negra e balançou a cabeça com firmeza.

— Não. De forma alguma. Estou de folga. De qualquer forma, papai não me pediu. A noite inteira está planejada nos mínimos detalhes. Não quero aborrecê-lo mais do que já faço normalmente. Você sabe, só por existir.

Ele falou em tom de piada, mas Barney Hunt captou a tristeza escondida por trás da brincadeira.

— Que isso! Seu pai ama você. Ele só...

— ...gostaria que eu não fosse gay. Eu sei.

Lisa Babbington, uma das amigas mais bonitas de Lexi, conseguiu chamar a atenção de Robbie e piscou para ele de forma lasciva duas mesas à frente. Claramente, Grody Jones não estava sendo capaz de interessá-la.

— Parece que seu pai não é o único. — Barney riu. — Já conseguiu ficar um pouco sozinho com a sua irmã?

Robbie pareceu frustrado.

— Não. Toda vez que chego perto, alguém a arrasta para ir dançar ou tirar uma foto. Tenho de voltar para Paris amanhã de amanhã, mas não consigo fazer com que ela pare no lugar.

Barney olhou para a mesa principal. O lugar de Lexi estava vazio.

— Hmmm. Entendo o que quer dizer.

NO CHÃO DA CASA de barcos, Lexi estava deitada embaixo de Christian Harle tentando não se sentir decepcionada.

É só isso? Foi por isso que esperei por dois anos inteiros?

Ela tinha esperado... o que ela tinha esperado exatamente? Dor. Era o que todos os livros diziam. Uma dor aguda, seguida por algo grandioso, que mudaria a sua vida, uma sensação da qual se lembraria para sempre. Afinal, este era Christian Harle. ***Christian Harle!*** O maior gato de Exeter, o garoto que enchia os dias de Lexi e consumia suas noites desde que tinha 14 anos.

Depois do sequestro de Lexi, os psiquiatras disseram para Peter que o trauma do abuso sexual a acompanharia para sempre.

— Ela pode se casar. Pode ter filhos. Mas é irrealista acreditar que seus relacionamentos sexuais vão se desenvolver normalmente. — Mais uma vez, entretanto, subestimaram a força de vontade de Lexi.

Ela ***ia gostar*** de sexo.

Precisava.

Não deixaria o porco vencer mais uma.

Então por que transar com Christian fora uma terrível decepção?

Ainda dentro dela, Christian se apoiou nos braços para que Lexi pudesse ler seus lábios. Suor pingava da testa dele. Suas bochechas estavam da cor de beterraba. Não estava com a sua melhor aparência.

— Está bom, doçura?

Meu Deus. Ele está falando comigo? O que é isso, um interrogatório? Por que a terra não estava tremendo?

Lexi assentiu, puxando-o para cima dela de novo. Rebolou, do jeito que vira Pamela Anderson fazer com Tommy Lee na internet, e tentou fingir uma respiração ofegante. Era óbvio que Christian aprendera sua técnica em algum outro filme pornô. Ele começou a fazer um estranho movimento circular dentro dela, como alguém passando aspirador dentro de um carro e garantindo que o bocal entrou em cada cantinho.

Pelo menos, ele é perfeccionista. O perfeccionismo é um atributo subestimado pelos homens. Ninguém nunca é perfeccionista demais, costumava dizer a minha antiga babá. Como será que anda a Sra. Carter atualmente?

Acima da cabeça de Christian estava o buraco por onde o paparazzo caíra mais cedo.

Coitado. Espero que ele esteja bem.

Lexi fitou as estrelas. Sentiu os músculos do bumbum e do abdômen de Christian contraírem, depois relaxarem. A umidade quente no meio de suas pernas lhe causaram uma breve sensação de triunfo. ***Adeus, virgindade! Não vou sentir saudades de você.*** Poucos segundos depois, a sensação gostosa sumiu. Lexi começou a tremer.

— Qual é o problema? — perguntou Christian, ofegante. — Ei, você está bem?

Ele estava olhando para ela, falando com ela. Mas Lexi não conseguia ler seus lábios nem ver a preocupação em seu rosto. Só conseguia ver uma máscara de porco.

Uma palavra e corto sua garganta.

Ela gritou.

Christian Harle começou a entrar em pânico. Os gritos de Lexi eram horríveis e estavam ficando cada vez mais altos. Ela não parava de gritar.

O que há de errado com ela? Em um momento, ela está me dando a maior bola, se contorcendo como um peixe no anzol. No seguinte, age como se a tivesse estuprado.

— Pare, Lexi. Por favor! Alguém vai escutar.

Sem saber mais o que fazer, ele deu um tapa no rosto dela.

Por milagre, funcionou. Os gritos pararam. Lexi ficou olhando, confusa, enquanto a máscara de porco desaparecia. Percebeu que estava fitando bem dentro dos olhos aterrorizados de Christian Harle.

Você é só um garoto. Um menino. Está tão perdido e assustado quanto eu.

O que foi que eu vi em você?

Ela ficou de pé, silenciosamente endireitou seu vestido e voltou para a casa.

PETER PARECIA preocupado.

— Onde você estava? Rachel disse que você foi ao banheiro e não voltou.

Lexi sinalizou furiosamente.

— Fui dar uma caminhada. Precisava de ar puro, só isso. Rachel se preocupa demais.

— Certo. A pista de dança já vai ser aberta. Achei que você e Max poderiam inaugurá-la.

Lexi fitou-o, incrédula.

— Eu e Max?

— Vocês são os anfitriões, afinal.

— Ele é um esquisitão.

— Lexi, por favor. Ele é seu primo.

— Não. De jeito nenhum. Por que não posso dançar com Robbie? Ele é meu irmão.

Não era a primeira vez que Peter ficava satisfeito por poucas pessoas conhecerem a linguagem de sinais. Lexi sabia ser incrivelmente grosseira quando queria, além de teimosa. Ele tentava inventar desculpas para ela. Sua surdez deve ser terrivelmente frustrante. Mesmo assim, ficava constrangido às vezes.

— Robbie está tocando piano. Tio Barney quase o obrigou. Olhe, Max está vindo. Estou avisando, Lexi, não faça uma cena.

Tantos corpos espremidos em um espaço limitado fizeram da casa um ambiente sufocante e quente. Max tirara a gravata e o paletó e dobrara as mangas da camisa. Com a pele bronzeada e o cabelo negro, fez com que Lexi se lembrasse de um pirata.

Só falta a faca entre os dentes.

— Gostaria de dançar? — Ele falou deliberadamente devagar, como se Lexi fosse incapaz de interpretar uma fala normal. Deliberadamente demais. Ele sabia o quanto isso a irritava e adorou ver a faísca de raiva nos olhos dela enquanto a conduzia para a pista de dança. Quando Peter acenou, Robbie começou a tocar a valsa ***Danúbio Azul,*** de Strauss.

Lexi tinha plena consciência de que centenas de olhos os observavam enquanto Max a conduzia habilmente pelo salão. Ela não gostava de dançar. Deixar que um homem a conduzisse já ia contra a sua natureza. O fato de ser surda e incapaz de escutar a música significava que precisava confiar ainda mais em seu parceiro do que as outras garotas. Lexi não confiava nem um pouco em Max Webster.

— Apenas relaxe. Apoie-se em mim.

Ele articulou cada palavra bem devagar.

Lexi pensou: ***Eu odeio você.*** Com o corpo grudado ao dele, ela podia sentir o cheiro de seu corpo: suor e loção pós-barba. Ela ficou horrorizada ao perceber que estava ficando excitada. ***Por que Christian Harle não me deixou assim? Qual é o meu problema?***

A primeira valsa terminou. Robbie começou a tocar outra, e os casais começaram a entrar na pista de dança. Lexi fez menção de sair, mas Max a puxou.

— Mais uma dança.

Não era um pedido. Era uma ordem. Lexi pensou em sair correndo da pista, mas eles já estavam se movendo no ritmo da valsa. Max virou-a para que pudesse ler seus lábios.

— Eu sei o que você estava fazendo.

Lexi o ignorou.

— Você fede a sexo.

As palavras foram tão inesperadas que, primeiro, ela achou que tivesse lido errado os lábios dele.

— O quê?

— Então, quem era? Alguém que eu conheço?

Desta vez, não tinha erro. O desdém no rosto de Max falava mais que mil palavras.

— Por que não tento adivinhar? Christian Harle. Acertei? Todo mundo sabe que você é doida por aquele troglodita desde o sétimo ano.

Lexi corou, furiosa. ***Todo mundo sabia? Como?***

— Talvez eu esteja tirando conclusões precipitadas. Suponho que pode ser qualquer um, certo? Você provavelmente é uma piranha que nem a sua mãe.

Como ele ousa falar da minha mãe! Lexi se sentiu enjoada. Violada. Tentou se soltar, mas as garras de Max pareciam de ferro. Podia sentir seus pulsos queimarem com a fricção.

— Abaixou a crista agora, não foi? — Max provocou. — O que pode fazer com que eu não conte para seu querido papai o que a princesa dele andou fazendo esta noite? Ou devo dizer ***com quem*** ela andou fazendo? Que tal irmos para um lugar tranquilo para você chupar o meu pau como uma boa menina, e eu esqueço de tudo que eu sei?

Max riu, girando Lexi até que ela ficasse tonta. Alguém bateu nas suas costas. Era sua amiga, Donna Mastroni.

Graças a Deus!

— Lexi, tem um cara que quer falar com você. Ele disse que é importante. Os seguranças não deixaram que passasse do portão, mas ele não quer ir embora.

Com Donna parada ali, Max não teve alternativa a não ser soltar Lexi.

Com um olhar do mais puro ódio, Lexi seguiu Donna.

O HOMEM ERA baixo e pálido. Devia ter uns 50 e poucos anos, e estava usando um terno azul barato. Seus sapatos estavam velhos e gastos com o uso. Apresentou-se como Tommy King e entregou para Lexi um cartão de visitas sujo coberto de marcas de impressões digitais.

King & Associados.
Investigações.
(212) 965 1165

Olhando em volta para se certificar de que estava sozinha, Lexi sussurrou:

— Não podemos conversar aqui. É muito perigoso.

Tommy King seguiu-a até um canto afastado do terreno, longe dos olhos dos seguranças.

— Pode fazer o serviço?

Tommy King sorriu, revelando os dentes tortos, com mais ouro do que esmalte.

— Posso fazer o serviço, princesa. Mas pode levar um tempo. Você não me deu muita coisa em que me basear.

Lexi foi direto ao assunto.

— Quanto?

— Cem pratas por dia. Cobramos por mês. Você recebe um relatório sobre o progresso das investigações no final de cada mês, fotografias e qualquer outro material que conseguirmos descobrir. As despesas são à parte.

Lexi assentiu.

— Preciso de um depósito para começar: setecentos dólares mais quinhentos para as despesas.

— Posso dar quinhentos hoje. Só isso. Pago o restante quando receber o primeiro relatório.

Tommy King olhou-a com cara feia. Por que os clientes mais ricos eram sempre os mais mesquinhos com dinheiro? O vestido que Lexi estava usando parecia custar mais que o apartamento dele. Ainda assim, não devo ser ganancioso, pensou ele. Se jogasse as cartas certas e se estendesse bastante, a menina Blackwell poderia se tornar uma mina de ouro.

— Certo, quinhentos dólares. Está aí com você?

Lexi abaixou um pouco a frente de seu vestido e tirou um rolo de notas do sutiã. Olhando em volta de novo, ela colocou na mão suada e ansiosa de Tommy.

Depois que ele foi embora, ela pensou:

O que eu fiz? E se ele desaparecer com aquele dinheiro e eu nunca mais o vir?

Era um risco que valia a pena correr. Depois de anos economizando e juntando suas mesadas e presentes de Natal e de aniversário em uma conta secreta, Lexi agora tinha mais de trinta mil dólares no seu nome. Não era uma fortuna. Mas era um começo.

Tinha chegado a hora.

Prepare-se para morrer, porco.

Capítulo 17

UM ENCONTRO CASUAL NA biblioteca da prisão mudou a vida de Gabe McGregor.

Graças a Billy e aos cuidados zelosos do jovem médico da prisão que chefiava o programa de drogas em Wormwood Scrubs, Gabe estava limpo pela primeira vez em três anos. Mas a tentação estava por toda parte. A ironia era que aqueles presos estavam falando pelos cotovelos. Gabe tentara se matar, corroendo as próprias tripas com água sanitária, porque achou que não conseguiria drogas aqui. A verdade era que havia muita heroína disponível, era só conhecer as pessoas certas.

Gabe respondeu bem à metadona. Billy disse para ele:

— Não pode voltar atrás agora, filho. É a estrada para o inferno, você deve saber disso tão bem quanto eu.

— Não vou voltar atrás, Bill.

Gabe se escutou dizendo as palavras. Percebeu que desejava que fossem verdade. Mas toda vez que pensava nos anos de solidão e tédio à sua frente, em como decepcionara sua mãe, na montanha que teria de escalar se algum dia ele ***chegasse*** a sair daqui, a impotência e o desespero se tornavam insuportáveis.

Era apenas uma questão de tempo até voltar para a heroína, e ele sabia disso.

O médico da cadeia gostava de Gabe. Pressentindo a decisão de seu paciente se enfraquecendo, arranjou um emprego para ele catalogando livros na biblioteca da prisão.

— É um dos melhores lugares para se trabalhar neste lugar imundo. Tranquilo, pessoal decente, nenhum caso pesado. Você vai ganhar dinheiro e se ocupar.

Gabe ficou grato. O médico deve ter mexido alguns pauzinhos para conseguir um emprego tão bom para ele. Mas ainda achava o trabalho monótono e deprimente arrumando livros em ordem alfabética por autor, título e assunto.

— Esse é o problema com vocês, malditos escoceses. Não têm imaginação.

Gabe se virou. Atrás dele, sentado a uma das mesas de fórmica cercado por grossos livros de direito, estava um homem pequeno de meia-idade. Ele era totalmente careca e tinha um bigode preto espesso, estilo Charlie Chaplin, como se fosse de outro século, como um dançarino, ou mágico de um circo vitoriano.

— Desculpe. Está falando comigo?

— Sim, escocês, estou falando com você. — O sotaque ***cockney*** que o homem tinha era comicamente forte. Uma mistura de Michael Caine e Vinnie Jones. — Você passa os dias aqui e eu nunca o vi lendo sequer uma página. É como uma criança olhando para as prateleiras de uma loja de balas sem nunca esticar a mão para pegar uma.

— Não gosto muito de ler.

O homem riu.

— Sente-se, escocês. Vamos. Puxe uma cadeira.

Gabe olhou em volta. Os dois bibliotecários estavam entretidos em seus computadores. Ele não deveria parar seu trabalho para bater papo. Na verdade, ninguém deveria conversar na biblioteca. Teria de ser rápido.

— Marshall Gresham. — O homem careca estendeu a mão quando Gabe se sentou.

— Gabe McGregor.

— Deixe-me fazer uma pergunta, Gabe McGregor. Você sempre me vê aqui, certo? Quase todo dia?

Gabe assentiu.

— Já se perguntou o que estou fazendo? Com todos esses livros de aspecto entediante?

— Não, nunca — admitiu Gabe.

Os olhos cinza de Gabe encontraram os azuis de Marshall Gresham. Ele tinha olhos surpreendentes. Literalmente brilhavam, como o sol refletindo no mar, e pareciam convidar confidências.

— Vou lhe dizer, que tal? — disse Marshall. — Estou trabalhando no meu recurso. Sabe, Gabe McGregor, não gosto muito de advogados em geral, e em particular do meu. Um dia me toquei que, enquanto estou enjaulado aqui, fugindo de enrabadores pelos próximos dez anos, o meu maldito advogado arrogante volta para casa toda noite, janta um bom filé, depois come a esposa. Agora, me diga, qual de nós dois tem mais motivação para me ver saindo por aqueles portões rumo à liberdade?

Gabe riu.

— Ah, mas motivação não é tudo, certo, Sr. Gresham? Seu advogado é um profissional. Sabe como funciona o sistema de recursos. Você não.

— Eu não ***sabia***. — Marshall Gresham apontou para os livros à sua volta. — Mas agora eu com certeza sei. Gabe McGregor, me diga. Como está indo o ***seu*** recurso? Não tem tido muitas notícias do seu advogado, não é?

Michael Wilmott. Cristo. Gabe quase tinha esquecido que o homem existia. Estivera tão preocupado com seu vício e a luta diária para se manter limpo que deixara todo o resto de sua vida pendente. Permanentemente.

Marshall Gresham levantou uma volumosa sobrancelha preta.

— Aposto que a esposa dele faz um ótimo filé.

A PRIMEIRA COISA que Gabe fez foi despedir Michael Wilmott. A segunda coisa foi engolir o orgulho e escrever para todo mundo que poderia lhe ajudar a arranjar dinheiro para pagar um novo advogado. Escreveu um bilhete simples, que o médico da prisão também assinou, dizendo para as pessoas que estava limpo e determinado a recomeçar. Marshall Gresham o ajudou a soletrar. ("Esqueça essa dislexia. Você tem de dar mais duro do que as outras pessoas, só isso.") Gabe mandou cartas para todo mundo que conhecia que não era usuário nem criminoso, com poucas expectativas. Ficou surpreso com a resposta.

Therese, a última "namorada" dele, que o colocou para fora depois que ele roubou dinheiro dela, mandou mil libras.

— Você pode ser o que você quiser, Gabriel. Dê-me motivos para me orgulhar de você.

Quando recebeu o cheque, Gabe começou a chorar.

Recebeu mais dinheiro depois desse, presentes de centenas de libras vindos de amigos (quase sempre amigas) bacanas de Londres, pequenas doações de algumas libras de velhos amigos da Escócia que, mais uma vez, deixaram seus olhos cheios de lágrimas. ***Essa gente não tem nada. Não podem se dar ao luxo de me ajudar. Mas aqui estão eles, tentando.*** Sua mãe, Anne, que não tinha notícias de Gabe havia quase dois anos, mandou cinquenta libras e um bilhete que dizia simplesmente: "Eu amo você." Nem mencionou o fato de ele estar preso. Nenhuma palavra de censura.

Eu também amo você, mãe. Um dia, vou compensar a fé que tem em mim.

Dia após dia, conforme o dinheiro ia entrando em sua vida e as drogas saindo (já estava quase livre da metadona), seu otimismo natural e a fé na natureza humana ressuscitaram. Claire, sua primeira amante em Londres, era advogada. "Conheço um excelente advogado criminalista, Angus Frazer. Ele me deve uns vinte favores. Vou ver o que posso fazer por você."

Marshall Gresham estava impressionado.

— Vou lhe dizer uma coisa, rapaz. Ou você tem o maior pinto da Escócia ou é um maldito sedutor. Você depenou cada um desses pássaros, e agora estão todos aqui dispostos a ajudar você.

ANGUS FRAZER NÃO ERA um advogado tão brilhante quanto Claire tinha feito parecer.

Era, pelo menos, cinco vezes melhor.

Um homem bonito, que estudara em Eton, com nariz aquilino e postura real, Angus Frazer sabia "manipular" juízes da mesma forma que Gabe McGregor sabia manipular mulheres. Quando Angus Frazer terminou sua conclusão, o juiz do tribunal de apelação estava começando a se perguntar se Gabe deveria mesmo estar preso. Talvez o dono do estabelecimento em Walthamstow cujo crânio fora esmagado é quem devia ter ido para a cadeia. Afinal, fora *ele* quem arbitrariamente descarrilara a vida desse brilhante jovem promissor e determinado. Um jovem cujas elegantes amigas encheram a galeria pública do tribunal como esperançosas atrizes em um teste em Hollywood.

A sentença de Gabe foi reduzida para dez anos, o mínimo possível para o crime dele. Angus Frazer lhe disse:

— Você já cumpriu quatro. Com bom comportamento, sai em três.

Três anos! Só mais três anos! Para o novo Gabe, isso não era nada. Trinta e seis meses.

— Não sei nem como lhe agradecer, Sr. Frazer. O senhor sabe que hoje só tenho dinheiro para pagar metade dos seus honorários.

Angus Frazer sorriu. Era um homem rico, que não costumava fazer favores a ex-viciados. Mas, no caso de Gabe, estava contente por Claire McCormack ter lhe convencido. Tinha alguma coisa nesse rapaz... era difícil explicar. Mas Gabe McGregor fez com que Angus Frazer se sentisse feliz por estar vivo.

— Não se preocupe com isso, Gabe. Um dia, você vai me pagar, tenho certeza.

Vou sim, senhor. Juro sobre o túmulo do meu pai que vou pagar dez vezes o que lhe devo. Um dia.

MARHSALL GRESHAM estava preso por fraude.

— Então, quanto você roubou?

Era o tipo de pergunta que Marshall só tolerava de Gabe McGregor. Os dois homens tinham se tornado grandes amigos.

— Não roubei nenhum dinheiro, Gabriel. É por isso que estou entrando com um recurso contra a minha sentença. Eu ***reorganizei*** bastante.

— Quanto?

Marshall permitiu-se abrir um pequeno sorriso de orgulho.

— Duzentos e sessenta milhões.

Gabe ficou em silêncio por um minuto inteiro.

— Em que ramo você trabalhava, Marshall?

— Imobiliário.

Mais um minuto de silêncio.

— Marshall?

— Hummm?

— Acho que eu quero aprender sobre o mercado imobiliário. Você me ensina?

— Ora, Gabriel! — Os brilhantes olhos azuis de Marshall Gresham faiscaram ainda mais do que o normal. — Eu adoraria.

DE REPENTE, 36 meses pareceram 36 minutos.

Havia tanto para aprender e tão pouco tempo. Índices, taxas de juros, preços por metro quadrado, custos de construção, leis de planejamento. E havia mais e mais, e para Gabe era como aprender não apenas uma nova língua, mas uma forma totalmente nova de pensar.

— Muita coisa mudou no mercado nesses últimos anos — disse Marshall Gresham. — Todo esse dinheiro novo feito na internet. — Ele balançou a cabeça com desgosto. — As pessoas perderam a cabeça. Não acredite em ninguém que lhe diga que as forças fundamentais do mercado são diferentes do que sempre foram.

Gabe assentiu silenciosamente, absorvendo o conselho de Marshall. Era sua nova droga. Não se cansava de escutar a voz do homem mais velho. Cada palavra que saía da boca de Marshall Gresham soava como dinheiro, como esperança. O futuro de Gabe em carne e osso.

— Localização. Essa é a chave. Se eu fosse começar nesse jogo hoje, sairia de Londres.

Gabe ficou em silêncio, mas havia um ponto de interrogação em seu rosto.

— Muito inflacionado. Muitos polos. E os russos. Muitas barreiras para conseguir entrar. Para ser honesto, eu esqueceria o Reino Unido todo. E os Estados Unidos. Você precisa de um mercado que ainda esteja crescendo. Comece de baixo, como eu comecei.

Comece de baixo.

É, claro. Mas onde? E com o quê?

Marshall Gresham fazia com que parecesse tão simples.

MARSHALL ESTAVA certo sobre a biblioteca de Wormwood Scrubs. Olhe além do piso de linóleo e das mesas baratas de fórmica, dos livros já gastos de Dick Francis e das autobiografias de modelos famosas (***Minha vida: a história que nunca foi contada, de Misty Holland. Quem lia essa porcaria?***), e um mundo de infinitas possibilidades estava ali ao seu alcance.

Muitos prisioneiros seguiam o mesmo caminho de Marshall Gresham e iam direto para os livros de direito. Alguns até conseguiram seus diplomas na Open University enquanto estavam presos. Outros se perdiam na ficção, uma espécie de fuga da realidade difícil que era a vida na prisão. Já Gabe, sempre que não estava envolvido com livros sobre mercado imobiliário e negócios, procurava os de história. Principalmente, sobre a história do seu famoso ancestral, Jamie McGregor.

Era impressionante o quanto tinha sido escrito sobre o irmão do tataravô de Gabe e a ilustre empresa que fundou. Gabe descobriu que, nos Estados Unidos, professores universitários dedicaram suas vidas a estudar a Kruger-Brent. Como se fosse um país ou uma guerra, um grande rei ou uma epidemia.

Não é de admirar que meu pai e meu avô fossem tão obcecados. Aparentemente, não foram os únicos.

Gabe sempre soube que Jamie McGregor morrera um homem muito rico e que seus descendentes diretos — a família Blackwell — se tornara ainda mais rica. Mas as quantias de dinheiro das quais lia eram tão altas que, só de pensar, sua cabeça doía. Era como tentar imaginar a distância até a lua em polegadas, ou quantos grãos de areia existiam em uma praia.

Mas não era o dinheiro que despertava o interesse de Gabe. Nem a empresa cujo poder se espalhava pelo mundo e, agora, chegava até o espaço, graças a uma aquisição, na década de 1980, de uma empresa que fabricava satélites. Era o homem em si, o próprio Jamie McGregor, que fascinava Gabe.

Gabe leu sobre a Escócia da década de 1860, a vida de miséria da qual Jamie fugira. Fazia com que a sua infância parecesse luxuosa em comparação. Aprendeu sobre o mar traiçoeiro que ligava Londres à Cidade do Cabo. Milhares de homens como Jamie McGregor morreram na jornada, sucumbindo à fome, exaustão ou doença enquanto perseguiam o sonho de encontrar riquezas nos campos de diamante da Namíbia. Menos de um em um milhão conseguiu. Jamie McGregor foi esse homem que superou obstáculos inimagináveis.

Anos depois, poucos meses antes de um derrame deixá-lo incapacitado pelos últimos anos de sua vida, um repórter de um jornal sul-africano perguntou a Jamie McGregor o que ele considerava o segredo de seu sucesso.

— Perseverança — respondeu ele. — E coragem. Fui a lugares que a maioria das pessoas considerava perigosos demais. Não confie em ninguém além de você mesmo.

Gabe pensou nisso. ***Confio em Marshall Gresham. Na minha mãe. Em Claire. E em Angus Frazer. Talvez, se eu seguir as regras um e três, conseguirei dois terços da fortuna que Jamie McGregor conseguiu?***

Então, do nada, outro pensamento o dominou.

O que Marshall dissera? ***Encontre um mercado que ainda esteja crescendo. Comece de baixo.***

E Jamie McGregor? ***Fui a lugares que a maioria das pessoas considerava perigosos demais.***

De repente, a resposta era óbvia.

UM POUCO DE PESQUISA confirmou a animação de Gabe. O rande sul-africano desmoronara em relação ao dólar americano desde o fim do Apartheid. Propriedades na Cidade do Cabo estavam sendo vendidas a preço de banana enquanto as famílias brancas iam embora, temendo uma nova explosão de violência negra. Temendo uma revolução.

Se vier uma revolução, perderei tudo. Mas se não vier...

Finalmente, Gabe McGregor tinha um plano. Iria para a África atrás da sua fortuna.

Exatamente como Jamie McGregor fizera antes dele.

ÀS 7H30, GABE estava em um metrô no centro de Londres.

Às 9h30, estava esperando do lado de fora das portas de vidro do exclusivo Coutts Private Banking, no número 100 da Strand.

— Posso ajudá-lo, senhor?

O guarda lançou um olhar para Gabe que deixou claro que a ***última*** coisa que queria era ajudá-lo. Gabe não culpava o homem. Fizera a barba e se arrumara da melhor forma que conseguiu, mas com seu surrado paletó cinza e a velha calça jeans molhada de chuva, não se parecia nem um pouco com um dos clientes do banco.

Deixei alguma coisa para você no Coutts. Só para você começar.

Era típico da generosidade de Marshall Gresham. Já fizera tanto, dando o pontapé inicial no recurso de Gabe, ensinando-o sobre o mercado imobiliário. Billy e o médico da prisão conseguiram deixar Gabe limpo, mas foi Marshall Gresham quem o manteve assim. Marshall lhe dera esperança, algo pelo que viver além da heroína. Não salvara a sua vida; ele lhe dera uma nova em folha.

E agora ele quer garantir que eu tenha dinheiro para pagar um lugar para dormir e algo para comer esta noite.

Era comovente e muito necessário. Gabe saíra de Wormwood Scrubs com apenas cinco libras no bolso, que já acabara com a passagem do metrô e um sanduíche de bacon na Kings Cross. Esta tarde, começaria a procurar trabalho em construção civil. Alguns amigos da prisão tinham lhe dado alguns contatos. Mas era bom saber que não teria de dormir ao relento no primeiro dia.

— Vim aqui para falar com Robin Hampton-Gore. — Gabe falou baixo, mas com autoconfiança. — Acredito que Marshall Gresham avisou-lhe que eu viria.

E a expressão do guarda agora dizia: *e* eu ***acredito que você é um charlatão que veio tentar a sorte com uma história triste. Bem, se é isso, boa sorte para você, companheiro. Não vai conseguir nada com o Sr. HG.***

Em voz alta, ele disse:

— Espere aqui, por favor, senhor.

Gabe esperou. Cinco minutos depois, quase tão surpreso quanto o guarda, ele foi levado ao escritório por um homem simpático com terno risca de giz feito em Savile Row e os sapatos mais brilhantes que Gabe já vira.

— Sr. McGregor, suponho?

O homem se sentou atrás de uma confortável mesa de mogno maciço. Fez sinal para Gabe se sentar na cadeira estofada à sua frente.

— Robin Hampton-Gore. Marshall me disse que você viria. Na verdade, ele fez toda uma profecia. Garantiu que você será o próximo Donald Trump.

Gabe riu, pouco à vontade. Para um banqueiro elegante, Robin Hampton-Gore estava sendo simpático demais com um ex-viciado em heroína que acabara de sair da prisão depois de cumprir pena por arrombamento e agressão, cujas únicas recomendações vinham de um homem condenado por fraude.

— Marhsall é um velho amigo — explicou Robin, como se pudesse ler os pensamentos de Gabe. — Foi ele quem me colocou neste ramo. Ele foi o meu primeiro grande cliente e continuou comigo, mesmo quando ficou muito rico e podia ter insistido que alguém mais velho e experiente cuidasse de sua conta. Devo muito a ele.

— Eu também — disse Gabe.

Robin Hampton-Gore destrancou a gaveta de sua mesa com uma chave de bronze antiga e tirou um envelope branco.

— Aqui tem dinheiro — explicou ele, sem necessidade, entregando-o a Gabe. — Marshall achou que fosse precisar de algum imediatamente.

Gabe abriu o selo e ficou perplexo. Dentro havia uma pequena fortuna. No maço, havia algumas notas de dez e vinte, depois, nota de cem atrás de nota de cem, as inconfundíveis notas vermelhas balançando em suas mãos trêmulas como borboletas raras enquanto ele as folheava, tentando contar.

— Aí só tem dez mil. É um dinheiro de segurança. O resto está em uma conta no seu nome. Tenho todos os detalhes aqui.

Robin Hampton-Gore entregou a Gabe um segundo envelope. Esse já estava aberto, com um maço de papéis timbrados do Coutts visíveis.

Gabe gaguejou.

— Eu... eu não estou entendendo. Como assim, "o resto"? Acho que deve haver um engano. Só preciso de umas duzentas libras.

Robin Hampton-Gore riu.

— Bem, você ***tem*** umas duzentas mil libras. — Entregando a Gabe um terceiro envelope e seu cartão de visitas, ele se levantou para sair. — É uma carta de Marshall. Acredito que ela explique tudo, mas se tiver mais alguma pergunta, não hesite em me ligar.

As mãos de Gabe ainda estavam tremendo. Como sempre quando se tratava de Marshall Gresham, a carta era curta e direta.

"Querido Gabriel,

Isto não é um empréstimo. É um investimento. Somos sócios igualitários.

Abraços, M.

P.S.: Não se esqueça de escrever da Cidade do Cabo."

Gabe sentiu um nó na garganta e engoliu seco. Agora não era hora de ficar emocionado. Tinha muito o que fazer. Estava em débito com tantas pessoas. Marshall Gresham, Angus Frazer, Claire, sua mãe. Não podia decepcioná-los.

Pagarei a vocês. Cada centavo.

Vou para a África ganhar a minha fortuna.

Não voltarei até ser tão rico quanto Jamie McGregor.

Capítulo 18

AUGUST SANDFORD SEGUROU no assento de sua cadeira e rangeu os dentes perfeitos e brancos, frustrado.

A reunião da equipe do novo Departamento de Internet da Kruger-Brent já excedera em quase uma hora. Max Webster, o bisneto de 21 anos de Kate Blackwell e provável futuro presidente da Kruger-Brent, estava de pé, falando arrogantemente.

August pensou: ***Não passei oito anos na Goldman Sachs para ficar sentado aqui, escutando um calouro de alguma faculdade de administração. Ou passei?***

A namorada de August, Miranda, o avisara quando resolveu entrar na Kruger-Brent.

— É uma empresa familiar, amor. Por mais que seja enorme e global, no final, os Blackwells sempre darão as ordens. Você vai detestar.

August ignorara os conselhos dela por três razões. O ***headhunter*** da Spencer Stuart prometera triplicar seu salário e seu bônus; acreditava que logo faria parte da diretoria da Kruger-Brent; e não costumava aceitar conselhos de suas namoradas quando se tratava de sua carreira. August Sandford escolhia suas namoradas de acordo com um conjunto restrito de critérios relacionados a tamanho de seios e a abdomens sarados. Queria uma leoa na cama, não uma orientadora para a vida.

— Não se preocupe, boneca — disse August para Miranda com condescendência. — Sei o que estou fazendo.

Mas ele não sabia de nada. Miranda estava certa. Em dias como hoje, August Sandford desejava seu emprego antigo na Goldman como um náufrago deseja encontrar terra firme. Nenhum salário valia isso.

— O seu ponto de vista é limitado. — Os olhos negros de Max Webster brilhavam com paixão. — A Kruger-Brent deveria investir mais dinheiro em seus negócios de internet, não menos.

O discurso dele (***mais parecido com um sermão***, pensou August amargamente) era direcionado inteiramente à sua prima, Lexi Templeton. Como se os dois herdeiros Blackwell fossem as únicas pessoas na sala. Ambos estavam de licença da Harvard Business School por seis meses. Quando se formassem, os dois iriam trabalhar na Kruger-Brent. Mas, no final, apenas um usaria o manto de presidente, uma posição que apenas membros da família podiam ocupar.

O consenso geral era de que essa pessoa seria Max. Além da desvantagem óbvia de sua surdez, todos viam Lexi como uma garota muito festeira para ser levada a sério. Ela apareceu para o seu primeiro dia de estágio no banco de trás de um Ducatti, suas longas pernas enroscadas nas do dono do carro, Ricky Hales, e sua marca registrada: cabelos louros, ao vento. Ricky Hales era o baterista da mais famosa banda de rock da atualidade, The Flames. Com mais tatuagens do que pele e um consumo de heroína que fazia Courtney Love parecer Madre Teresa, Ricky era quase tão cobiçado pelos paparazzi quanto Lexi. Lexi deu um beijo demorado em Ricky nos degraus do prédio da Kruger-Brent, uma foto que apareceu na capa de todas as revistas de fofoca dos Estados Unidos na manhã seguinte.

Lexi Templeton era um enigma. Meio criança vulnerável, meio megera, ela deixava a imprensa imaginando histórias e o público obcecado pela família Blackwell cada vez mais intrigado. Mas August Sandford tinha o pressentimento de que o pequeno show de Lexi com Ricky Hales não tinha como objetivo a imprensa. Era, sim, uma tentativa deliberada de atingir seu primo, o sinistro Max Webster.

A rivalidade entre os dois herdeiros Blackwell era intensa. Fazia com que August se lembrasse das irmãs Williams, quando declararam no primeiro Torneio de Wimbledon de que participaram que se consideravam as únicas rivais uma da outra, isolando-se instantaneamente de todas as outras jogadoras do circuito internacional. Ao contrário das irmãs Williams, Lexi e Max alimentavam essa competição com uma tensão sexual tão forte que era possível sentir no ar. Não que algum deles admitisse esse fato, nem para si próprios.

A voz de Miranda soava nos ouvidos de August: ***é uma empresa de família, amor. No final, os Blackwells sempre darão as ordens.***

August olhou em volta da mesa. Além dele, Max e Lexi, havia três outros executivos da Kruger-Brent na reunião. Harry Wilder, um ex-acadêmico com cabelo grisalho e sobrancelhas de cientista maluco, era obviamente o mais velho. Membro do conselho havia uma década, Harry Wilder jogava golfe com Peter Templeton, o atual presidente da Kruger-Brent. Além de ser um adversário decente e uma pessoa de comportamento afável, era difícil ver que valor Harry Wilder acrescentava à empresa. Ninguém o levava a sério, August Sandford menos ainda. O fato de Harry Wilder ser o membro do conselho escolhido para chefiar o departamento de internet não era considerado um bom presságio para nenhum deles.

Ao lado de Wilder, estava Jim Bruton, um executivo em ascensão na Kruger-Brent. Uma cópia fiel de Frank Sinatra quando jovem, o relacionamento pessoal mais significativo de Jim era com o espelho. Em segundo, vinha sua assistente pessoal peituda, Anna. E em um terceiro lugar distante, vinha sua leal esposa Sally, mãe das três filhas legítimas de Jim — Corinna, Polly e Tiffany —, a quem ele sempre se referia pretensiosamente como "as herdeiras". (Seus dois filhos ilegítimos, Ronnie e Carlton, moravam com a mãe em Los Angeles, e Sally e as meninas não sabiam de nada.)

Dizer que August Sandford desprezava Jim Bruton seria eufemismo. Mas até mesmo August tinha de admitir que Jim era esperto. Ele triplicara os lucros do departamento de biotecnologia durante sua gestão no início da década de 1990. Jim não escondia de ninguém o fato de que sua intenção era tornar a Kruger-Brent Internet seu próximo feudo lucrativo.

Sobre o meu cadáver, pensou August.

Ao lado de Jim Bruton, estava uma jovem chamada Tabitha Crewe. Recentemente contratada da escola de direito de Stanford, Tabitha era atraente com seus traços regulares e cabelo preso em uma espécie de rabo de cavalo. Aparentemente, ela criara e vendera uma pequena empresa pontocom enquanto ainda estava na faculdade e fizera seu pé-de-meia, e por isso fora convidada a fazer parte da equipe. August fitou o rosto impassível e sem maquiagem de Tabitha e achou difícil imaginá-la tendo disposição para ligar uma máquina de lavar, muito menos iniciar um negócio. Ela parecia tão... apagada. Ainda mais sentada ao lado de Lexi Templeton.

Essa sim tem fogo no meio das pernas. Se ela não estivesse tão obcecada em seu primo cafajeste... como eu gostaria de arrancar toda essa insolência dela. Sexy, teimosa, orgulhosa...

— Sr. Sandford, nós o estamos entediando?

Jim Bruton estava encarando August, um sorriso irônico nos lábios.

Sim, vocês estão me entediando. Vocês estão enchendo meu saco.

— Desculpe. — August retribuiu o sorriso. — Qual foi a pergunta?

— O Sr. Webster está sugerindo que façamos uma proposta formal para encaminhar para o conselho, pedindo um orçamento maior com o qual poderíamos fazer novas aquisições. A Srta. Templeton não concorda. Eu e Harry gostaríamos de saber qual é a sua opinião.

August abriu a boca para responder, mas foi interrompido por Lexi. Sua surdez fazia com que ela falasse de forma mais lenta e deliberada. Também tinha o hábito de mexer as mãos enquanto falava, inconscientemente usando a linguagem de sinais. August observou seus dedos longos e finos executarem uma delicada dança e imaginou a sensação de tê-los segurando seu pau. Começou a ter uma ereção, o que o deixou ainda mais irritado.

— Eu sou totalmente a favor de expandirmos nosso alcance on-line. ***Não*** sou a favor é de jogar dinheiro aleatoriamente em cima de um bando de iniciantes, antes de termos feito um planejamento detalhado. Meu primo parece achar que os fundamentos da economia não se aplicam às empresas de internet. Eu discordo.

— Eu também — disse August.

Max fitou-o furiosamente. Jim Bruton e Harry Wilder fizeram o mesmo. Era claro que ambos já tinham decidido que as chances de uma mulher surda assumir a Kruger-Brent era escassa ou nenhuma, independentemente do que dissesse o testamento de Kate Blackwell, e estavam apostando todas as suas fichas em Max.

Se eu tivesse um mínimo de bom-senso, faria o mesmo, pensou August. ***Eu nem gosto da garota, então só Deus sabe por que estou do seu lado.*** Mas o fato era que Lexi estava certa. Max estava falando demais, apostando cega e gananciosamente no trem da internet como todo o pessoal de Harvard.

— Qualquer proposta de aquisição que enviarmos ao conselho precisa ser específica e baseada em dados consistentes. — August se levantou para sair. — Agora, se me dão licença, tenho uma reunião de almoço importante.

NAQUELA NOITE NA BANHEIRA, Lexi Templeton pensou em August Sandford.

Ele não é o homem mais feio do mundo, reconheceu ela de má vontade, formando uma imagem mental de seu espesso cabelo castanho, maxilar forte e olhos amendoados, contrabalançados pelo bronzeado que, sem dúvida, adquirira nas praias de East Hampton no verão. Levando em consideração a aparência, ele era o oposto de Max. Brad Pitt contra o Johnny Depp de Max. Pelo menos, era assim que ele provavelmente pensava.

Ele é quase tão bonito quanto acha que é. Mas nem um pouco tão inteligente.

Lexi conhecia a fama de August Sandford em Harvard. Porco chauvinista bonito, rico, bem-educado. ***Pegue um ego inflado, refogue com riqueza e privilégios, cubra com um cartão de visitas de uma empresa poderosa e*** voilà***! August-já-falei-que-trabalhei-na-empresa-Tal?-Sandford. Pé no saco.***

Os jovens brilhantes de Harvard entediavam Lexi, mas serviram ao seu propósito. Ela transara com todos eles. Desde a festa de seu aniversário de 16 anos, quando perdeu a virgindade para Christian Harle, era assombrada pela ideia de que o abuso sexual na infância tinha “arruinado” a sua vida sexual para o resto de seus dias. Depois de batalhar tanto para superar a surdez, era terrível imaginar que o porco teria vencido afinal. Que ele a teria transformado em algum tipo de deficiente sexual. Determinada a não deixar isso acontecer, Lexi se lançou ao sexo na faculdade com todo o fervor obcecado de um marinheiro ao desembarcar em um porto. Harvard estava lhe oferecendo educação em todos os sentidos: algoritmos durante o dia, orgias à noite. ***Ménage à trois***, relacionamentos bissexuais, brinquedos sexuais, fantasias — Lexi queria descobrir tudo. Para provar ao mundo e a si mesma que ***não*** era uma vítima, que o porco ***não*** a derrotara. Era um segredo conhecido de todos que Lexi Templeton era a melhor transa de Harvard. Mas um código oculto de lealdade evitava que seus colegas espalhassem esses boatos para a imprensa. Harvard era um mundo fechado, um lugar seguro para explorar o lado devasso das pessoas. Fora os muros da faculdade, a história era outra.

Na Kruger-Brent, terei de ser mais cuidadosa.

Lexi pensou de novo em August Sandford. Pelo menos, ele ficara do seu lado contra Max hoje, que era mais do que os outros engomadinhos tinham feito. Lexi tinha plena consciência de que noventa por cento dos executivos seniores da Kruger-Brent a desconsideravam. O testamento de Kate Blackwell a favorecia em detrimento de Max para a presidência, mas Kate Blackwell não sabia que Lexi ficaria surda. De qualquer forma, uma decisão unânime do conselho permitiria que Max usurpasse seu lugar. A maioria das pessoas na empresa, incluindo Max, sem mencionar o próprio pai de Lexi, parecia ver isso como inevitável. Isso deixava Lexi enlouquecida de raiva.

Como eles ousam me descartar? As minhas notas sempre foram mais altas do que as de Max. Sou mais inteligente que ele, tenho mais tino para os negócios. OK, não consigo escutar. Mas Max não sabe ouvir. Essa é a verdadeira deficiência. Ele ama demais o som da própria voz.

Lexi passou a esponja com sabonete embaixo dos braços e nos seios. Os homens eram todos iguais. Impressionados demais consigo mesmos, batendo no peito como babuínos. August Sandford, Jim Bruton, Max... eram todos versões adultas de Christian Harle e dos outros machões da época do colégio. Eles tratavam Lexi com a mesma condescendência que dedicavam a todas as mulheres, só que no caso dela a surdez parecia piorar ainda mais as coisas. Isso e o fato de ela ser linda, rica, famosa e mais inteligente que todos eles juntos.

August Sandford pode ter achado que conseguiu ocultar seus pensamentos de todos hoje. Mas Lexi podia ver a inveja em seus olhos.

Ele me odeia porque sou melhor do que ele. Ele me odeia porque quer transar comigo e não pode. Ele me odeia porque...

Uma luz na tela de seu computador que estava na sala chamou sua atenção.

Nova mensagem.

Pegando uma toalha, Lexi saiu da banheira correndo, pingando pelo chão de imbuia de seu apartamento. Diferente do Max, "filhinho de mamãe" que ainda morava com Eve, Lexi tinha sua própria casa em Upper East Side e curtia sua independência. Seu bonito e moderno apartamento de dois quartos em um prédio elegante na 77th, entre a Park Avenue e a Madison, era decorado com cores neutras e tons de branco, com enormes janelas que iam do chão ao teto, oferecendo uma vista da cidade. Um delicado lustre Christopher Wray de vidro e aço inoxidável pendia do teto acima de um tapete de pele de pônei cor de creme. No outro canto, em uma moderna escrivaninha dinamarquesa, estava o Apple Mac branco de Lexi: seu portal para o mundo que escutava. Costumava se perguntar como os surdos tinham conseguido viver antes do advento da internet e agradecia a Deus por ter nascido na era do texto.

Descendo com o cursor e passando por e-mails de Robbie, de seu pai, de seu professor em Harvard, Dr. Fairford, e inúmeros namorados, Lexi fez uma oração silenciosa.

Por favor, seja dele.

Finalmente, chegou à nova mensagem. Clicando para abrir, o coração dela deu um pulo de empolgação. No assunto dizia:

Eu o encontrei.

TOMMY KING não gostava da Tailândia.

Há um limite para o número de xoxotas asiáticas que um homem pode apreciar. Uma vez que se via as primeiras cem garotas atirando bolas de pingue-pongue do ânus, fumando charutos com as xoxotas e esgotarem seus repertórios de truques sexuais bizarros, ficava cansativo. E depois o que sobrava? Insetos fritos, ar fedido e quente e disenteria, só isso.

Tommy King queria comer um Big Mac, assistir a uma partida de futebol americano na televisão nas noites de segunda-feira, noticiários da Fox, e fazer sexo com uma mulher branca com mais de 30 anos que considerasse o ânus uma via de saída, não de entrada. Após cinco longos anos, queria acabar com essa missão miserável. Obviamente, o cara estava morto, como os outros dois. Por que a garota Templeton não conseguia aceitar isso?

Quando Tommy King encontrou Lexi Templeton pela primeira vez na festa de aniversário de 16 anos dela, pensou que estava entrando em uma bolada de dinheiro. Mal sabia ele que a busca pelos sequestradores da garota levaria cinco anos longos e infrutíferos. Anos em que o detetive particular acumulou mais milhas aéreas do que Henry Kissinger, e para quê? Claro, conseguira fazer um bom pé-de-meia. Mas já completara 62 anos de idade e estava cansado. Além disso, para que servia o dinheiro em um lugar imundo como Phuket?

O agente Edwards, o herói (babaca) do FBI que tirou Lexi da fábrica em chamas tantos anos atrás tentou avisá-lo. Tommy King foi visitar o agente na casa dele em Long Island, uma mansão comprada com o dinheiro do agradecido pai da menina. Subindo pela ladeira de entrada, Tommy King pensou: ***nossa, o dinheiro Blackwell vai longe.*** Então, viu o rosto do agente Edwards coberto por cicatrizes e pensou: ***mas não tão longe.***

— Você não vai encontrá-los. Acredite em mim, já tentamos.

Ficaram sentados no jardim em um bonito dia de primavera. Uma empregada trouxe limonada fresca. Tommy King observou o agente Edwards tomar o suco com o que costumava ser a sua boca e tentou não contrair o rosto.

— O que faz com que tenha tanta certeza?

— O fogo destruiu tudo, todas as provas materiais. As únicas coisas que temos para nos basear são as descrições de Lexi, que são bem detalhadas em alguns aspectos, mas não são suficientes. — O agente Edwards balançou a cabeça triste. — Temos bastante certeza de que não foi nenhuma das facções criminosas mais importantes.

— Nada de máfia?

— Certamente não. Investigamos todo mundo que tivesse alguma desavença com a família Blackwell. Real ou imaginária. É uma longa lista.

— Aposto que sim. — Tommy King tomou um gole da sua limonada. Estava deliciosa.

— Funcionários da Kruger-Brent, empregados da casa. Até investigamos antigos pacientes do Dr. Templeton. Ele era psiquiatra antes do casamento, sabe? Achamos que talvez algum ex-paciente que gostasse de criancinhas...

Tommy King estremeceu.

— De qualquer forma, depois de dois anos e um orçamento praticamente ilimitado, arquivamos o caso. Eu lhe desejo boa sorte. Mas está procurando três agulhas em um palheiro do tamanho do Canadá.

DOIS ANOS DEPOIS, Tommy King encontrou as duas primeiras agulhas: William Mensch e Federico Borromeo. Billy Mensch era um traficante insignificante da Filadélfia que virou matador de aluguel, e Borromeo, um criminoso do colarinho branco e jogador compulsivo sem nenhum histórico de violência.

Os dois se conheceram em 1970, quando cumpriam pena em um centro de detenção juvenil.

Ambos morreram juntos em um acidente de carro em Mônaco em 1993, um ano depois do resgate de Lexi.

Quando Tommy King contou a notícia para Lexi, então com 18 anos, ela se recusou a acreditar. Escreveu para Tommy, exigindo ver fotos dos corpos. Após quatro meses dolorosos paquerando a recepcionista solitária e gordinha do Instituto Médico Legal de Mônaco, Tommy conseguiu. Com as fotos, ele mandou a conta e um bilhete perguntando se Lexi queria que ele continuasse a busca pelo terceiro homem.

"Em dois anos, não descobri nenhum vestígio dele. Como sabe, o FBI também não conseguiu nada. Sinto-me na obrigação de dizer-lhe que, na minha opinião, não conseguiremos rastrear esse indivíduo e que continuar no caso seria um desperdício do meu tempo e do seu dinheiro."

Uma semana depois, Tommy King recebeu um cheque de vinte mil dólares de Lexi Templeton, junto a um bilhete com uma única palavra.

Continue.

Dois anos depois, ele conseguiu uma pista de um homem que se chamava Dexter Dellal, um conhecido estuprador e ladrão na área de São Francisco. Dellal fazia visitas regulares ao Extremo Oriente como turista sexual.

Tommy King reservou um voo para Bangcoc.

NA TAILÂNDIA, Dexter Dellal desaparecera de novo como um peixe nadando no esgoto. Ocasionalmente, com o passar dos meses, Tommy King o via pulando como um salmão para fora de um rio de sujeira. Em Bangcoc, ele era conhecido como Mick Jenner, corretor de seguros; em Pattaya, ele era Fred Greaves, fabricante de brinquedos; em Phuket, era Travis Kemp, motorista de táxi. Tommy King só conseguiu colocar as mãos nessa criatura escorregadia na sua última encarnação:

John Barclay, também conhecido como prisioneiro 7843A.

John Barclay levara uma prostituta de 10 anos de idade para o seu quarto de hotel cinco estrelas e foi preso por um esquadrão armado tailandês 15 minutos depois, com as calças abaixadas.

Dez anos. Sem liberdade condicional. Sem xoxotas pré-adolescentes.

Muito ruim, Dex. Ou quem quer que você seja.

TOMMY KING ESTAVA sentado no bar, esperando seu Blackberry tocar.

Uma coisa podia dizer de Lexi Templeton. Ela não dormia no ponto. Não com uma notícia como essa.

Como ele esperava, sessenta segundos depois, seu telefone tocou. Abriu um sorriso cheio de dentes de ouro.

— ***Obrigada. O seu serviço chegou ao fim. Farei a transferência do dinheiro para a sua conta nas Bahamas na segunda-feira de manhã. Adeus, Sr. King.***

Tommy imaginou o que aconteceria agora. Lexi esperaria dez anos até o cara ser solto — se ele vivesse tanto — para se vingar? Ou ela consideraria uma década sendo estuprado em uma cadeia tailandesa castigo suficiente?

Não se importava. Isso não era mais problema seu.

Adeus, Srta. Templeton.

Já vai tarde.

A SEIS QUARTEIRÕES do apartamento de Lexi, Max estava jantando em casa com sua mãe.

— O que houve, querido? Parece tenso.

Um metro e oitenta de mogno lustroso separavam Eve de seu filho. A mesa estava arrumada formalmente, como sempre, com o jogo completo do faqueiro prata. Uma cozinheira ***cordon-bleu*** preparava todas as refeições de Eve, cuidando para que ela ingerisse menos de 1800 calorias por dia. Keith podia ter roubado seu rosto décadas atrás, mas mesmo hoje, aos 55 anos, Eve ainda era vaidosa o suficiente para obcecar-se quanto a manter seu corpo em forma. Como não podia ir a restaurantes, pois temia ser fotografada, Eve tentava fazer com que suas refeições em casa fossem o mais luxuosas e agradáveis possível. Vestia-se para jantar e esperava que Max fizesse o mesmo. Esta noite, ela estava usando um vestido longo, verde jade, com gola alta e um profundo decote em V nas costas que ia quase até o quadril. Era um vestido para ser usado por uma mulher jovem, mas Eve podia usá-lo sem problemas.

— Não é nada. — Max forçou um sorriso.

Eve examinou o bonito rosto do filho, os traços predatórios, sensuais, acentuados pelo smoking preto.

Ele é de tirar o fôlego. Não há nada do pai nele. Mas como um filho meu podia mentir tão mal?

— Não acho que não seja nada, Max. Diga-me o que houve.

Max hesitou.

— É Lexi. Tivemos uma reunião de equipe hoje. Ela ficava sempre tentando me derrubar.

As pálpebras repuxadas e cheias de cicatrizes de Eve se estreitaram.

— Continue.

— August Sandford está comendo na mão dela. Tenho certeza de que Jim Bruton também quer transar com ela. — Max balançou a cabeça. — No início, achei que o conselho só a mantinha entretida durante o estágio. Mas agora não tenho mais tanta certeza. Ela quer a presidência tanto quanto eu. Ela é inteligente.

— Ela é surda, Max. — A voz de Eve estava cheia de desdém. — Você está me dizendo que não pode passar a perna em uma garota que pronuncia as palavras como se fosse uma bêbada? Como uma retardada?

— Claro que não, mãe. Eu...

— Ela é uma vadia! É uma piada! — Ressentimento saía de Eve como pus de um abcesso. — Deixando as boates todos os dias às 5h com a saia levantada.

Isso não era exatamente verdade. Lexi podia ser promíscua, e podia gostar de festas, mas tinha plena consciência de imagem pública. Não que Max fosse discutir. Odiava a prima tanto quanto Eve. O fato de desejá-la sexualmente só fazia com que a odiasse ainda mais. Lexi era tudo que existia entre ele e a Kruger-Brent. Entre ele e o amor de sua mãe. Lexi estava tentando afastar Eve dele. Estava arruinando tudo.

Eve continuou despejando sua fúria.

— Você não é um homem. É um bichinha como seu primo Robbie. Como seu pai.

— Não! Não tenho nada a ver com Keith.

— Você não tem ***colhões*** para dirigir aquela empresa.

— Tenho sim, mãe. Eu...

— Sobre o que exatamente foi a reunião de hoje?

Max contou a Eve sobre sua proposta para captar mais dinheiro para o departamento de internet e sobre as objeções de Lexi. Eve ficou em silêncio por alguns momentos.

— Certo — disse ela, finalmente, afastando seu prato. — Eis o que vamos fazer.

HARRY WILDER ESTAVA na terceira taça de vinho tinto no bar do Golf Club quando o garçom bateu em seu ombro.

— Telefone para o senhor.

— Para mim?

Não estava esperando nenhuma ligação de negócios. Era sábado. Sua esposa Kiki estava fazendo compras com as amigas e, além disso, ela nunca ligava para o clube. Será que alguma coisa terrível aconteceu. Algum de seus netos?

— Pode atender na biblioteca.

Harry Wilder entrou apressado no salão deserto, com paredes forradas com carvalho, tentando não deixar sua imaginação correr solta. Kiki estava sempre dizendo para não se preocupar tanto. Professor Pânico era o apelido carinhoso que ela lhe dera.

— Alô?

— Eu sei sobre Lionel.

A voz não era conhecida. Harry nem tinha certeza se era feminina ou masculina.

— Como?

— Lionel Jakes. Eu sei.

Harry Wilder sentiu a boca ficar seca. A língua começou a inchar.

— Quem é?

— Não me diga que você esqueceu, Harry? Do adorável Lionel? Da sensação de ter o pau dele na sua boca? Do sabor do gozo dele?

— Meu Deus! — balbuciou Harry. — Como você... ? Nós éramos meninos, pelo amor de Deus. Garotinhos. Isso foi cinquenta anos atrás. Hoje sou um homem casado e feliz.

Gargalhada.

— A sua esposa não sabe sobre Lionel, sabe? E sobre Mark Gannon?

Harry Wilder sentiu um aperto doloroso no peito. ***Quem era essa pessoa? Como podia saber sobre Mark? Ele estava morto havia vinte anos.***

— O que você quer?

Quando a voz disse, Harry não acreditou.
— Só isso? Você não quer dinheiro?
Mas a pessoa já tinha desligado.

OLHANDO PARA SUA tigela vazia, ele teve a sensação familiar da fome consumindo seu estômago.

— ***Mi piang por.*** — ***Não é suficiente.***

Seus quatro companheiros de cela começaram a bater com as colheres nas tigelas em protesto. A ração normal de arroz que recebiam — uma tigela cheia no café da manhã e outra à tarde — tinha sido cortada a dois terços sem nenhuma explicação pelo segundo dia consecutivo.

— ***Gla'p maa***! — ***Volte!*** O guarda tailandês gritou, e os homens recuaram como cachorros, os dentes para fora, mas com as cabeças abaixadas em submissão.

Os cinco eram brancos. A prisão de Samut Prakan estava cheia de molestadores de crianças, mas os brancos recebiam o pior tratamento e precisavam ficar afastados dos demais prisioneiros. Isso era bom porque significava que eram apenas cinco na cela, e não oito ou dez como os tailandeses, que fediam. ***Animais repugnantes.*** Por outro lado, ele desconfiava que os brancos eram os últimos da fila de comida. Receber sopa de pior qualidade era tolerável. Mas ser privado de arroz não era.

Fechou os olhos e pensou nos Estados Unidos. Dias mais felizes. Em outras épocas, quando estava alimentado, permitia que sua mente se lembrasse das gêmeas Blackwell. Doce Eve. Tensa Alexandra. Como elas eram perfeitas quando meninas. Como eram macias e pequenas. Pensou em Lexi, filha de Alex. Graças a Federico, aquele maldito mexicano, ele conseguiu estuprá-la. Não totalmente. Claro, houve centenas de menininhas desde então: tailandesas, birmanesas, cingapurianas, todas virgens adoráveis escandalosas. Mas, ainda assim, se sentia roubado.

Eu desejava aquela menina. Ela foi prometida a mim. Três milhões de dólares, e a pequena Lexi com as pernas abertas para mim. E o que eu consegui? Queimaduras de segundo grau e o FBI na minha cola.

Agora, porém, só conseguia pensar em comida. Como os elefantes cor-de-rosa do filme ***Fantasia***, as imagens dançavam em seu cérebro: cheeseburgers pingando gordura e ketchup, chili, cebolas fritas, marshmallows mergulhados em chocolate e manteiga de amendoim ...

— Japas desgraçados. Eles estão tentando nos matar.

Barry, o mais cadavérico de seus companheiros de cela, tinha olhos castanhos fundos e pele que parecia papel cobrindo os ossos. Barry era britânico e se referia a todos os asiáticos por "japas".

— Não vou aguentar mais isso. QUEREMOS NOSSO MALDITO ARROZ, SEUS DESGRAÇADOS!

Barry raspou a colher na barra da cela, berrando como um louco.

Estúpido. Vai acabar conseguindo uma surra para todos nós.

O guarda voltou. Ele recuou e cobriu a cabeça, esperando os inevitáveis golpes. Mas, em vez disso, para sua surpresa, um caldeirão de sopa apareceu na cela. Os guardas foram embora, deixando-o lá.

Por um segundo, todos os cinco ficaram parados, fitando a sopa quente como se fosse uma miragem. Almôndegas boiavam na superfície junto ao macarrão. Soltava um cheiro fraco de frango, e um mais intenso de repolho. Depois, de uma só vez, todos correram para ao caldeirão.

— Não deixem derramar — alguém disse. — E dez mãos avançaram sobre o líquido fervente. Lutou como um animal por sua parte, enfiando os pedaços de carne na boca trêmula, deleitando-se com o caldo salgado que queimava seus dedos e língua. Quando não havia mais nada além de líquido, pegou sua tigela, os outros o imitando, colocando até a última gota em suas barrigas desprovidas de arroz.

Em menos de um minuto, já tinha acabado. Voltou rastejando para seu canto, exausto e, por um breve momento, saciado.

Primeiro, achou que era apenas uma espécie de cólica. Era comum sentir dores depois das refeições aqui, principalmente quando as rações eram escassas. Mas, então, sentiu uma fisgada tão forte que gritou, como se alguém estivesse enfiando uma faca no seu apêndice.

Olhou para Barry, do outro lado da cela. Ele estava de joelhos, vomitando.

Bam! Mais uma facada. ***Que diabos... ?*** Suas costas arquearam em um espasmo com tanta violência que era como se seu pescoço fosse quebrar. Logo seu corpo inteiro estava pulando, dançando uma grotesca dança da morte, como se estivesse levando choques administrados por um bastão elétrico invisível.

Eles nos envenenaram. Os malditos nos envenenaram!

Abriu a boca para pedir ajuda, mas um vulcão de sangue e vômito foi colocado para fora. Escutou gritos. Os pequenos guardas tailandeses estavam correndo para a cela, suas pernas curtas batendo no concreto em pânico. Então, uma névoa vermelha e tudo ficou quieto.

NA COZINHA DA PRISÃO, o novo servente esperou até que todos os cozinheiros saíssem.

Alguma coisa terrível está acontecendo nas celas. Você ouviu isso? Vamos ver o que é.

Então, ele escapou pela porta dos fundos, tão quieto e despercebido quanto uma barata, e entrou na carroceria de um caminhão de entrega.

Dois minutos depois, o caminhão atravessou os portões da prisão, seguindo pelas tumultuadas ruas de Bangcoc. No primeiro cruzamento, o servente abriu a porta e pulou para fora, desaparecendo na confusão de vielas e quintais que conhecia desde a infância.

Quando teve certeza de que estava sozinho, enfiou a mão no bolso e pegou um telefone celular.

LEXI FITOU August Sandford incrédula.

— Não entendi. Como isso aconteceu?

August mordeu a língua. ***Que parte? O orçamento do departamento de internet ser triplicado da noite para o dia? Ou eu ser afastado da equipe?***

Em voz alta ele disse:

— Não sei. Harry Wilder conseguiu que o orçamento fosse aprovado pelo conselho. Depois pediu demissão, indicou Jim Bruton como chefe da equipe, com Tabitha como vice. Quando percebi, me transferiram para o departamento imobiliário.

— Mas isso não faz sentido. Você era a pessoa mais bem qualificada do departamento.

Nem me diga.

— Não faz mesmo. Mas acho que faz para seu primo. Max não é meu fã número um. Garantiram que ele terá uma vaga no departamento de internet quando vocês se formarem. Sabia disso?

Lexi não sabia. Só havia uma vaga no nível de associado disponível no departamento de internet. A vaga ***dela.***

— Parece que você vai ser transferida para o setor imobiliário comigo.

Lexi levou menos de 45 segundos para chegar ao escritório do pai. Entrando de repente, com muita raiva para falar, ela começou a sinalizar para Peter a cem quilômetros por hora.

— Que brincadeira é essa? Você está fazendo algum acordo com Max nas minhas costas?

Peter se fez de desentendido.

— Devagar, querida. Ninguém está fazendo nada disso.

— Você aprovou um aumento para o orçamento de internet!

Peter deu de ombros.

— Harry Wilder defendeu o projeto com veemência.

— O projeto não era de Harry, era de Max. Ele quer comprar um monte de empresas das quais não sabe ***nada*** a respeito. É uma loucura. Wilder e os outros só o estão apoiando porque acham que ele será presidente.

Peter ficou em silêncio. Não escondera de ninguém o fato de que não queria que Lexi assumisse a Kruger-Brent. Se as coisas tivessem sido diferentes com Robert, talvez ele pudesse ter assumido a presidência um dia. Era o que Kate Blackwell queria. Mas Robert escolhera seu próprio caminho. Só de pensar que Lexi poderia assumir seu lugar um dia, Peter era tomado de terror. Ela já passara por tanta coisa. Não fazia ideia do que a Kruger-Brent era realmente: um monstro, uma maldição que engolia as pessoas vivas. Kate Blackwell se deixava consumir pela empresa. Seu filho, Tony, ficou louco. Os sonhos e esperanças de Peter foram sacrificados ao monstro, para o bem de Alex. Mas ele queria um destino melhor para Lexi. Uma vida normal, marido, filhos.

Lexi, porém, tinha outras ideias.

— August Sandford me disse que você garantiu que Max terá um emprego no departamento de internet. É verdade?

Peter parecia pouco à vontade.

— Foi uma decisão de Jim Bruton.

— Você é o ***presidente***, pai. Você ***sabia*** que era onde eu queria trabalhar. Eles me mandaram para o setor imobiliário, um beco sem saída.

— Escute, querida...

— Não, pai. Escute ***você***. Só porque ***você*** não quer que eu seja presidente, acha que você e Max podem me colocar de lado. Bem, que se danem você e seu clube do Bolinha. É porque sou mulher, não é? — Lexi estava furiosa. — Isso é um ***absurdo***. Kate Blackwell era mulher e foi a melhor presidente que a Kruger-Brent já teve.

— É verdade — murmurou Peter. Não podia negar. — Dona do jogo. Era assim que as pessoas costumavam chamá-la.

— Senhora — disse Lexi. — Senhora do Jogo. Que é exatamente o que eu vou ser, não importa o que você, Max e todos os outros machistas daqui pensam.

Peter observou-a sair, um furacão de indignação justa, batendo a porta da sala dele ao sair.

Ela se parece tanto com Kate, pensou ele.

Teve um mau pressentimento.

NO CORREDOR, Lexi se forçou a respirar fundo para se acalmar.

Departamento imobiliário? Por que não contabilidade? Por que não a maldita portaria?

Todos sabiam que o departamento imobiliário da Kruger-Brent era um dos mais fracos. Se a empresa tinha um centro que pegava fogo, o setor imobiliário estava o mais afastado dele possível.

Max acha que pode me enterrar viva com August. O que os olhos não veem, o coração não sente.

Veremos.

O telefone celular de Lexi vibrou em seu bolso. Mensagem nova, número desconhecido. Ela leu as quatro palavras da tela. De repente, nada mais importava. Nem Max, nem a Kruger-Brent, nada.

Correu para o banheiro, entrando direto em um cubículo e trancando a porta. Só quando sabia que estava sozinha, leu o texto de novo, permitindo que seus olhos saboreassem a frase mais bonita que já lera:

O porco está morto.

Os joelhos de Lexi ficaram fracos e ela caiu sentada no vaso sanitário, lágrimas escorrendo por seu rosto. Durante anos, permitiu-se acreditar que se esqueceria dos fantasmas de sua infância e das coisas terríveis que lhe aconteceram. Agora ela viu que era apenas uma fantasia. A dor sempre estaria ali. Sempre.

Nunca teria fim. Não nesta vida.

Só vingança.

Lexi saboreou o gosto doce por alguns preciosos momentos. Depois, enxugou as lágrimas, apagou a mensagem de seu telefone e voltou para sua sala como se nada tivesse acontecido.

Capítulo 19

ÁFRICA DO SUL, CINCO ANOS ANTES (2000)

A CIDADE DO CABO ERA totalmente diferente de tudo que Gabe McGregor já vira.

Depois de um voo de 12 horas na classe econômica da South African Airways que era um circo (uma família de 11 pessoas tentou embarcar com uma caixa cheia de galinhas vivas como bagagem de mão, e vários homens adultos dormiram nos corredores), Gabe chegou com os olhos turvos na área de desembarque do Aeroporto Internacional da Cidade do Cabo para começar o novo milênio não apenas em um novo continente, mas em um novo mundo. Pessoas de todas as raças e religiões se misturavam no saguão de mármore como formigas multicoloridas. Homens usando as túnicas tradicionais africanas e mulheres equilibrando cobertores de lã ou cerâmicas em cima de suas cabeças cruzavam com executivos asiáticos usando ternos feitos sob medida. Crianças de rua seminuas cercavam a esteira que levava as malas ao lado de crianças norte-americanas vestidas dos pés à cabeça de Ralph Lauren, visitando a Cidade do Cabo com os pais para as ostentosas festas do novo milênio. Cheiros desagradáveis e azedos de suor e viagem eram sobrepujados pela fragrância doce de coco da manteiga de Shea, loções pós-barba caras e o cheiro delicioso de Boerewors, as tradicionais salsichas holandesas que os ambulantes vendiam do lado de fora. Todos os sentidos de Gabe eram tomados por alguma coisa nova.

Será que foi assim que Jamie McGregor se sentiu tantos anos atrás? Ao sair de seu barco, The Walmer Castle, ***e entrar em um cais de sons e visões desconhecidos?***

Como Jamie, Gabe nunca viajara para outro país antes. A não ser que uma caravana de férias para a Ilha de Mull com a família quando tinha 8 anos de idade contasse (para Gabe não contava). Ambos vieram para a África do Sul para fazer fortuna, determinados a amar o país e transformá-lo em seu lar.

Logo todos esses cheiros, sons e visões serão normais para mim. Tenho a África em meu sangue, afinal.

— EU ODEIO A MALDITA África. Quero voltar para casa.

Gabe estava sentado em um banco de bar em um pub irlandês em Camps Bay. ***Será que já existem pubs irlandeses na lua? Provavelmente. Pelo menos um McGinty's.*** Já estava na Cidade do Cabo há uma semana, tempo durante o qual sofrera um assalto a mão armada, em que levaram sua carteira e seu passaporte, desenvolvera uma misteriosa doença estomacal que o fazia ficar ajoelhado na frente do vaso sanitário todas as noites e não conseguira arranjar um lugar para morar. Ah, e cada milímetro de sua pele branca escocesa tinha sido mordido por mosquitos do tamanho de morcegos.

— Por que você não volta, então?

A garota era norte-americana. Uma morena com alegres olhos verdes e um corpo feminino do qual Gabe não conseguia tirar os olhos. Após oito anos na prisão, aprendera a apreciar ainda mais as formas femininas, e as dessa garota eram maravilhosas.

Ela se apresentou como Ruby.

— Por que você não volta para casa?

— Não posso. — Gabe esperava não estar com o rosto corado. Deus, ela era linda. — Acabei de chegar aqui. Não posso voltar para casa até que esteja rico o suficiente para pagar a todo mundo que devo.

— Então você não é rico?

— Ainda não.

— Por que você odeia a África?

— Quanto tempo você tem? — Gabe fixou seus olhos cinza nos verdes de Ruby e decidiu que odiava a África um pouco menos agora do que dois minutos antes. — Deixe-me pagar um drinque para você e conto tudo.

Eles conversaram por mais de uma hora. Ruby era de Wisconsin. Veio para Cidade do Cabo dez anos antes para trabalhar como modelo.

— Dez ***anos*** atrás? Quantos anos você tinha na época? Seis?

Ruby sorriu.

— Treze. Desisti de ser modelo aos 17.

— Por quê?

— Velha demais.

Gabe caiu na gargalhada.

— E muito baixa. Com 17 anos, não se cresce mais.

Gabe fitou as pernas sem fim da moça.

— Você sabia que tem jogadores profissionais de basquete mais baixos que você? Caramba, devem ter prédios mais baixos que você.

Ruby riu, um riso rouco e baixo que fez Gabe ter vontade de arrancar as suas roupas ali mesmo. Contou a ela a sua história, deixando de lado a parte de ser sustentado por mulheres mais velhas. Não havia necessidade de dar um tiro em cheio no próprio pé. Mas todo o resto era verdade: o vício, a prisão, Marshall Gresham, a ligação da sua família com a África do Sul.

— Você é parente ***do*** Jamie McGregor? Da Kruger-Brent? Não está brincando comigo?

— Juro pela minha mãe. Mas não fique com a ideia errada. Não sou do lado Blackwell da família. O meu lado não ficou com nada. É por isso que estou aqui, para ganhar a minha própria fortuna.

Gabe contou a Ruby suas ambições no setor imobiliário.

— Talvez eu possa lhe ajudar nisso. Tenho um amigo, um cara chamado Lister, que é incorporador em Franchoek. Ele ainda é relativamente pequeno, mas sei que está procurando um sócio.

Os olhos de Gabe faiscaram de animação. ***Finalmente! Um contato. Um começo.***

A mão de Ruby estava na perna dele. Os olhos, na braguilha de seu jeans.

Gabe corou.

— Desculpe. É que faz tanto tempo.

Ruby sorriu. Ele ficava ainda mais bonito quando ficava encabulado.

— Não precisa se desculpar. — Ela tomou o que restava de seu drinque. — Vamos para a cama.

GABE MOROU COM Ruby por seis meses, os mais felizes de sua vida. Ruby apresentou-o ao seu amigo Damian Lister, um arquiteto local que se tornara incorporador, e os dois se entenderam na mesma hora. Damian era alto e muito magro, com nariz e pomo de adão proeminentes. Fazia Gabe pensar em uma encarnação de um desenho do Dr. Seuss. Por sorte de Gabe, Damian era fã de futebol, o que ajudou a quebrar o gelo. Conversaram sobre o desempenho medíocre do Celtic naquela temporada, e se Ashley Cole merecia um lugar no time do Arsenal, e de repente eram velhos amigos. O irmão de Damian, Paul, cumprira pena de cinco anos por peculato, então Damian não se importava com a ficha criminal de Gabe.

— Todos cometemos erros. O importante é aprender com eles. Você claramente aprendeu a sua lição.

Damian Lister estava construindo um novo condomínio residencial em Franchoek, uma famosa rota do vinho e destino turístico a uma hora da Cidade do Cabo. Ele se dera bem em investimentos parecidos em Stellenbosch e Bellville, ambas cidades-dormitórios.

— O meu problema são os bancos, sabe? O rande está em alta, mas eles ainda estão sendo muito cautelosos nos empréstimos, até para pessoas com um histórico como o meu.

— Por que não tenta um empréstimo em um banco estrangeiro? — perguntou Gabe. — Tenho certeza de que os norte-americanos o financiariam.

— Eu poderia — concordou Damian. — Mas prefiro ter um sócio. Alguém que eu conheça e confie. Alguém que não vai puxar o meu tapete assim que os negros começarem a colocar manguinhas de fora de novo, fazendo a economia parecer instável.

A única característica negativa em Damian era seu discurso racista. Gabe atribuía isso à cultura e à educação. Não era possível apagar séculos de preconceito da noite para o dia.

Além disso, tive muita sorte de ele me querer como sócio. Com seus conhecimentos e seus contatos aqui, o dinheiro de Marshall renderá muito mais do que se eu estivesse sozinho.

GABE PASSAVA OS DIAS no canteiro de obras em Franschoek, supervisionando os operários, enquanto Damian ficava no escritório na Cidade do Cabo, cuidando das finanças. Gabe adorava observar o condomínio ganhar forma, passar a mão carinhosamente nas paredes de tijolo e cimento que fariam sua fortuna. Marshall lhe ensinara tanto, mas era tudo teoria. Aqui era real. Isso excitava Gabe quase tanto quanto heroína.

À noite, Gabe ia para casa ficar com Ruby. Ela cozinhava algo simples para eles, bife com salada ou peixe assado com batatas, e eles comiam na varanda do apartamento bem-iluminado dela com vista para o oceano. Após uma ou duas taças de vinho do Cabo, geralmente Stellenbosch, eles passavam horas conversando sobre suas vidas, esperanças e sonhos. Ruby contava um pouco sobre seu passado. Era vaga quando falava da família, apenas com pinceladas gerais. Após algumas semanas, Gabe percebeu que, apesar de todas as conversas, não sabia quase nada sobre o dia a dia dela quando não estavam juntos. Ela trabalhava com arte e falava que um dia queria abrir uma galeria na Espanha. Mas Gabe nunca via nenhum quadro nem a escutava em telefonemas de negócios. Quando ele pressionava, pedindo mais detalhes, Ruby ria e perguntava:

— O que isso importa? Eu vivo o momento. O agora. Quando estou com você, só o que importa somos nós dois. Esse é o segredo para a felicidade.

Fazendo amor com ela na praia sob as estrelas, Gabe começou a acreditar. E daí que não sabia quais galerias ela representava ou o nome do seu primeiro cachorro? Ruby era a mulher mais sensual, carinhosa e incrível que já conhecera. Ela fizera com que a África do Sul deixasse de ser um pesadelo e se transformasse em um sonho. Devia estar grato, e não ficar importunando-a com perguntas.

A VIAGEM DE UMA HORA da Cidade do Cabo para Franschoek de manhã era a melhor parte do dia de Gabe. Passando pelas montanhas e pelos vinhedos em seu Fiat Punto velho (determinado a não desperdiçar nenhum centavo do dinheiro de Marshall, Gabe comprou o carro mais barato que conseguiu encontrar) nunca deixava de ficar encantado com a paisagem. Franschoek significa Canto Francês, por causa dos huguenotes franceses que colonizaram a região montanhosa mais de trezentos anos atrás. Eles trouxeram consigo uma cultura e culinária pelas quais a cidade ainda era famosa hoje em dia. Sendo escocês, Gabe sabia pouco sobre a cultura e a culinária dos huguenotes, mas, ainda assim, sentia uma afinidade com eles. Assim como ele, eram párias em seus países e vieram para este país distante e estranho recomeçar suas vidas. Geralmente, na hora do almoço, Gabe se sentava para comer seu sanduíche perto do monumento huguenote no topo da aldeia. Na Main Street, havia vários cafés e restaurantes charmosos, oferecendo a melhor comida do país, mas Gabe sempre trazia o próprio almoço. Até que pagasse suas dívidas com todo mundo — Marshall, Claire, Angus Frazer —, não tinha direito a desfrutar de luxos.

Como de costume, naquela manhã, Gabe estacionou seu Punto no final da Main Street e caminhou seis quadras até o condomínio que ele e Damian estavam construindo. Eram oito "casas executivas", confortáveis, no estilo rancho, com piscina e jardim. ***O tipo de casa no qual eu gostaria de ter crescido.*** Gabe sabia que era tolice sentir uma ligação emocional com seu empreendimento. Mas agora que estava começando a tomar forma, estava orgulhoso das casas que ele e Lister estavam criando. Podia visualizar as famílias que viveriam aqui, protegidas pelas magníficas montanhas por todos os lados, seguras nas paredes sólidas que Gabe construíra.

Espero que sejam felizes.

Ao virar a esquina para entrar no canteiro de obras, Gabe parou. Por um momento, ficou ali parado, piscando, como se seus olhos o estivessem enganando. O lugar estava deserto. O que deveria ser uma colmeia em atividade — homens, furadeiras, misturadores de cimento, caminhões cheios de pedras rodando pela lama de verão — fora transformado em um deserto abandonado. Não era o simples fato de não haver ninguém trabalhando. Todo o equipamento tinha sumido. As pilhas de areia e tijolos. Até o escritório do mestre de obras tinha sido desmontado. Só o que restava eram oito esqueletos de casas inacabadas sob o céu azul da África.

O primeiro pensamento que ocorreu a Gabe foi: ***fomos roubados.***

Pegou seu telefone celular, depois lembrou que estava sem bateria. Precisava ligar para Damian. E para a polícia. Aproximando-se da casa mais próxima, Gabe bateu na porta, afobado, o coração acelerado. Uma mulher vestida com um penhoar atendeu.

— Desculpe incomodá-la tão cedo. Mas será que podia usar seu telefone? É uma emergência.

A mulher de meia-idade tinha cabelo curto e descolorido, e um rosto que já fora bonito, mas que hoje mostravam o cansaço da maternidade. Fitou o Adonis desesperado de pé na sua varanda e lamentou não ter tido tempo de se maquiar naquela manhã. Endireitando o cabelo e encolhendo a barriga, ela fez um gesto para Gabe entrar.

— Eu o conheço, não? Quer dizer, já o vi por aqui. Era o gerente da obra dessas casas Lister.

Gabe assentiu, distraído, procurando o telefone.

— Acho que fomos roubados. Levaram tudo do canteiro de obras.

A mulher o fitou de forma curiosa.

— Mas era o ***seu*** pessoal — disse ela. — Achei estranho eles aparecerem para trabalhar em um domingo.

— O meu pessoal estava aqui ontem?

— Estava, chegaram bem cedo, com vários caminhões. Meu marido saiu para reclamar por causa do barulho, sabe? O mestre de obras disse que você e seu sócio tinham pedido falência e ido embora da cidade. Também disse que estavam com o salário atrasado havia seis semanas, então pegaram tudo que puderam carregar e foram embora — Ela disse "embora".

Gabe sentiu seus joelhos ficarem bambos. Afundou em uma poltrona e tentou pensar.

Por que eles achariam que estávamos falidos? E por que Jonas, o mestre de obras, não me ligou?

Então, se lembrou do telefone desligado. Passara o fim de semana sem poder ser localizado. Ruby o convencera a fazerem uma viagem de barco e deixar o telefone em casa. Seriam apenas os dois, vivendo o momento. ***O agora,*** como Ruby gostava de chamar com aquele jeito norte-americano engraçadinho, nova era dela. Nadaram, pescaram e fizeram amor. Foi um final de semana mágico.

Gabe discou o número do escritório de Damian. Certamente, acontecera algum mal-entendido terrível.

Após seis toques, uma voz automática anunciou: "O número de telefone que você discou está desligado."

Com o pânico crescendo no peito, Gabe ligou para o celular de Damian. Um único bipe longo indicativo de que aquele número não existia soou em seu ouvido. Ligou para o apartamento, na esperança de encontrar Ruby, mas ela não estava em casa. Imaginou o telefone sem fio branco sobre a mesinha de centro tocando sem parar na sala de estar vazia e, de repente, sentiu uma tristeza indescritível. O celular de Ruby também estava desligado. Sem saber mais o que fazer, Gabe ligou para a polícia.

— Estou falando com Gabriel McGregor, é isso mesmo? — O sargento de plantão parecia quase empolgado, incrédulo, como se Gabe fosse algum tipo de celebridade.

— Isso mesmo, eu já disse. Estou ligando de uma casa do outro lado da rua. A minha propriedade foi roubada, não consigo encontrar meu sócio...

— Fique onde está, Sr. McGregor. Mandarei alguém encontrá-lo logo, prometo.

Enquanto Gabe estava ao telefone, a dona da casa passou um pouco de batom e vestiu uma bermuda jeans desbotada e uma camiseta cor-de-rosa que marcava seus mamilos proeminentes. Gabe nem percebeu. Ela preparou uma xícara de chá quente e doce, que ele tomou, a cabeça a mil por hora. Após o que pareceu uma eternidade, a campainha tocou.

— Deve ser a polícia — disse a mulher.

— Graças a Deus. — Gabe ficou de pé. Quatro oficiais uniformizados entraram na sala de estar. Ele estendeu a mão para cumprimentar. — Cara, estou feliz em ver vocês.

— O sentimento é recíproco — disse o oficial mais velho.

Colocou algemas nos pulsos de Gabe.

SÓ UMA SÉRIE DE MILAGRES evitou que Gabe fosse preso pela segunda vez.

Hunter Richards, o detetive responsável pelo caso, viu alguma coisa nos olhos cinza e tristes de Gabriel McGregor que achou que era digno de confiança. O rapaz fora um tolo. Perdera milhões de randes, que foram parar diretamente nas mãos de Damian Lister. Mas o detetive Richards não acreditava que ele tivesse a intenção de enganar alguém, mesmo sendo um ex-presidiário. O pessoal de Franschoek falava muito bem do caráter de Gabe. Conforme a investigação seguiu, e mais e mais vítimas dos charlatões Ruby Frayne e Damian Lister começaram a aparecer, o caso contra Gabe, gradualmente, começou a se resolver.

Ruby e Damian eram amantes e sócios havia mais de uma década. Não havia nenhuma galeria de arte, nenhum irmão preso, nenhuma família em uma pequena cidade de Wisconsin. Cada pedacinho da felicidade de Gabe nos últimos seis meses tinha sido construído em cima de mentiras. Foi a primeira vez que sentiu o gosto da traição que suas namoradas de Londres devem ter sentido quando descobriram que ele as estava usando para conseguir dinheiro. Gabe não deixou de perceber a ironia.

Nem todo mundo acreditava na inocência de Gabe. Durante alguns meses terríveis, ele viveu com a ameaça de um processo. Mas qualquer caso que mandassem para o tribunal seria longo e caro. No final, a polícia decidiu que valeria mais a pena se concentrar em Lister e Frayne. No fim das contas, foram eles que ficaram com o dinheiro. Gabe não tinha nada.

No dia em que o caso contra ele foi formalmente encerrado, Gabe voltou ao bar em que conhecera Ruby e bebeu até ficar inconsciente. Mesmo depois de tudo que tinha acontecido, ainda sentia saudades dela. Não conseguia evitar. Quando acordou na manhã seguinte, estava deitado na rua, perto de latas de lixo como se fosse lixo humano. Alguém tinha roubado seus sapatos. Não havia mais nada para levar.

É isso. Fim do poço. Posso voltar para as drogas, para as ruas. Ou posso dar a volta por cima e lutar.

Não era uma escolha óbvia. Gabe estava cansado de lutar, exausto. Culpava-se inteiramente pelo que tinha acontecido.

Não posso ser como meu pai e culpar os outros pelas minhas infelicidades. Foi a minha própria estupidez que me trouxe até aqui.

Mas no final, Gabe disse para si mesmo que não tinha escolha. Muitas pessoas acreditaram nele, principalmente Marshall Gresham. Que direito tinha de desistir antes de pagar suas dívidas? Até lá, pensou Gabe, não podia jogar sua vida fora, pois ela não lhe pertencia.

Vou pagar Marshall. Depois ***eu decido se me restou algum motivo para viver.***

O PRIMEIRO ANO FOI um inferno. Generosamente, Marshall Gresham garantiu a Gabe que não estava com pressa de receber seu dinheiro de volta, mas o orgulho de Gabe o impulsionava. ***Precisava*** começar a ganhar alguma coisa. Com seu histórico, ninguém ia lhe oferecer um emprego de colarinho-branco em alguma imobiliária. Sua única opção era pegar no pesado e trabalhar nos canteiros de obra até que tivesse dinheiro para voltar a investir.

Já fiz isso antes e posso fazer de novo. Não tenho medo de trabalho pesado.

Mas isso aqui não era Londres. Era África. Gabe não estava preparado para o trabalho extenuante, puxando tijolos e misturando cimento sob um calor de quarenta graus, sendo mordido até não poder mais por mosquitos. Ele frequentemente observava que era o único homem branco da equipe, o que o deixava mais solitário e desanimado. Os negros falavam suaíli entre eles, rindo e brincando enquanto levantavam enormes pedras como se fossem uma mãe levantando seu bebê. Gabe sempre se considerara forte e em boa forma física. Mas aos 30 anos, com o tônus muscular de um homem branco, não podia se comparar aos rapazes locais de 19 anos. Toda noite, voltava quase rastejando para seu quarto alugado imundo em Kennedy Road e caía na cama, o corpo latejando de dor. Nos primeiros seis meses, antes de a pele de Gabe ficar calejada, suas mãos ficavam cobertas de bolhas e sangravam tanto que parecia estigmatizado. O pior de tudo era a solidão. Ela o seguia para todos os lugares, como um caçador à espreita, até nos seus sonhos durante as noites. Às vezes, passava uma semana inteira sem conversar com ninguém além do mestre de obras que pagava seu salário. Gabe precisava fazer um esforço enorme para não se deixar levar pela depressão e pelo desespero.

Eu sobrevivi à heroína. Sobrevivi à prisão. Posso sobreviver a isto.

E devagar, conforme os meses se transformavam em anos, ele sobreviveu. Parar de beber foi o primeiro passo, não tanto por escolha, mas por necessidade física. O corpo de Gabe já estava em seu limite. Não podia trabalhar de ressaca. Sem o álcool em seu sangue, começou a dormir melhor. Seu humor e seu nível de energia começaram, imperceptivelmente, a melhorar. Em uma ocasião quando levantou a cabeça e sorriu para os negros que trabalhavam ao seu lado, percebeu que eles não eram tão distantes quanto acreditava. Foi quando pensou que talvez fosse ***ele*** quem se mantivera isolado, não eles.

Fez amizade com um homem chamado Dia Ghali. Dia era um brincalhão, bem-humorado, que soltava gargalhadas graves com uma intensidade e frequência que pareciam incongruentes com seu corpo magro. Dia era uns trinta centímetros mais baixo que Gabe, e tão negro quanto Gabe era branco. Lado a lado, eles pareciam estar em um filme de comédia. Mas Dia levava tão a sério quanto Gabe a intenção de ser alguém na vida.

— Eu cresci em Pinetown. Sabe o que aconteceu na rua em que eu morava na semana passada? Uma neném de 4 meses foi morta por um rato. ***Morta***. Por um ***rato.***

Gabe ficou horrorizado, como não podia deixar de ficar.

— A cidade se recusa a recolher o lixo, então os ratos estão em todos os lugares. Eles dizem que quem mora em favela é “ilegal” e por isso não tem direito a serviços públicos. Como se ***escolhêssemos*** viver daquele jeito. Bem, isso não vai acontecer com meu filho. De forma alguma. Vou sair de lá.

Juntando seu dinheiro com Dia, Gabe finalmente conseguiu sair do quarto em que morava. Juntos, os dois alugaram um apartamento minúsculo de dois quartos no centro da cidade. Era uma caixa de sapato, mas para eles era o Ritz.

— Sabe o que podíamos fazer? — Gabe saiu de seu primeiro banho quente em um ano e meio e encontrou Dia assistindo críquete na televisão de segunda mão deles. — Deveríamos começar um negócio nosso em Pinetown. Esse é o problema da África do Sul. Existem favelas e mansões, nenhum meio termo. Custo baixo, casas populares, meu amigo. Esse é o futuro.

Dia assentiu sem pensar.

— Certo. Mas sabe o que precisamos fazer primeiro?

— O quê?

— Conseguir uma mulher para transar.

GABE NÃO TINHA UMA mulher desde Ruby. O álcool apagara a sua libido. Desde que parara de beber, começara, devagar, a olhar para as mulheres de novo. Mas estava pobre e exausto demais para perder tempo pensando em namoro. Ao andar pelos bares de Victoria & Albert Waterfront com Dia, olhando as garotas com suas minissaias e saltos altos, embonecadas para uma noitada, Gabe se sentiu como uma tartaruga acordando da hibernação. Suas primeiras tentativas de conversar com mulheres não foram bem-sucedidas.

Gabe não conseguia entender. Sempre achara flertar tão fácil.

— É porque você está comigo — disse Dia. — As mulheres não confiam em homens brancos que saem por aí com um nativo.

— Um ***nativo***? — Gabe riu. — Que isso, Dia, o Apartheid já acabou há anos.

Dia levantou uma sobrancelha

— Mesmo? Onde você esteve nos últimos anos, irmão? Em uma caverna?

Ele estava certo. Ao olhar em volta, Gabe percebeu que nenhum dos grupos que passeavam por ali era inter-racial. Brancos e negros podiam frequentar as mesmas lojas e os mesmos bares, mas não se misturavam. Gabe pensou em seu ancestral Jamie McGregor e sua amizade duradoura com Banda, um revolucionário nativo. Cento e cinquenta anos se passaram desde aquela época. ***Mas o quanto realmente mudou?***

Felizmente, Dia não estava a fim de filosofar.

— Olhe aquela belezura perto da fonte. — Ele apontou para uma garota negra e magra, vestindo uma calça jeans justa e top decorado com lantejoulas. Quando ela olhou e viu que ele a estava encarando, sorriu.

Dia sorriu para Gabe.

— Agora, você está sozinho, irmão. Não me espere acordado.

O NOME DA GAROTA era Lefu. Menos de um ano depois, Dia se casou com ela.

— Pare de reclamar — disse Dia para Gabe enquanto lacrava a sua última caixa. Ele e Lefu iam morar sozinhos a poucas quadras dali. — Agora as suas mulheres brancas enlouquecidas podem gritar o quanto quiserem.

Gabe sentiria falta de Dia. Mas era verdade, ***seria*** bom ter privacidade. Não levara muito tempo para redescobrir seu toque mágico em relação às mulheres. Ele logo compreendeu que a Cidade do Cabo era uma meca para as modelos do Leste Europeu. Não paravam de chegar garotas para entrarem nas novas agências — Faces, Infinity, Max, Outlaws —, que aproveitavam as perfeitas condições climáticas da África do Sul, onde fazia sol o ano inteiro. Gabe McGregor fez disto sua missão (ou melhor, seu dever como cristão): não deixar que as pobrezinhas sentissem muita saudade de casa.

— Estou fornecendo um serviço gratuito — disse ele a um invejoso Dia e uma crítica Lefu, quando outra linda mulher tcheca saía de seu apartamento satisfeita. — Alguém tem de fazer com que as pobrezinhas se sintam bem-vindas.

Agora que Gabe finalmente tinha sido promovido a mestre de obras, estava trabalhando menos horas e ganhando mais dinheiro. Já pagara a Angus Frazer e todos os outros que lhe emprestaram dinheiro para seu recurso. No dia do seu aniversário de 34 anos, ligou para Marshall Gresham. Marshall tinha sido solto de Wormwood Scrubs no Natal anterior e agora estava morando com todo o luxo em uma nova mansão perto de Basildon.

— Achei que você tivesse fugido — disse Marshall.

Era uma brincadeira, mas Gabe ficou horrorizado.

— Eu nunca faria isso. Levou um pouco mais do que eu esperava para conseguir juntar o dinheiro, só isso. Mas eu consegui, cada centavo. Para onde devo mandar o cheque?

— Para lugar nenhum.

Gabe ficou confuso.

— Cinco anos atrás, eu lhe disse, não disse? — falou Marshall. — Aquele dinheiro era um investimento. O que eu quero saber é quando você vai levantar esse traseiro escocês preguiçoso e começar um novo negócio?

Gabe tentou não parecer tão comovido quanto estava.

— Mesmo depois do que aconteceu? Você ainda confia em mim?

— Claro que confio em você, otário. Só não faça mais sociedades com charlatões.

— Ah. Falando em sócios...

Gabe contou a Marshall sobre Dia e seus planos de construir condomínios baratos nas áreas pobres de Pinetown e Kennedy Road. Marshall foi cético.

— O seu plano parece bom. Mas não entendo por que precisa desse camarada negro. O que ele acrescenta à sociedade?

— Ele cresceu em Pinetown. Conhece a área melhor do que eu. Além disso, 98 por cento da população desses bairros é negra. Preciso de um rosto negro na equipe para que os nativos confiem em mim.

Gabe não mencionou que a amizade de Dia era mais importante para ele do que qualquer negócio. Mesmo se isso significasse que teria de devolver o investimento de Marshall, nunca deixaria Dia desamparado. Felizmente, não precisou.

— Certo. Você sabe o que está fazendo. Ligue-me quando duplicar o meu dinheiro.

Gabe riu.

— Pode deixar.

Estava de volta aos negócios.

GABE E DIA CHAMARAM a nova empresa de Fênix, porque surgira das cinzas de suas vidas anteriores.

No começo, todo mundo achou que eles eram loucos. Outros construtores riram na cara de Gabe quando ele contou o plano de negócios da Fênix.

— Você perdeu a cabeça. Nenhum daqueles favelados pode comprar uma casa. E ninguém que ***possa*** comprar vai querer morar a trinta quilômetros dessas áreas.

Outros foram ainda mais longe.

— Você vai para casa à noite, os kaffirs colocam fogo no lugar. Aquela molecada não tem nada melhor para fazer. Quem você acha que vai assegurar a obra em Pinetown?

Realmente, seguro ***foi*** um problema. Nenhuma das empresas conhecidas sequer recebia a Fênix. Quando Gabe já estava perdendo a esperança, Lefu ofereceu a salvação, apresentando Dia ao namorado de uma prima que trabalhava para uma seguradora de prédios só para negros em Johannesburgo.

— Os valores são altos. — Dia entregou a Gabe a cotação.

— ***Altos?*** — Gabe leu o número e quase desmaiou. — Esse cara devia ***estar*** alto quando chegou a esse valor. Diga a ele que pagamos metade.

— Gabe.

— Certo, dois terços.

— Gabriel.

— O quê?

— É a nossa única opção. Ele está fazendo um favor a Lefu. Como amigo.

— Com amigos como ele, quem precisa de inimigos? — lamentou Gabe.

Pagaram o valor total.

NO FINAL DO PRIMEIRO ANO, a Fênix estava setecentos mil randes no vermelho. Tinham construído trinta pequenas casas pré-fabricadas com água encanada e eletricidade, e não tinham vendido nenhuma. Gabe perdeu peso e começou a fumar. Dia, com um bebê em casa e outro a caminho, continuava inexplicavelmente otimista.

— Vamos vender. Estou trabalhando nisso. Só preciso de tempo.

Gabe desenvolvera um modelo de financiamento para posse compartilhada que sabia que várias famílias da favela podiam pagar. O problema é que nenhuma delas acreditava.

— Você precisa entender — explicou Dia. — Essas pessoas escutam mentiras de homens brancos desde que nasceram. Muitos acham que foram os médicos brancos que espalharam o vírus da Aids aqui.

— Mas isso é ridículo.

— Para eles, não é. Eles acham que você está tentando roubar o dinheiro deles. A ideia de que eles podem comprar uma casa, ainda mais uma casa com água e com um telhado sem goteiras, é totalmente nova para eles. É a mesma coisa que dizer que você descobriu uma fórmula para viverem para sempre ou que sabe transformar estrume de cavalo em ouro.

— Então, o que vamos fazer?

— ***Você*** não vai fazer nada. Tire umas férias, afaste-se por umas semanas. Leve uma de suas adolescentes polonesas para ver alguma coisa diferente do teto do seu quarto.

Gabe balançou a cabeça.

— De forma alguma. Não vou de jeito nenhum. Não posso me afastar dos negócios, não agora.

— Não estou pedindo, estou mandando — disse Dia. — Saia daqui. Sei o que estou fazendo.

GABE PASSOU DUAS semanas em Muizenberg, um balneário local, com uma garota chamada Lenka. Famoso por ter sido palco de uma batalha entre britânicos e holandeses, Muizenberg agora era um balneário para os ricos, uma versão africana dos Hamptons.

— Lindas! — exclamava Lenka quando passavam pelas mansões vitorianas.

— Lindo! — entusiasmava-se ela com as enormes praias com água azul-turquesa de False Bay.

— Lindo! — repetia ela quando um cachorrinho pulou em Gabe na praia e fez xixi no seu sapato.

Dois dias depois, Gabe estava subindo pelas paredes. Mais um ***lindo*** e ele seria forçado a se enforcar com os lençóis do hotel.

Nunca mais vou viajar com uma garota com QI de bosta de cachorro. Mesmo se ela for igual a Gisele.

Muizenberg era um tédio. Mas eles poderiam estar em uma das sete maravilhas do mundo e Gabe continuaria odiando. Sua mente estava em Pinetown.

Na manhã em que voltou para a Cidade do Cabo, correu para o escritório. Não se sentia tão nervoso desde o dia em Walthamstow, esperando receber a sua sentença.

— Então? — perguntou ele a Dia, prendendo a respiração. — Fez algum progresso?

— Um pouco.

A resposta deixou Gabe apertado. ***Um pouco? Não precisavam de um pouco. Precisavam de um maldito milagre. Teria de sair de seu apartamento. Voltar para Kennedy Road. Ou talvez tivesse chegado a hora de voltar para casa? De admitir o fracasso e voltar para a Escócia? Não havia mais trabalho nas docas, mas talvez...***

— Vendi todas as casas.

Demorou um momento para ele digerir as palavras de Dia.

— Mas... eu não... como... mas...

Dia o provocou.

— Engraçado, depois de duas semanas, eu tinha esquecido como você sabe ser articulado.

— Você... mas... ***todas*** elas?

— Até a última.

— Como?

— Fé, meu amigo. Fé.

Gabe fitou-se sem entender. Dia explicou.

— Fui ver o pastor na minha antiga igreja e pedi que deixasse que eu falasse com a comunidade. Primeiro, ele não gostou da ideia, mas eu o convenci. Os cultos aqui ficam cheios.

— O que você disse?

— A mesma coisa que você vinha falando, mas na voz deles. Falei sobre a minha infância. Sobre as crianças que eu conhecia que morreram como resultado de condições de vida lastimáveis, da falta de saneamento. Tentei mostrar para eles que eu já tinha passado pelo que estão passando, que eu era um deles. As pessoas começaram a fazer perguntas. Daí em diante, foi fácil. Expliquei como funcionava o modelo de financiamento.

"Vendi a última unidade três dias atrás. Mas achei que poderia esperar para lhe contar. Não queria estragar a suas férias com a encantadora Lenka.

Gabe pensou no pesadelo dos últimos dias em Muizenberg e não sabia se ria ou chorava.

— Você não vai dizer nada?

Aproximando-se de Dia, Gabe o pegou em um enorme abraço e dançou com ele de alegria.

— Lindo! — debochou ele. — Dia Ghali, você é lindo!

Capítulo 20

O ALVORECER DE UM NOVO milênio precedeu um período de muitas mudanças no mundo dos negócios. Empresas antes consideradas gigantes intocáveis começaram a se desintegrar, sendo ultrapassadas pelas novatas minúsculas pontocom. Ganância ainda era o nome do jogo. Mas as ***regras*** do jogo tinham mudado.

No dia 8 de abril de 1999, o ex-vendedor de artigos para o lar Craig Winn se tornou bilionário... por um ou dois dias. Quando ele ofereceu na bolsa as ações da sua empresa de internet, de apenas 3 anos, Value America, o preço unitário decolou de 23 dólares para quase 75, antes de se estabelecer em 55 dólares. Com 45 anos, Winn foi para a cama naquela noite com uma fortuna de 2,4 bilhões de dólares em papéis. Nada mal para uma empresa que nunca (nunca mesmo) deu lucro.

Em um ano, o preço da ação caiu para dois dólares. Mais da metade dos empregados da Value America tinham sido demitidos, e os investidores, perdido milhões. Em agosto de 2000, a empresa pediu falência.

Em salas de reunião por todos os Estados Unidos, CEOs das agora chamadas empresas da "velha economia" — gigantes como a Kruger-Brent — assistiam a esses desdobramentos apavorados. Tudo estava mudando. Enquanto o ***boom*** pontocom se acabava sozinho em uma enorme bola de fogo de ignorância e ganância, as areias do poder mundial também estavam mudando. China e Índia estavam subindo. O dólar começou a ficar instável. Nos setores de banco de investimentos e farmacêutico, dois setores-chave dos lucros da Kruger-Brent, empresas começaram a fundir-se e a comprar umas às outras mais rápido do que os analistas conseguiam acompanhar. No setor bancário, muitos dos grandes nomes da década de 1980 — Salomon Brothers, Bankers Trust, Smith Barney — desapareceram da noite para o dia, literalmente, engolidos por rivais maiores, geralmente estrangeiros. Na indústria farmacêutica, gigantes como Glaxo e Ciba sumiram enquanto novas marcas, como Aventis e Novartis, ascendiam. Na indústria automobilística, a Ford saiu às compras — a Volvo, a Mazda e a Aston Martin —, e depois começou a vender, primeiro a Jaguar depois a Land Rover. Enquanto isso, os preços do petróleo e da terra — setor imobiliário — continuaram subindo como água na enchente. Todo ano, todo mês, economistas previam uma correção que parecia nunca vir. Os bancos faziam de tudo para oferecer crédito barato, jogando gasolina no fogo de um mercado já superaquecido.

Foi uma época emocionante. E perigosa. Para Peter Templeton, foi demais. Em 2006, ele se aposentou discretamente e foi morar em Dark Harbor, finalmente sozinho com as lembranças de sua amada Alexandra. A saída dele não causou nenhuma oscilação no mercado. Todo mundo sabia que Peter Templeton nunca tinha sido mais do que um presidente fantoche da Kruger-Brent. Tristram Harwood assumiu o leme e a vida corporativa continuou exatamente como antes.

Como chefe do departamento de petróleo da Kruger-Brent, Tristram Harwood passara a última década jogando paciência em seu computador enquanto o valor dos ativos de seu grupo quadriplicavam. Ele aplicou a mesma filosofia "recostar e não fazer nada" à sua presidência. Afinal, só duraria três anos.

Em três anos, os dois herdeiros Blackwell, Max Webster e Lexi Templeton, fariam 25 anos. De acordo com o testamento de Kate Blackwell, 25 era a idade na qual um deles assumiria o controle da Kruger-Brent.

Todos supunham que seria Max.

Mas na nova ordem econômica mundial, as suposições só existiam para se provar que estavam erradas.

FALTANDO UMA SEMANA para assumir seu cargo no departamento de internet, Max sabia que tinha cometido um erro. Durante o estágio de verão dele e de Lexi, parecia que o setor de internet estava prestes a entrar em um segundo período de rápido crescimento. O setor imobiliário, por outro lado, há muito tempo vinha precisando de mudanças. Isso, combinado ao fato de que sempre tinha sido um dos setores menos dinâmicos da Kruger-Brent, foi o que o motivou a mandar Lexi para lá.

Infelizmente, quando os primos se formaram em Harvard e passaram a trabalhar em tempo integral na Kruger-Brent, o mercado dera uma de suas reviravoltas desconcertantes. Jim Bruton fizera o possível para controlar as perdas. Mas quando Max chegou em seu primeiro dia de trabalho, o departamento de internet da Kruger-Brent estava perdendo dinheiro tão rápido, que ele mergulhou em um plantão de 24 horas para controle de danos.

Enquanto isso, Lexi e August Sandford tinham animado o sonolento departamento imobiliário e estavam ganhando rios de dinheiro. Sob a direção de August, a Kruger-Brent estendeu seu alcance para a Europa e a Ásia. Enquanto Max estava trancafiado com auditores em um escritório sem janelas em

Manhattan, Lexi estava viajando o mundo, para Tóquio, Paris, Hong Kong e Madrid, fechando acordo atrás de acordo no setor imobiliário. Ela se certificava de que a imprensa tomasse conhecimento de cada um de seus sucessos.

Lexi sabia que esse interesse da mídia na era uma faca de dois gumes. Por um lado, claro, era lisonjeiro. Quando era adolescente, os paparazzi a seguiam aonde quer que fosse. Era a queridinha dos Estados Unidos: corajosa, bonita e abençoada. Seu rosto aparecia na capa de inúmeras revistas. Por todo o país, cada vez mais meninas recebiam o nome de Alexandra. Lexi não se lembrava de não ter sido famosa. Não conseguia nem imaginar como era, embora tentasse: ser anônima, só mais um rosto na multidão. Às vezes lhe parecia uma ideia atraente.

Lexi tinha plena consciência de que a fama quase lhe custara sua herança. Max soubera usar isso bem contra ela, vendendo-a para os membros do conselho como uma garota vazia, fútil. ***Símbolo sexual. Festeira.*** Pareciam apelidos inofensivos no início. Mas quando Max passou a perna nela e ficou com a vaga no departamento de internet, Lexi acordou e percebeu que isso poderia ser muito prejudicial.

Já tenho dois pontos negativos contra mim. Sou surda. E sou mulher. Com três, estarei fora do páreo.

Daquele dia em diante, Lexi trabalhou duro para redefinir seu relacionamento com a mídia. Como todas as heroínas norte-americanas — todas as que duraram, claro — ela era soberana na arte de se reinventar. Assim como Madonna deixara de ser a ninfomaníaca que usava crucifixo e se tornara a Santa Padroeira da Cabala em um piscar de olhos, a Festeira Lexi foi apagada da memória norte-americana e substituída por uma nova criação: a Executiva Lexi. Seu rosto continuava aparecendo nas capas de revistas. Mas em vez de ***In Style*** e ***Us Weekly***, Lexi agora podia ser vista nas bancas de jornais na capa da ***Time*** e da ***Forbes***.

Max tentava, em vão, levantar a sua imagem, mas não adiantava. Ele não tinha sido sequestrado na infância. Não lutara bravamente após perder a audição em uma explosão. Do ponto de vista norte-americano, ele era apenas outro garoto bonito e rico. Lexi era a estrela da família, e sua estrela estava ascendendo. De repente, toda a reputação que Max construíra para si na Kruger-Brent durante a adolescência não servia para nada. Lexi virara a mesa, aparentemente sem nenhum esforço. A não ser que algo drástico acontecesse logo, ela estava no caminho para se tornar a próxima presidente da empresa.

ANTONIO VALAPERTI entregou uma caneta Montblanc de prata maciça para Lexi e observou-a assinar o contrato. Um sorriso satisfeito se espalhou em seu rosto.

Que garota bonita. É quase uma pena vê-la assinar para perder uma fortuna.

Quase...

Antonio Valaperti era a figura mais importante do setor imobiliário em Roma. Maior até que a máfia. Com 50 e poucos anos, um rosto vulpino e olhos castanhos observadores que não deixavam passar nada, gostava de se gabar em festas que o último romano a ser dono de tantas propriedades em Roma quanto ele foi Júlio César. Antonio Valaperti colocara favelas e igrejas abaixo. Cavara fundo na terra antiga da cidade para construir estacionamentos, e redefinira sua paisagem com seus prédios de apartamentos e escritórios. Metade de Roma o admirava, vendo-o como inovador e visionário. A outra metade o odiava, considerando-o um vândalo. Antonio Valaperti era arrogante, brilhante e inescrupuloso. Era mesquinho com dinheiro, mas gostava das coisas boas da vida: boa comida, carros rápidos, mulheres bonitas. Não gostava de norte-americanos. Mas, no caso de Lexi Templeton, estava disposto a abrir uma exceção.

— Agora que concluímos nossos negócios, Bella, que tal pensarmos em coisas mais prazerosas?

Ele quase a comeu com os olhos. Ela estava usando um terninho Marchesa que fazia justiça ao seu lindo corpo. A blusa de seda creme revelava um pequeno pedaço da renda de seu sutiã. Antonio Valaperti pensou: ***Ela me deseja. Já vi este filme umas mil vezes. Ela é jovem, mas o poder a excita. Talvez tenha sido por isso que foi tão inocente ao assinar esse acordo. Está preocupada demais em conseguir uma boca para chupar sua boceta.***

Lexi observou o velho do outro lado da mesa e se segurou para não rir alto.

Os velhos são os piores tolos. Ele realmente acha que me sinto atraída por ele!

Afinal, depois de tudo que escutara de Antonio Valaperti — pela forma como August Sandford falava dele, era de esperar que tivesse poderes mágicos —, Lexi estava quase decepcionada com a facilidade de superar a versão romana de Donald Trump. Acabara de vender para Valaperti o que ***ele*** acreditava ser um terreno muito valioso ao sul de Villa Borghese Park, em uma das áreas residenciais mais valorizadas da cidade. Na verdade, o terreno de quarenta acres estava prestes a não valer nada. Com algumas propinas pagas às pessoas certas e com a ajuda de sua confiável blusa decotada (***eles realmente devem colocar uma foto desta blusa de seda creme Stella McCartney na capa da Forbes. Fez a Kruger-Brent poupar muito mais dinheiro nesta viagem do que eu***), Lexi descobrira que todas as concessões em um raio de um quilômetro de The Spanish Steps estavam prestes a serem rescindidas.

É claro que nunca ocorreu a Antonio Valaperti que uma estrangeira, uma ***norte-americana***, poderia ter mais acesso aos corredores do poder italiano do que ele. Muito menos esta moça linda com idade para ser sua filha. E ainda era surda, coitada.

Os norte-americanos realmente tinham umas ideias estranhas sobre como administrar um negócio.

— Quem me dera, Antonio. Quem me dera.

Todos que estavam sentados no restaurante do Hotel Hassler viraram a cabeça quando Lexi se levantou para sair.

— Infelizmente, tenho assuntos urgentes para resolver em Florença amanhã de manhã. Preciso ir dormir cedo. Boa noite.

Antonio Valaperti observou-a ir embora, controlando sua irritação.

Uma pequena provocação. Ela acha que está brincando comigo. Ele chamou o garçom pedindo que trouxesse a conta. ***Quando você descobrir o quanto este terreno realmente vale, querida, vai ver quem brincou com quem.***

Aí você verá qual é a sensação de ser fodida por Antonio Valaperti.

ÀS 10 HORAS DA MANHÃ seguinte, Lexi fez o check-in na Villa San Michele, um antigo mosteiro idílico transformado em um hotel de luxo, que ficava no alto das colinas de Florença.

Eu amo a Itália, pensou ela ao tirar as roupas de viagem e entrar no boxe de mármore para uma chuveirada. Escolhera San Michele por causa dos muros altos que impossibilitavam o acesso dos paparazzi. Pela primeira vez em sua vida, Lexi estava sentindo necessidade de uma pausa de todas as atenções e este era o lugar perfeito. Robbie lhe dissera que a Itália era surpreendentemente linda. Mas nem o elaborado elogio dele fazia justiça. Roma era espetacular, Lexi sentia como se fosse ficar sem fôlego a cada esquina que virava. Era como voltar no tempo. Mas se a Villa San Michele pudesse servir de referência, desconfiava que ia gostar ainda mais da Toscana.

Sua vitória sobre Valaperti era ainda mais doce porque August Sandford estava tão certo de que ela não conseguiria.

A própria Lexi tivera suas dúvidas. Achava muito mais difícil ler os lábios dos estrangeiros, que formam as palavras em inglês de um jeito diferente, e chegara até a considerar viajar para a Itália com um intérprete.

Graças a Deus, não fiz isso. Todos aqueles jantares a dois com Valaperti foram o que garantiram o acordo.

No último ano, o relacionamento de Lexi com August tinha melhorado um pouco. Ela ainda o achava arrogante e machista. Ele ainda se ressentia por ela ser bisneta de Kate Blackwell. Mas ambos desenvolveram um relutante respeito mútuo pelas habilidades do outro em fazer negócios. August chegaria em Florença essa noite e, pela primeira vez, Lexi estava ansiosa para jantar com ele.

Talvez agora ele admita que vou ser uma boa presidente. Que sou tão capaz quanto ele de dirigir a Kruger-Brent.

O RESTAURANTE NA Villa San Michele se abria em uma varanda medieval, coberta por grandes videiras. De sua mesa, Lexi podia ver os jardins simétricos do mosteiro com suas cercas vivas e caminhos de cascalho. Além dos jardins, ela via os telhados de terracota de Florença, espalhados como um cobertor no ar noturno e quente, que cheirava a alecrim.

É tão romântico! Como seria mais gostoso jantar aqui com um amante, e não com o meu chefe.

Lexi sentiu um tapinha no ombro e se virou. O sorriso de satisfação sumiu de seu rosto.

— O que você está fazendo aqui? Cadê August?

— Em Taiwan, acho. Alguma coisa de urgência. Já fez o seu pedido? Estou faminto.

Max se sentou e chamou o garçom. Sem nem olhar o cardápio, fez o pedido em um italiano perfeito. Ele estava falando rápido demais para Lexi entender o que estava pedindo. Mas conseguiu captar que ele pedira uma garrafa de vinho tinto Antinori de duzentos dólares, e que ele resolvera fazer o pedido dela também.

Lexi estreitou os olhos.

— O que você está fazendo aqui, Max?

— Estamos pensando em comprar uma empresa ***on-line*** de empregos. — O tom de voz dele era casual. — Starfish. Uma versão europeia da monster.com. A base deles é em Florença, acredita?

Lexi não acreditava. ***Ele está planejando alguma coisa.***

Embora morassem na mesma cidade e até trabalhassem no mesmo prédio, já fazia meses que Lexi não via Max. Ela estava sempre viajando. Nas raras ocasiões em que estava na Kruger-Brent, não procurava a companhia dele. Essa noite, ele estava usando uma camisa azul com o colarinho desabotoado, e uma calça social Armani preta. Uma leve fragrância de uma antiquada colônia de limão exalava dele, e sua pele naturalmente morena estava ainda mais bronzeada do que de costume. Ela se esquecera do quanto ele era atraente, e ficou irritada com isso.

— Como foi em Roma? Acredito que Valaperti seja osso duro de roer.

Parte de Lexi queria ignorá-lo. Mas a vontade de se gabar era forte demais.

— Foi ótimo. Valaperti estava comendo nas minhas mãos.

— ***Mesmo?***

— Mesmo. Vendi a ele um terreno por mais de cem milhões de dólares.

Aproximando-se, Max sinalizou.

— Ele tentou levar você para a cama?

Lexi ficou surpresa.

— Quando você aprendeu a linguagem de sinais?

Max deu de ombros.

— Só sei algumas frases, mas estou melhorando. Sabe, pensei que, como vamos trabalhar juntos por um tempo, eu deveria fazer algum esforço.

Ele parece verdadeiro. Mas por que está sendo tão legal e razoável assim de repente?

— Então, ele tentou?

— O quê?

— Levar você para a cama.

— ***Não!*** Bem, mais ou menos. Talvez um pouco. — Lexi percebeu que estava sorrindo, mesmo sem querer. — Nosso amigo Antonio claramente se acha um bom partido.

— Quantos anos ele tem?

— Sessenta e cinco? Setenta talvez?

— Velho imundo.

Lexi ficou surpresa ao perceber que estava se divertindo. Sentada neste lugar divino e romântico com seu inimigo eterno, a noite parecia estar fluindo bem.

O vinho chegou, com duas saladas toscanas e pão. Logo, Lexi já estava bem alegre. Max a entreteve com histórias trágicas do departamento de internet.

— A única pessoa que vai receber bônus este ano é quem ganhar o bolão do divórcio de Jim Bruton. A esposa finalmente resolveu deixá-lo, e o departamento inteiro está fazendo apostas de quanto ela vai conseguir.

— Que horrível! Coitado. — Lexi riu.

— Coitado nada. Ele tem dois filhos com outra mulher e nunca pagou um centavo de pensão para nenhum dos dois. Quando for presidente, deveria demiti-lo.

Lexi ficou sóbria na mesma hora. Será que lera os lábios dele corretamente?

— O que você disse?

— Eu disse que quando você for a presidente, deve mandar Jim Bruton embora. Venha. — Max se levantou, estendendo a mão de forma galanteadora. — Vamos entrar e conversar. Está ficando frio aqui fora.

Tanto o ***lounge*** como o bar do hotel estavam cheios, então foram para a suíte de Lexi. Com vista para os jardins, a suíte tinha uma varanda privativa, além de escritório e sala de estar, completos com antigos móveis italianos e uma lareira. Max serviu uísque para os dois do frigobar e se sentou no sofá ao lado de Lexi.

— Olhe. Eu não vim aqui por causa da Starfish. Pelo menos, não só por isso.

Observando seus lábios se moverem, Lexi sentiu um forte desejo de se aproximar e beijá-los.

Devo estar mais bêbada do que achei. Ela largou o copo de uísque.

— Continue.

— Quero pedir uma trégua.

Por quase um minuto, Lexi ficou em silêncio. A noite inteira estava sendo surreal. August não aparecendo, Max surgindo do nada, sua ofensiva atipicamente sedutora. Agora estava falando sobre trégua? Finalmente, ela disse:

— Por quê?

Max sorriu.

— Não vou mentir para você, Lexi. Quero ser presidente tanto quanto você. Sempre quis. Mas reconheço que é improvável que isso aconteça. — Como Lexi não respondeu, ele continuou. — Kate Blackwell odiava a minha mãe. Não sei por quê, mas odiava. E eu a odiava por causa disso, mesmo sabendo que ela morreu antes de eu nascer.

— Max.

— Deixe-me terminar. Como o testamento de Kate me deixa de fora da Kruger-Brent, sempre achei que precisava provar alguma coisa. Eu não entendia por que eu deveria me afastar e deixar que entregassem a empresa para você em uma bandeja.

— A intenção de Kate era entregar a empresa de bandeja para Robbie — lembrou Lexi. — Eu também precisei lutar por um lugar à mesa, sabia?

— Eu sei. É por isso que estou aqui. — Max pegou a mão dela. A palma de sua mão estava quente e úmida. Lexi sentiu uma pulsação entre as suas pernas. Estava ficando difícil se concentrar. Engoliu seco.

— Não somos mais crianças, Lexi — disse Max. — É hora de pararmos de agir como tal. A Kruger-Brent é tudo para mim. Tudo. — Havia lágrimas nos olhos dele. — Se... ***quando*** você assumir a presidência da empresa, terá alguns desafios difíceis pela frente. Vai precisar de pessoas à sua volta em que possa confiar.

"Confiança" e "Max" eram duas palavras que, até aquele momento, Lexi nunca usara em uma mesma frase. Será que era possível? Ele realmente ***amadureceu***? Ela queria acreditar. Mesmo assim...

— Não sei o que dizer. Isso é... Isso é muito generoso de sua parte.

— Você sabe que nossa capitalização de mercado caiu vinte por cento no ano passado. — Havia uma faísca de alguma coisa parecida com fúria nos olhos negros de Max. — Tristram Harwood é um dinossauro. Ele não faz a menor ideia do que está fazendo, não tem visão, não tem nenhum plano de ação.

Lexi assentiu calmamente.

— Eu sei.

— Então, o que você acha? Quer tentar jogar no mesmo time, pra variar?

A perna de Max estava encostando na dela. Lexi podia ver o contorno definido e forte do músculo da coxa dele por baixo do fino algodão de sua calça.

Acho que quero ver seu corpo nu.

Acho que quero você na minha cama agora.
Acho que bebi vinho demais no jantar.

— Claro. — Ela sorriu para ele. — Por que não?

NAQUELA NOITE, Lexi ficou acordada na cama, fitando o teto. Max estava falando sério? Se alguém lhe fizesse aquela pergunta 24 horas atrás, ela provavelmente teria rido na cara da pessoa. Ela e Max Webster, um time? Ainda assim, ele pareceu sincero. Pensou nos últimos meses na Kruger-Brent. Max a apoiara naquela votação crucial do conselho sobre a nova emissão de ações. E ele não falara nada sobre o escritório maior que ela agora ocupava. Será que era possível tê-lo julgado errado? Ou a frustração sexual não estava deixando com que pensasse direito agora?

Tinha achado que sua libido se acalmaria quando o efeito do álcool passasse. Mas agora, horas depois, sua perna ainda queimava onde a coxa de Max encostara, e ainda sentia o delicioso cheiro de sua colônia de limão. ***Maldito seja ele. Por que tinha de vir aqui?***

Lexi tivera muitos amantes na vida. Talvez centenas. Mas esta noite percebia que nenhum deles significou nada para ela. ***Nunca desejei nenhum deles. Não de verdade. Bem no fundo, sempre desejei Max.***

Fechando os olhos, ela lentamente deslizou as mãos pelo seu corpo quente e nu. Segurou os próprios seios, depois seus dedos resvalaram a maciez de sua barriga. Finalmente, começou a acariciar o ponto úmido, quente e macio entre suas pernas.

Visualizou os lábios de Max se mexendo:

A Kruger-Brent é tudo para mim... quero a presidência... mas isso não vai acontecer.

Seus dedos começaram a se mover mais rápido, seguindo um ritmo.

Eu o derrotei.

Eu venci.

Imaginou Max em cima dela, dentro dela. Imaginou-os sendo um.

A Kruger-Brent é minha.

Ela estava ofegante, seu corpo estremeceu quando atingiu o orgasmo.

Oh, Deus, Max. Eu quero você.

De um telefone público no Aeroporto Internacional de Taiwan, August Sandford gritava com a secretária.

— Não basta, Karen! Eu viajei meio mundo para essa maldita reunião, para chegar aqui e o Sr. Li me dizer que o hotel não está mais à venda.

— Sinto muito, Sr. Sandford. Não entendo o que pode ter acontecido. A secretária dele confirmou a reunião comigo ontem mesmo. Ela disse que tinha outro interessado e que era de extrema importância que o senhor fosse até lá imediatamente.

August quase desligou, furioso demais para falar. Graças a essa corrida a lugar nenhum, tivera de desmarcar duas reuniões importantes com clientes na Europa, sem mencionar seu encontro com Lexi.

Então percebeu uma coisa estranha...

A secretária dele confirmou... ela disse que tinha outro interessado.

August encontrou com o secretário do Sr. Li uma hora atrás. Era um homem.

Eve ligou para Max enquanto ele estava dirigindo.

— Encontrou com ela?

— Encontrei, sim, mãe.

— Fez tudo exatamente como combinamos?

— Fiz.

— E? Acha que ela confia em você?

Max pensou por um momento. Lembrou-se da forma como as pupilas de Lexi dilataram quando ele pegou sua mão; do calor quando suas pernas se tocaram. Havia algo novo entre eles, isso era certo. Mas não podia chamar, necessariamente, de confiança.

— Acho que está começando a confiar.

Eve percebeu a hesitação na voz dele. Perguntou diretamente:

— Você não foi para a cama com ela, foi?

— Não, mãe. Claro que não.

— Bom. — Eve pareceu aliviada. — Você acabará tendo de fazer isso, claro. Mas ainda não. Ainda não está na hora.

Max desligou, perturbado. Imaginou a mãe andando de um lado para o outro no apartamento deles em Nova York, de robe de seda, uma tigresa enjaulada esperando que ele voltasse da caça. As coisas tinham ido melhor do que esperava com Lexi essa noite. Ainda assim... Sua discussão com Eve na semana anterior estava gravada em sua memória. A tensão na voz dela, a ira presa fervendo dentro do corpo dela, prestes a explodir.

"É a sua última chance, Max. A nossa última chance! Aquela vadia vai tirar a Kruger-Brent de nós. Você precisa fazer alguma coisa!"

Vou fazer, mãe. Não se preocupe. Vou fazer.

Mas ele faria? ***Conseguiria*** fazer?

E se fracassasse?

Desviando para o acostamento, ele parou o carro e abriu o porta-luvas. Tirou um potinho de plástico e uma garrafa de Jack Daniels, engoliu quatro comprimidos de Xanax, tomando a bebida por cima para ajudar a descer.

Não vou fracassar, mãe.

Prometo.

Capítulo 21

PARA LEXI, PARECEU QUE o ano seguinte passou em um piscar de olhos.

Tinha um talento natural para imóveis. Kate Blackwell sempre acreditou que instinto para o mercado valia mais do que cem MBAs. Lexi concordava. Não foi Harvard que a ensinou a fazer negócios. Estava em seu sangue. Ela vivia pela emoção dos acordos milionários, precisava de tensão e estresse da mesma forma que outras pessoas precisavam de oito horas de sono e refeições regulares. O acervo imobiliário da Kruger-Brent era enorme e estava crescendo cada vez mais. Era um setor tão empolgante que era fácil se esquecer de que era apenas um entre centenas de outros em que a empresa tinha negócios.

Conforme o aniversário de 25 anos de Max e Lexi se aproximava, o conselho da Kruger-Brent, formado por dez homens, decidiu que ambos deveriam passar algum tempo aprendendo sobre *todas* as áreas em que a empresa agia.

— É importante que vocês conheçam intimamente todos os aspectos da empresa. — Tristram Harwood dirigiu seus comentários a Lexi e Max, mas a essa altura ambos sabiam que era para Lexi que ele estava falando.

— Ouso dizer que vocês devem achar que cresceram aqui dentro e que conhecem a empresa de trás para frente. Mas vão se surpreender com a vastidão do império de vocês.

— Fóssil arrogante — disse Max quando saíram do escritório.

— Ele é patético — concordou Lexi. — Nosso ***império*** realmente.

Mas Tristram Harwood estava certo. A Kruger-Brent ***era*** um império. E Lexi ***ficou*** surpresa. Viajando pelo mundo como um morcego desorientado, visitando os escritórios da empresa na Índia e na Rússia, em Praga e Hong Kong, Dublin e Dubai, ela percebeu que, para dirigir a Kruger-Brent, precisava ser mais do que apenas uma mulher de negócios brilhante. Muito mais. Precisava ser uma estadista. Uma diplomata. Uma general. Precisava liderar, claro, mas também precisava delegar. A Kruger-Brent era enorme demais para ser administrada por um único ser humano. Pela primeira vez, ela viu por si só como seria importante estar cercada de pessoas em quem confiasse implicitamente.

August Sandford. Ele é um chato, mas confio nele.

E Max, claro.

Desde que haviam voltado da Itália, Max mudara completamente. No trabalho, era prestativo, respeitador e tranquilo. Da mesma forma que antes procurava August Sandford quando tinha algum problema, agora conversava com Max. Quando visitou uma fábrica de microchips subsidiária na Índia e percebeu que os gerentes não entendiam quando ela falava, apesar de falarem inglês fluentemente, ficou mortificada.

— Eles olhavam para mim como se eu fosse de Marte. — Lexi abriu seu coração em um e-mail tarde da noite. — Eu me senti uma tola. Todos esses anos, as pessoas me dizendo que a minha voz era boa. Mas não é. É óbvio que, para esses caras, a minha voz era a de uma pessoa surda.

Max respondeu com calma. Inglês indiano era diferente de inglês norte-americano. Eles provavelmente teriam olhado para ele da mesma forma. Lexi deveria viajar com um intérprete da língua de sinais assim como um intérprete da língua local, para o caso de precisar. Nada demais.

Era exatamente o que Lexi precisava escutar.

A tensão sexual entre eles aumentava a cada dia. Max deixava Lexi irritada por oscilar continuamente. Esse era o único elemento do caráter dele que ainda a deixava perplexa. Em um momento, ela tinha certeza de que ele ia fazer alguma coisa. No seguinte, ele mudava e passava a agir fraternalmente. Acostumada a ter homens se jogando aos seus pés, Lexi não fazia ideia de como lidar com o jogo duro de Max. Saía com outros caras. (Discretamente. Agora não era o momento de reacender os boatos de garota festeira.) Mas não se satisfazia com o sexo. Às vezes achava que podia estar apaixonada pelo primo, mas afastava a ideia rapidamente.

Não tenho tempo para amor. Tem muita coisa para ser feita na Kruger-Brent.

A viagem pelo mundo abriu os olhos de Lexi para a gravidade dos problemas que a empresa estava enfrentando. Sem a menor sombra de dúvida, a maior questão era o tamanho. A Kruger-Brent era grande demais. Sob a liderança de Kate Blackwell, a empresa engolira todos os adversários, sem se importar se sua área de atuação se encaixava bem com os negócios do grupo. Nos dois anos que antecederam a morte de Kate Blackwell, a Kruger-Brent tornara-se a orgulhosa dona de uma mina de diamantes no Zaire, uma editora de livros infantis na Escócia, uma empresa de pesquisa na área de biotecnologia em Connecticut e uma faixa da floresta tropical brasileira aproximadamente do tamanho da Pensilvânia, só para citar quatro das várias aquisições de Kate.

A bisavó de Lexi era "Senhora do Jogo" dos negócios. Mas o jogo tinha mudado.

Quando eu for presidente, vou jogar sob novas regras. Precisamos ficar mais enxutos. Mais saudáveis. Mais ágeis. Ou não sobreviveremos.

Lexi sabia que queria desenvolver o setor imobiliário. Petróleo também seria crucial. Sua mais recente viagem à África aumentara a confiança dela no continente, que, com sua riqueza de terras e recursos naturais, poderia muito bem ser a chave para o futuro da Kruger-Brent. Assim como o fora no passado.

Fortunas podiam ser feitas em terrenos e propriedades africanos. Os preços estavam triplicando a cada ano, mas a maioria das grandes empresas norte-americanas estava perdendo essa chance por medo da volatilidade da política e da economia da região. Enquanto isso, conglomerados locais, como The Olam Group e Africa Israel Investments, estavam esbaldando. Na África do Sul, que poderia ter sido o centro de comando da Kruger-Brent, novas empresas como Endeavour e a Fênix de Gabriel McGregor estavam passando a frente e crescendo, audaciosamente agarrando sua parcela do mercado bem debaixo de seus narizes.

Lexi admirava o modelo brilhantemente simples da Fênix. Fez uma anotação mental para copiá-lo e depois tirar Gabriel McGregor do mercado na primeira oportunidade.

Jamie McGregor construiu esta empresa da África. Ele não tinha medo de arriscar. Eu também não tenho.

NA SEMANA ANTES DO NATAL, August Sandford convidou Lexi para almoçar com ele.

— Mal vejo você agora. O departamento imobiliário está muito calmo sem você.

Lexi sorriu. Esse foi o mais perto que ele já chegou de lhe fazer um elogio. Aceitou almoçar com ele no dia seguinte.

O porteiro do Harvard Club olhou de forma reprovadora para o bando de fotógrafos que cercou Lexi quando ela saiu do carro. Com uma caxemira creme Donna Karan, seus famosos olhos cinza da família Blackwell escondidos atrás de enormes óculos Oliver Peoples, ela parecia exatamente a magnata em ascensão que era.

— Desculpe, John. — Lexi sorriu. O porteiro se derreteu mais rápido que os flocos de neve na calçada. — Passei algumas semanas fora da cidade. — Ela fez um gesto com a cabeça na direção dos paparazzi. — Acho que eles estão piores do que de costume. O Sr. Sandford já chegou?

— Já, Srta. Templeton. Na mesa de sempre.

August observou Lexi passar pelas outras mesas, vindo na sua direção. Por baixo do casaco, ela estava vestindo um terninho que mandara fazer em Hong Kong. Parecia profissional e segura de si. August pensou: ***ela cresceu.*** Apesar de preferir morrer a deixar que ela soubesse, desenvolvera um afeto verdadeiro por ela nesses últimos dois anos. Sua atração inicial, motivada pela inveja, fora substituída por algo preocupantemente mais próximo da amizade. August Sandford nunca conseguira ser amigo de uma mulher. Talvez fosse por isso que se sentisse tão estranho?

August não estava ansioso por este almoço. Tinha de contar coisas para Lexi que sabia que ela não ia querer escutar. Coisas que poderiam fazer com que ela o visse como tolo. Ou paranoico. Ou ciumento. Ou os três.

Lexi se sentou.

— Então, como estão as coisas? O que perdi? Já fecharam o acordo Hammersman?

August sorriu. Adorava o jeito como ela ia direto ao assunto.

— Fechamos. Ontem. Como foi na África?

— Interessante. Quente. A comida é horrível.

— Sentiu saudades de Nova York?

— Sinto saudades do departamento imobiliário. Mas não conte a ninguém.

Fizeram o pedido. Lexi podia perceber que tinha algo preocupando August.

— Você queria falar comigo sobre alguma coisa? — Ela deu uma mordida em seu sanduíche de peru. Depois de duas semanas comendo pratos típicos sul-africanos com chá rançoso, aquilo parecia um manjar dos deuses.

August mordeu o lábio.

— Já viu Max depois que voltou?

— Ainda não. Por quê?

— Talvez não seja nada. — Ele fez uma pausa, — É só que... umas coisas que ele tem feito ultimamente. Você tem certeza de que ele não tem mais nenhuma esperança de ser presidente?

Lexi colocou o sanduíche no prato.

— Claro que tenho. O que houve, August?

— Umas semanas atrás, escutei Max no banheiro conversando com Tristram Harwood, querendo levar crédito por vender um dos sites de aposta.

— Eu fiquei sabendo, bobo. Ele vendeu para KKR.

— Só que não foi ele. — August tomou um gole de sua água gelada. — Não foi Max quem fez esse acordo. Foi Jim Bruton.

— Foi?

— Foi. Jim confrontou Max sobre ter-lhe passado para trás. Quatro dias depois, ele estava tirando as coisas de sua mesa.

Lexi deu de ombros.

— E daí? Bruton foi demitido. Você se importa? Achei que o odiasse.

— E odeio. Mas essa não é a questão. — August tentou uma abordagem diferente. — No mês passado, Max deveria estar na Suíça, conhecendo as empresas farmacêuticas. Assim que ele soube que você iria para a África, cancelou a viagem. Ele ficou em Nova York esse tempo todo que você ficou afastada, jogando golfe com Harwood e Logan Marshall. Ele até me convidou para jantar no Lowell, e depois para irmos ao Cindy's. Estou avisando, ele está planejando alguma coisa.

Lexi sentiu um aperto no peito, mas não pelo motivo que August Sandford queria. Cindy's era um bar de strippers famoso por ter as dançarinas eróticas mais bonitas da cidade. Só de pensar em Max passando a mão em alguma deusa seminua enquanto ela estava na África, Lexi ficou morrendo de ciúmes.

— Você foi? Ao Cindy's?

August passou a mão no cabelo, frustrado.

— Não, Lexi. Acho que você não está escutando o que estou dizendo. Acho que Max está tramando contra você pelas suas costas. Acho que ele está tramando alguma coisa.

— Você está errado.

— Estou? O que aconteceu na Itália, Lexi? Daquela vez que eu deveria ter me encontrado com você em Florença?

— Não aconteceu nada. — Lexi estava na defensiva. — Você desapareceu para Taiwan sem nem ao menos me ligar. Max estava na Itália cuidando de outros negócios. Jantamos juntos. E daí? Isso foi um ano atrás, pelo amor de Deus.

— Taiwan foi uma armação. Não havia reunião alguma. Alguém ligou para Karen, minha secretária, fingindo ser a secretária do Sr. Li. Viajei meio mundo para nada.

Lexi riu.

— E você acha que foi Max? Fala sério! Isso está me parecendo ***Missão Impossível.***

August ficou em silêncio por alguns momentos.

— Lexi — disse ele finalmente. — Você e Max estão juntos?

O rosto de Lexi ficou vermelho, tanto de raiva quanto de constrangimento.

— O quê?

— É uma pergunta simples. Você está dormindo com ele?

Lexi se levantou.

— Em que mundo alternativo isso poderia ser da sua conta?

Furiosa, ela se virou e saiu do restaurante.

Quem diabos August Sandford pensa que é? Meu pai?

August já ia chamá-la, mas então lembrou-se que ela não o escutaria. Levantou-se e seguiu-a até a rua.

Ainda estava nevando. Segurando Lexi pelo ombro, August a girou para encará-lo. Foi quando ele percebeu que estavam cercados de fotógrafos. A esta hora amanhã, sem dúvidas, a imprensa estaria afirmando que era o novo namorado de Lexi Templeton.

— Acho que você está apaixonada por Max. — uma vez que chegara até aqui, iria até o fim. — E acho que isso está atrapalhando a sua capacidade de ver as coisas claramente. Ele está usando você, Lexi.

Clique, clique, clique.

Furiosamente, Lexi se soltou.

— Se tem alguém aqui que não está conseguindo ver as coisas claramente, é você. Está com ciúmes. Está com ciúmes porque eu e Max...

— O quê? Você e Max o quê?

Neste momento, John, o porteiro do Harvard Club, saiu correndo do clube em direção a eles. Abriu caminho à força entre os paparazzi, carregando o casaco de Lexi. Entrando na frente de August, ele envolveu-o em Lexi.

— Pelo amor de Deus, Srta. Templeton. Como sai sem seu casaco? Vai congelar.

— Obrigada, John.

Com a expressão mal-humorada, Lexi abotoou o casaco de lã creme até o pescoço. Lançando um último olhar furioso para August, ela entrou no banco de trás de seu carro. O motorista acelerou, jogando um spray de neve suja em cima dos paparazzi.

Lexi olhou pelo vidro escuro, tentando organizar seus pensamentos.

— Para o escritório, senhorita?

— Ainda não, Wilfred. Você se importaria de apenas dirigir por aí um pouco?

Maldito August e suas suspeitas estúpidas! O que ele sabe? Lembrou-se de tudo que ele tinha lhe contado. ***Max e Jim Bruton tinham brigado por causa de um acordo.*** E daí? Isso acontecia o tempo todo. ***Max cancelou uma viagem para a Europa.*** Pode ter sido por uma série de motivos. ***Max jogou golfe com membros do conselho.*** Não podia nem ser chamado de ofensa. De fato, a história de Taiwan era estranha. Mas Lexi tinha certeza de que deveria haver uma explicação totalmente racional.

Só não sabia por que não conseguia afastar a sensação desagradável que estava sentindo.

AINDA ESTAVA ENJOADA naquela noite quando chegou em seu apartamento. Normalmente, cozinhar e assistir reprises de ***Friends*** a ajudava a se distrair, mas esta noite nada estava funcionando.

Depois de vestir seu pijama e sentar-se no sofá com um enorme pote de sorvete, Lexi decidiu ligar para seu irmão. Robbie sempre a ajudava a ver as coisas sob outra perspectiva, e, pelo menos desta vez, ele estava no mesmo fuso horário que ela, fazendo uma série de concertos em Pittsburgh. Graças ao novo telefone com tela da Geemarc, uma invenção brilhante que permitia que ela falasse normalmente ao telefone e recebesse as palavras da outra pessoa em forma de texto a sua frente, estava começando a fugir da tirania do e-mail. (A Kruger-Brent fez uma oferta pela Geemarc no ano anterior, mas perdeu para uma rival alemã. Na manhã do dia seguinte, Lexi mandou seu corretor na bolsa comprar o máximo de ações que conseguisse.

Hoje essas ações estavam valendo três vezes mais, e o valor ainda estava em ascensão.)

Ninguém atendeu no quarto de hotel de Robbie. Ele já deve ter saído para o Mellon Concert Hall.

Talvez eu devesse ligar diretamente para Max? Conversar com ele sobre tudo isso. Mas não tinha como fazer isso sem deixar August mal. Por mais que estivesse com raiva de August, a última coisa que queria era criar uma rixa entre ele e Max. ***Eles são as duas pessoas que mais confio na Kruger-Brent. Precisarei dos dois ao meu lado quando for presidente.***

Uma luz vermelha acendeu na parede em cima da televisão. Alguém estava lá embaixo. Olhando pela tela de vídeo ao lado da porta do apartamento, Lexi viu um homem com os ombros encurvados contra o vento. Quando viu quem era, sorriu.

Ele nunca vem ao meu apartamento. O que será que ele quer a esta hora da noite?

Apertando o botão para abrir a do edifício para ele, Lexi correu para o banheiro para passar blush. A África estava um forno, mas ela tivera pouco tempo para pegar sol. As viagens sempre faziam com que parecesse esgotada. Na pressa, ela deixou cair maquiagem por todo o chão do banheiro. Ainda estava de quatro, tentando limpar, quando Max entrou.

— Meu Deus, o que aconteceu aqui? Uma tempestade de areia?

Lexi levantou-se e deu um beijo em seu rosto.

— Não estava esperando você.

— Eu sei. Estava voltando para casa do restaurante e pensei que poderia dar uma passadinha aqui. Mas se você estiver muito cansada...

— Não, não. Estou ótima. — Com uma suéter de tricô grossa e calça jeans, ele estava ainda mais bonito do que de costume. Lembrou-se das palavras de August. ***Acho que você está apaixonada por ele.***

— Um drinque?

— Um uísque, por favor.

Ela foi para a cozinha para servir para ele. Alguns momentos depois, levou um susto. Por trás dela, Max passou as duas mãos geladas por sua cintura. Então, com tanta gentileza que Lexi mal conseguiu sentir, ele deu um beijo na sua nuca.

OK. Ele está tentando alguma coisa. Certamente posso interpretar assim, não posso?

Ou o beijo na nuca mostra que foi fraternal?

Droga.

Ela se virou. Max estava encarando-a, os olhos predatórios vagando por suas feições como se fosse a primeira vez que as visse.

— Você almoçou com August Sandford hoje.

Como ele sabia disso?

— Almocei.

— Ele tentou alguma coisa com você?

Lexi ficou tão surpresa que caiu na gargalhada.

— Isso é um "sim"? — perguntou Max, irritado.

— Não, isso não é um "sim"! É um "não". É claro que ele não tentou nada comigo. August não me vê dessa forma.

— É claro que ele vê você dessa forma. Todos os homens do planeta veem você assim.

Max pegou o rosto de Lexi em suas mãos e o puxou. De repente, seus lábios estavam grudados nos dela, e sua língua, dentro da boca, ansiosa, faminta. Então, tão repentinamente quanto a puxara, ele se afastou. Parecia furioso.

— Não quero que almoce com ele de novo.

Lexi se conteve.

— Espere um minuto. Quem você pensa que é para dizer com quem posso ou não posso almoçar? Mas se...

Outro beijo. Desta vez, as mãos geladas de Max deslizaram por baixo da blusa dela, agarrando seus seios com vontade.

Todos os instintos feministas de Lexi diziam para se afastar. Mas parecia que sua virilha tinha faltado às aulas sobre Germaine Greer. Em vez de acompanhá-lo até a porta, Lexi viu que estava arrancando a suéter de Max e tentando soltar o cinto dele.

Ah, Deus. O que foi que August disse sobre falta de capacidade para ver as coisas claramente?

— Pensei que você não se sentisse atraído por mim.

— Pensou errado.

Arrancando os botões do pijama de Lexi, Max a carregou para o quarto. Roupas da viagem para a África ainda estavam espalhadas sobre a cama, mas Max não se incomodou em tirá-las dali. Jogando-a em cima da bagunça, abriu suas pernas, abaixou a cabeça e começou a chupá-la, sua língua movendo-se como uma enguia, deslizando na umidade entre as coxas dela. Lexi gemeu. Sentiu seus músculos ficarem tensos e suas costas se arquearem. Tentando se soltar, ela empurrava a cabeça dele. ***Não posso gozar tão depressa. Não posso deixar que ele saiba o quanto o desejava.*** Mas não adiantou. Lexi parecia não ter o menor controle sobre seu corpo. Sentiu os espasmos conforme ondas de prazer tomavam conta de seu ser.

No instante em que o orgasmo dela acabou, Max arrancou as próprias calças e subiu na cama de forma que pudesse encará-la. Lexi olhou dentro de seus olhos. Esperava ver excitação, tesão, alegria. Mas encontrou-se fitando dois poços negros sem fundo de... nada. Sentiu uma pontada momentânea de medo.

Você não é Max. É um estranho. Quem é você?

Era medo misturado com tesão. Mesmo na época em que acreditava odiar Max, Lexi reconhecia que ele tinha algo animalesco e selvagem. Alguma coisa perigosa. Era a parte dele que, secretamente, sempre desejara possuir, revelar. Agora estava prestes a revelá-la. Mal podia respirar.

Max percebeu que ela estava tentando desvendá-lo, tentando descobrir quem ele era realmente. Virou-a de costas para que não pudesse ver seu rosto. Então, penetrou-a por trás, seu enorme pênis satisfazendo-a total e finalmente.

Lexi gemia de prazer.

É isso. É assim que sexo deve ser.

Logo, ela não tinha mais noção de nada além das incríveis sensações que se espalhavam por seu corpo.

Max também se perdeu no momento. Tentou se segurar, mas era impossível. Os seios de Lexi pareciam os de sua mãe. Seu cabelo, sua pele tinham o cheiro de Eve. Estava fazendo isso por sua mãe. Tudo era por Eve. Ainda assim, se sentia infiel, sujo, penetrando sua prima por trás.

Não deveria ser tão bom. Não com Lexi. Max a odiava.

Eu odeio você.

Max gozou, gritando o nome da mãe.

Como não podia ver seu rosto, Lexi não pôde escutá-lo.

O ROMANCE DE LEXI com Max era como o tesouro secreto de uma criança: precioso demais para mostrar para as outras pessoas. Quando Lexi era pequena, tinha uma linda caixa antiga que usava para guardar suas "coisas da natureza" especiais: um ovo de pássaro que caíra no gramado de Dark Harbor sem se quebrar; o crânio de um coelho, tão branco que até brilhava no escuro. Se pudesse, teria escondido o amor de Max naquela caixa. Só o tiraria de lá à noite, quando estivesse sozinha, como o crânio do coelho, para fitá-lo maravilhada. O fato de ninguém no trabalho saber que estavam juntos só tornava o relacionamento ainda mais excitante.

— Somos primos. E colegas de trabalho. As pessoas não entenderiam — dizia Max.

Lexi concordava. Um dia, em breve, seria chefe de Max. Chefe de todo mundo. Discrição na Kruger-Brent era de vital importância.

"As pessoas" entenderiam muito menos se fossem moscas na parede assistindo à vida amorosa de Max e Lexi. Desde que perdera a virgindade aos 16 anos, Lexi se lançou em uma missão sexual, determinada a não deixar que o abuso que sofrera na infância atrapalhasse a sua libido na vida adulta. Ficara tão ocupada ***provando*** sua sexualidade, mostrando para amante após amante como gostava de sexo e como era senhora de si, que nunca parou para descobrir o que realmente queria.

Max era a resposta para todas as perguntas que Lexi já fizera. Não apenas seu apetite sexual era compatível com o dela. Mas ele transava com um desespero violento que a deixava sem fôlego e implorando por mais. Nunca tinha imaginado que poderia gostar de ser dominada na cama. Na vida, na sala de reuniões, ***ela*** era a Senhora do Jogo. Mas Max abriu a porta para um outro lado de sua psique. Os jogos começavam devagar: ele segurava as mãos dela ou dava um tapa de leve em seu bumbum enquanto faziam sexo. Mas conforme as respostas de Lexi iam se intensificando, Max ia cada vez mais longe no seu jogo de sexo e poder. Sodomia, algemas, humilhação — não havia limites. Lexi se sentia livre. Em casa, na cama com Max, podia tirar a armadura que usava o dia inteiro na Kruger-Brent, a mesma armadura que usara em Harvard e com a mídia, a mesma armadura que vinha usando a vida inteira. A armadura que dizia: "***Sim, eu sou surda e sou mulher. Mas não ache que vai me foder.***" Com Max, podia finalmente ser ela mesma. Real, vulnerável, desprotegida.

Era a melhor sensação do mundo.

O único aspecto negativo do relacionamento era que não passavam tempo suficiente juntos. Lexi, principalmente, ainda estava cumprindo uma agenda insana de viagens. E Max estava ocupado até o pescoço com a política interna da Kruger-Brent.

— Vai ser melhor quando você for a presidente. Ficará mais em Nova York — dizia Max. — Poderemos controlar as nossas agendas.

Lexi mal podia esperar.

— JÁ ENCONTROU ALGUMA coisa? — perguntou Eve para Max. — Tem de haver alguma coisa que possa usar contra ela.

— Ainda não. Estou me esforçando.

— Então seja mais rápido. Está perdendo muito tempo transando com ela, não está?

— Não.

— Está sim. Está se divertindo demais para se lembrar quem Lexi é. Ela é sua inimiga, Max. Está tentando nos ***roubar***. O tempo está se esgotando.

— Eu sei. — Max detestava decepcionar a mãe. Também tinha medo de que ela estivesse certa. Às vezes, quando Lexi gritava, gemia e se contorcia embaixo dele, ele quase chegava a acreditar que ***realmente*** a amava. Que tivesse se esquecido de por que a seduzira. Esquecido que isto era tudo um jogo. Um jogo em que o vencedor ficaria com o maior de todos os prêmios: a Kruger-Brent.

Eve fazia com que se lembrasse sem meias palavras.

— Você sabe o que fazer, Max. Transe com ela. Faça-a de boba. Acabe com ela.

Max assentia de forma inflexível.

Sabia o que fazer.

LEXI DEITOU E TENTOU controlar sua respiração.

O Dr. Cheung disse:

— Não fique nervosa. Pense nisso como uma vacina contra a gripe.

Certo. Uma injeção contra a gripe que poderia me devolver minha audição.

Lexi nunca imaginou que a esperança pudesse ser tão dolorosa. Desde que Max lhe falara sobre o Dr. Cheung e o trabalho pioneiro que vinha desenvolvendo com terapia de genes, ela não conseguia dormir. Era como ir a um médium que afirmasse que poderia entrar em contato com as pessoas amadas que morreram. Você quer acreditar. Mas, para fazer isso, precisa abrir antigas feridas. Lexi já aceitara há muito tempo o fato de que nunca mais voltaria a escutar.

Então, um dia no café da manhã, Max lhe entregou casualmente um exemplar de ***The New Scientist*** e seu mundo desabou.

— Olhe isto. Um cara na China encontrou um gene que conseguiu recuperar a audição de porquinhos-da-índia surdos.

Lexi leu o artigo. O gene se chamava ***Math1***. Dr. Cheung desenvolvera um adenovírus geneticamente modificado contendo ***Math1***, e injetou-o na cóclea de porquinhos-da-índia surdos. Inacreditavelmente, as células sensitivas do ouvido interno do animal voltaram a crescer. Oitenta por cento da amostra recuperou a audição completa em questão de semanas.

Ela devolveu a revista para Max.

— Ele ainda não testou em humanos. Os cientistas estão sempre apresentando esses chamados progressos. Não vai funcionar.

— Aqui diz que ele começou os experimentos com humanos nos mês passado. Você não tem nem curiosidade em conhecê-lo?

— Não.

— Ele vem sempre a Nova York.

— Já disse que não, Max, OK? Não tenho tempo para conhecer esse chinês.

LEXI PRESSIONOU um ***curativo*** no braço.

— Quanto tempo leva? Para sentir os efeitos?

— Depende. Tive pacientes em que as células ciliadas voltaram a crescer quase imediatamente. Em outros, levou semanas, ou até meses. Talvez você precise tomar uma segunda injeção. Pode voltar para me ver daqui a duas semanas?

Dr. Cheung estava quase tão nervoso quanto Lexi. Se a terapia fosse um sucesso com uma paciente tão famosa, sua vida estaria feita. Se fracassasse, teria de dar adeus ao financiamento, sem falar na sua reputação médica.

— É importante descansar o máximo que você puder, principalmente na primeira semana. É uma mudança enorme no seu corpo.

— Acho que isso será impossível. — Lexi pegou sua bolsa. — Vou assumir a presidência daqui a um mês. Tenho muito o que fazer na Kruger-Brent.

Dr. Cheung tentou não parecer nervoso.

— Srta. Templeton, ***precisa*** descansar. Estamos falando da sua audição. Mesmo se formos analisar isso puramente do ponto de vista profissional, acho que vai concordar que é um investimento que vale a pena.

Max disse a mesma coisa.

— Vá para Dark Harbor. Fique com seu pai. Pode ser a sua última chance de tirar férias. Quando se tornar presidente, nunca mais vai poder se afastar.

Lexi concordou, com relutância. Mas com uma condição.

— Prometa que não vai contar a ninguém sobre o tratamento? Não quero levantar expectativas. Não até que o resultado seja certo.

Max pegou-a nos braços e beijou-a.

— Prometo. Agora, pelo amor de Deus, saia daqui. Vá descansar enquanto ainda pode.

— ESCUTOU? O PAPAI NOEL acabou de pousar seu trenó no farol de Grindle Point.

Robbie Templeton estava em um café em Dark Harbor, sentado em frente à sua irmã.

— Grindle Point? Nossa!

Lexi leu os lábios de Robbie, mas seus pensamentos estavam a quilômetros dali. Dr. Cheung dissera que poderia levar semanas para sua audição começar a voltar. ***Ele também disse que vinte por cento do estudo não teve nenhuma reação ao Math1.***

Robbie continuou.

— O gorducho está planejando controlar a galáxia usando o farol como sua base.

— Certo.

— Rudolph está no comando da primeira onda de ataque. Depois disso, o show vai começar. Pode ser uma rena ou outra. Tanto faz.

— Entendo. Brilhante.

Robbie estendeu o braço sobre a mesa e beliscou com força o braço da irmã.

— Ai! Por que você fez isso?

— Estou tentando chamar a sua atenção há 15 minutos. Você não entendeu uma só palavra do que eu disse. Eu podia até voltar para Paris e pronto.

— Desculpe.

A viagem para visitar o pai foi a primeira vez que os irmãos conseguiram realmente passar um tempo juntos em mais de cinco anos. Robbie agora era um astro muito famoso, enchendo salas de concertos e estádios em todo o mundo. Encontrar uma janela em sua agenda era como ganhar na loteria. Mas, por mais que Lexi adorasse a companhia dele, era difícil não pensar na sua audição. Ou na falta dela. Também estava ansiosa para voltar para a Kruger-Brent.

Como posso descansar se a minha cabeça está a mil?

— Você acha que o papai ia ficar muito triste se eu voltasse para Nova York antes?

Robbie franziu a testa.

— Não sei. ***Eu*** ficaria. Por que a pressa?

Ele estava preocupado com Lexi. Ela perdera peso desde a última vez que a vira, provavelmente por causa do estresse. Nada conseguia apagar sua beleza, mas, aos olhos do irmão, ela parecia abatida e mais cansada do que nunca.

Lexi olhou para ele e se perguntou quando, exatamente, tinham se afastado tanto. Ainda amava Robbie. Mas, se antes ele a compreendia quase tão bem quanto a si mesmo, agora fazia perguntas sem sentido algum para ela.

Qual era a pressa?

Como poderia responder a isso? O que isso significava? ***Os negócios eram a pressa. A vida que corre em minhas veias. Talvez eu nunca mais escute de novo. Mas sempre terei a Kruger-Brent.***

Max teria compreendido.

TRISTRAM HARWOOD olhou para a tela à sua frente. Com cada nova imagem, seus olhos reumosos de 70 anos se arregalavam mais. O viva voz ainda estava ligado.

— Está vendo a escala do problema, Tris?

O CEO da Kruger-Brent disse assustado.

— Estou. Tem alguma forma... de conter isso?

A voz no outro lado da linha riu.

— ***Conter***? Está em toda a internet? Em poucas horas, essas fotos estarão na Fox News e as nossas ações vão desabar. Você precisa dar alguma declaração.

Tristram Harwood desligou.

Ele passara três anos "cuidando da casa" na Kruger-Brent. Três anos calmos, sem escândalos. E agora, na sua última semana...

— Garota burra — murmurou ele baixinho. — Burra, burra.

CEDAR HILL HOUSE fora a casa dos sonhos de Kate Blackwell, um oásis de tranquilidade em sua vida turbulenta. A vista era espetacular; a decoração, confortável e acolhedora. Durante muito tempo, a casa despertava lembranças dolorosas em Peter Templeton. Mas, conforme foi ficando mais velho, e seus filhos se tornaram adultos, ele foi se sentindo cada vez mais atraído ao lugar. Kate vinha para cá para fugir do mundo. Quando se aposentou, ele decidiu que faria o mesmo.

Fez algumas mudanças cruciais. Não havia mais televisão nem telefone na casa. Se era para fugir do mundo, então precisava fazer direito. Havia apenas um computador velho na escrivaninha de Peter, mas não ficava nem ligado na tomada.

Robbie gostava de se sentir afastado. Ajudava-o a relaxar. Lexi detestava.

Graças à fobia de comunicação de Peter, Lexi só recebeu o e-mail de August Sandford às 20 horas. Estava caminhando perto do lago com Robbie quando seu Blackberry de repente começou a vibrar. Continuou vibrando.

Setenta e duas novas mensagens.

A que August mandara tinha tantos pontos de exclamação vermelhos que ela resolveu abrir primeiro.

Robbie viu a cor sumir do rosto da irmã.

— O que foi?

— Preciso voltar para Nova York. Agora. Preciso de um avião. — Enquanto falava, Lexi escrevia uma mensagem, seus dedos se mexendo rapidamente.

— São 20 horas da noite, querida. É muito tarde para...

— ARRANJE UM AVIÃO PARA MIM!

— Certo. Certo — disse Robbie. — Vou ver o que posso fazer.

O AEROPORTO KENNEDY estava fervendo de repórteres.

Esses gafanhotos vieram me comer viva.

— Lexi, você já viu as fotos?

— Quando elas foram tiradas?

— Vai renunciar ao posto na Kruger-Brent?

— Tem ideia de quem colocou as imagens na internet?

Tenho, tenho uma ideia. Sei quem foi. Sei por quê. Sei quando. Mas nada disso vai me ajudar.

A SALA DE REUNIÕES da Kruger-Brent era circular. Assentada como uma torre circular no topo do prédio da Park Avenue, tinha uma vista fenomenal de Manhattan, do Central Park e do rio East. No meio, havia uma mesa redonda de mogno, grande o suficiente para acomodar trinta pessoas. Hoje, havia vinte cadeiras ao redor: 15 para o conselho, incluindo Tristram Harwood. Três para os principais advogados da Kruger-Brent. Uma para Max e uma para Lexi.

Dezenove cadeiras estavam ocupadas. Eram 5 horas.

— Cadê ela? Depois de colocar a empresa nesta situação, o mínimo que ela podia fazer era chegar na hora.

Logan Marshall, o mais antigo membro do conselho, nem tentou esconder sua irritação. Olhando pela mesa, era óbvio perceber que seus colegas não pensavam diferente. Quando os mercados abrissem naquela manhã, podiam esperar que pelo menos um terço do patrimônio líquido da empresa virasse cinzas. E a culpa era de uma única pessoa.

— Cheguei. Cheguei. Podemos começar.

Usando uma saia caneta cor de pêssego e casaco creme Marc Jacobs, com saltos tão altos que pareciam punhais, Lexi estava vestida para matar. August Sandford pensou: ***ela não vai desistir sem lutar. Mas não vai conseguir vencer. Não desta vez.*** Lançou um sorriso encorajador para ela, mas Lexi estava nervosa demais para retribuir. Ela começou com o discurso que tinha preparado.

— Primeiro, gostaria de me desculpar com todos por haver colocado vocês... colocado a nós... nesta posição.

Silêncio.

— Obviamente, nossa principal preocupação esta manhã é com o preço das ações. No meu ponto de vista, antes de tomar qualquer outra decisão, temos de agir para limitar os danos e tranquilizar nossos acionistas.

Silêncio.

Lexi continuou.

— A primeira coisa que pensei ao ver essas fotos foi em renunciar imediatamente. — August escutou sussurros de "apoiado". Graças a Deus, Lexi não. — Mas todos sabemos que uma mudança de administração repentina e inesperada é a ***última*** coisa que conseguirá restaurar a confiança dos investidores. Nossas ações têm subido constantemente nos últimos seis meses na expectativa da minha posse como presidente no mês que vem. Não acredito que eu jogar a toalha vá nos ajudar.

Logan Marshall murmurou para August:

— ***Pena que ela não pensou nisso antes de se jogar nos braços de todos aqueles garotos em Harvard. E ainda se deixar filmar. Em que ela estava pensando?***

— Eu discordo.

Max se levantou. Parecia confiante, equilibrado e descansado. Lexi pensou: ***como ele consegue estar tão bonito às 5 horas?***

— Vamos ver com o que estamos lidando, que tal — Max tirou um controle remoto do bolso. No segundo seguinte, uma tela desceu do teto. Nela, havia a imagem de Lexi, nua, de joelhos, fazendo sexo oral com um homem sem rosto enquanto outros dois assistiam.

August Sandford se opôs.

— Isso é realmente necessário? Todos nós já vimos essas fotos.

— É verdade, e tivemos o final de semana inteiro para digeri-las — disse Max. — Pense nos nossos acionistas, acordando de manhã e vendo isso pela primeira vez.

Apertou o botão do controle remoto. Outra foto: Lexi cheirando cocaína. E outra. E outra. Todas essas fotos tinham sido tiradas na mesma festa, na primeira semana em Harvard. Anos atrás, Lexi (com a ajuda de um cheque bem gordo) conseguiu convencer o "amigo" que tirou essas fotos a entregar o chip da câmera digital para ela. Deveria tê-lo destruído na época. Mas, por algum impulso idiota, guardou-o no cofre de seu apartamento. Uma lembrança da "Lexi Festeira" que ela deixara para trás, a velha e promíscua Lexi de que ela se desfizera desde que se apaixonara por Max.

Apaixonar.

Só mais uma pessoa conhecia o segredo de seu cofre.

Max ainda estava falando. Olhou nos olhos de cada membro do conselho. Quando chegou a vez de Lexi, passou direto, como se ela fosse um fantasma.

Não é de se espantar que tenha insistido tanto para me mandar para Dark Harbor. Havia quanto tempo estava planejando isso, seu desgraçado?

— Não são apenas os nossos acionistas. Temos de pensar nos danos que isso pode causar internamente na Kruger-Brent. Já recebi e-mails dos gerentes dos escritórios em Dubai, Kuwait e Deli, todos ameaçando se demitir se Lexi se tornar presidente. Tristram, você já recebeu alguma ligação?

Tristram Harwood assentiu, com raiva. Os Estados Unidos podiam estar preparados para perdoar as indiscrições de juventude de sua queridinha. Mas a Kruger-Brent era uma multinacional, operando em todo o mundo, inclusive em países muçulmanos e hindus. Ter uma presidente mulher e ***surda*** já era ruim o suficiente. Mas esse tipo de mácula? Eles não perdoariam.

Lexi ficou sentada e assistiu em silêncio enquanto os homens à sua volta debatiam o seu futuro. Só que não era um debate. Era um julgamento arranjado. O veredicto, culpada, já tinha sido decidido antes mesmo de ela entrar na sala.

Era óbvio que foi Max quem a traiu. Ele a manipulou, exatamente como August disse que faria. Imagens do sexo e da paixão pagã e selvagem que tiveram nos últimos seis meses passaram pela cabeça de Lexi sem serem convidadas. ***Isso foi só um jogo para ele? Parte de um plano de batalha?*** Deve ter sido. Mas o desejo que ele sentia, o amor por ela pareciam tão reais.

Lexi avaliou suas opções:

Eu poderia contar para eles. Poderia contar para o conselho que foi Max quem roubou essas fotos e publicou-as. Foi Max quem causou esta crise. Foi Max quem nos colocou nesta situação.

Mas mesmo enquanto pensava, Lexi sabia que nunca faria isso. O mercado já tinha perdido a confiança nela. O preço das ações da Kruger-Brent despencaria naquela manhã como resultado disso. Se o nome de Max também fosse maculado, os investidores não teriam nada em que se segurar. A empresa sairia das mãos da família Blackwell. Poderia até falir.

A Kruger-Brent era o verdadeiro amor da vida de Lexi. Não poderia permitir que ela afundasse.

Olhou para Max. ***Era com isso que você estava contando, não era? Você sabia que eu não o acusaria. Você sabe o quanto eu amo esta empresa.***

Ela o odiou por ter feito isso com ela. Mas o odiou ainda mais por ter feito isso à Kruger-Brent. Para garantir que assumiria a presidência, ele arriscou a empresa toda.

Lexi se levantou.

— Basta.

Ela levantou a mão, pedindo silêncio. Todos os murmúrios cessaram.

— Está claro que todos vocês têm a mesma opinião. Portanto, para o bem da empresa, retiro meu nome da eleição para a presidência. Renunciarei formalmente esta tarde.

Os advogados ficaram visivelmente aliviados.

Max abriu a boca para falar. Mas quando olhou nos olhos de Lexi, as palavras se apagaram em seus lábios. As coisas que queria falar e que não tinham a menor importância: ***desculpe. Eu ainda amo você.*** Teve de destruí-la para ganhar a Kruger-Brent para Eve. Esse era o seu destino, o objetivo de sua vida. Não teve escolha. Esperava que, um dia, Lexi visse isso. Ela entenderia.

Com uma dignidade tranquila que fez August Sandford ter vontade de chorar, Lexi pegou sua pasta, virou-se e saiu da sala.

— Boa sorte, Max.

LEXI ESPEROU as portas do elevador se fecharem antes de relaxar os punhos. Sangue pingava de sua mão, onde ela cravara as próprias unhas na carne.

Boa sorte, Max.

Boa sorte, Judas, seu traidor filho da puta.

Lembrou-se da época em que estudou a Bíblia.

"E Jesus disse: Em verdade, em verdade, vos digo, um de vós me há de trair. Infeliz desse homem, o traidor! Seria melhor para ele nunca ter nascido."

Lexi ia fazer com que Max desejasse nunca ter nascido.

Seu primo ganhara a batalha.

Mas a guerra só estava começando.

FIM DO LIVRO UM

LIVRO DOIS

Capítulo 22

CINCO ANOS DEPOIS. LOS ANGELES.

PAOLO COZMICI olhou para a sala de estar lindamente decorada em Bel Air e criticou.

— Muitas flores. Parece que alguém morreu.

Robbie Templeton deu um beijo indulgente no topo de sua careca.

— As flores estão perfeitas. Tudo está perfeito. Relaxe, querido. Tome um drinque.

Naquela noite seria a festa de aniversário de 40 anos de Robbie. Com seu altruísmo típico, decidira marcar a data com um evento de caridade que esperava angariar milhões para a Fundação Templeton/Cozmici contra a Aids. Celebridades do mundo da música clássica e pop, bem como um punhado de atores de Hollywood, logo estariam atravessando os portões de ferro fundido da casa de Robbie e Paolo, onde um bando de paparazzi ansiosos já estava esperando. A vasta propriedade em Bel Air era a casa do casal mais feliz da música clássica havia três anos. O corretor imobiliário a descrevera como "uma mansão de campo francesa", expressão que levou o pobre Paolo às gargalhadas.

— Já esteve na Frrança?

Na verdade, era uma casa grande e vulgar, que se parecia com um bolo de casamento, cercada por tantas roseiras que faria Martha Stewart estremecer. Os jardins eram completados por um riacho artificial — impulsionado por uma bomba elétrica escondida — e a réplica de uma ponte medieval. Era o epítome do cafona: exagerada, norte-americana, suburbana. ***Disney.*** Mas também era incrivelmente confortável, com vistas magníficas em quase todos os cômodos e, principalmente, conferia total privacidade. Robbie e Paolo eram muito felizes ali.

— Ah, Lex, aí está você. Você poderia dizer ao Monsieur Resmungão que a casa está maravilhosa?

— A casa está maravilhosa.

Era difícil de acreditar que Lexi Templeton tinha 30 anos. Descendo as escadas com seu vestido de noite cinza Hardy Amies, com diamantes brilhando em suas orelhas, pescoço e pulsos, a pele ainda tinha o viço da adolescência. O longo cabelo estava solto, outro toque adolescente que escondia a executiva fria.

Depois que Lexi deixou a Kruger-Brent cinco anos antes, por causa de um sério escândalo que destruiu sua imagem, a maioria dos mais importantes comentaristas do mundo dos negócios a esqueceu. Do dia para a noite, sua foto parou de sair nas capas das revistas. Lexi não deu nenhuma declaração, não respondeu a nenhum boato, não mandou nenhum recado por "amigos" ou "pessoas próximas". Parou de ir a festas de celebridades, leilões beneficentes, ***vernissages.*** Começou-se a especular que tinha deixado os Estados Unidos, mas ninguém tinha certeza. Conforme os meses foram passando, as pessoas pararam de se importar.

Mas aqueles que presumiram que Lexi se escondera para lamber as feridas subestimaram profundamente a força de sua ambição, sem falar da resistência de seu espírito.

Dez dias depois do golpe de Max, Lexi acordou com o som das buzinas do lado de fora de seu novo apartamento alugado (a imprensa a obrigara a deixar seu antigo apartamento). O barulho, no começo, era abafado, como se tudo estivesse coberto por neve. Mas no decorrer dos dias, a neve começou a derreter lentamente. Os sons foram ficando mais altos e nítidos. Lexi deleitava-se com cada um deles como um bebê recém-nascido. A água caindo da pia de seu banheiro fazia com que desse gargalhadas. Vendedores gritando na rua abaixo lhe davam um nó na garganta. O mais estranho de tudo era a sua voz. Parecia não lhe pertencer.

Dr. Cheung ficou orgulhoso.

— Parabéns, minha querida. Lamento apenas que muito do que você precisa escutar seja tão desagradável.

Como qualquer outra pessoa dos Estados Unidos, Dr. Cheung vira as fotos e lera as reportagens. Tinham despido a coitadinha em praça pública.

Lexi, porém, parecia inabalável.

— Não se preocupe comigo, doutor. Voltei a escutar. É só o que importa.

E era verdade. De repente, Lexi se sentia invencível. Levantando capital com suas ações da Kruger-Brent — apesar da queda no valor, sua parte ainda valia mais de cem milhões de dólares —, ela começou discretamente sua própria imobiliária, a Templeton Estates. Começou a comprar terrenos baratos na África, seguindo o mesmo plano de negócios que pretendia adotar como presidente da Kruger-Brent. Em dois anos, ela ultrapassou quase todos os seus concorrentes africanos. ***Este*** ano Lexi finalmente sentiu a imensa satisfação de ver o valor das ações da Templeton ultrapassar o da Kruger-Brent na África.

Apenas uma empresa se mantinha à frente dela: a Fênix, de Gabriel McGregor, com base na Cidade do Cabo. Mas a Fênix começara cinco anos antes da Templeton. Ninguém podia negar que, para uma empresa de 5 anos, a Templeton Estates tinha conseguido chegar bem longe.

Conforme sua empresa prosperava, a autoestima de Lexi começou a ressuscitar. Quando Max a traiu, publicando aquelas fotos horríveis e degradantes, parte dela queria sumir e morrer. Agora, com sua audição e sua fortuna recuperadas, estava dando seus primeiros passos de volta à vida pública. Em um impulso momentâneo, aparecera na inauguração do restaurante de um amigo em Nova York. Usando um vestido ***vintage*** Bill Blass, Lexi roubou a cena por completo, surgindo com o belo e estonteante glamour dos velhos tempos. Logo, as comportas se abriram. Os homens voltaram a correr atrás dela. E não eram quaisquer homens. Lexi namorava músicos, executivos, astros de Hollywood, mudando a cada poucas semanas, sempre alimentando os tabloides. Com o dólar em constante baixa e a economia estagnada, os Estados Unidos ansiavam por glamour e animação como um viciado em heroína ansiava por uma seringa. Havia melhor forma de ressuscitar o moral nacional do que receber de braços abertos esta linda e conquistadora Blackwell de volta ao seio de seu país?

Ela teve uma juventude louca e desregrada. E daí? Quem não teve?

Ela voltou a escutar e se reerguer.

Lexi era uma estrela, uma lutadora, uma vencedora. Reinventara-se mais uma vez. E, mais uma vez, os Estados Unidos estavam hipnotizados por ela.

PAOLO COZMICI não precisava ter se preocupado. A festa foi um enorme sucesso, com a dose certa de escândalos para satisfazer os viciados em fofocas de Hollywood:

Um famoso produtor musical se trancou no banheiro com uma bela pessoa do mundo da música que não era sua esposa.

O nome dessa pessoa era David.

Uma atriz estava tão bêbada entrando na banheira de água quente que se esqueceu do aplique que estava usando para esconder uma parte careca de seu couro cabeludo. Quando seu namoradinho de 20 anos viu o que achou ser um rato morto boiando entre suas pernas, desmaiou. O coitado quase se afogou.

Michael Schett, considerado o galã mais bonito de Hollywood pela lista da ***People Magazine*** deste ano, chegou com a capa da ***Playboy*** de setembro, mas a jogou para escanteio quando viu Lexi. Infelizmente para Michael Schett, Lexi não estava interessada.

Michael cercou Robbie Templeton no bar.

— Você precisa me ajudar. Estou apaixonado. Você é irmão dela, me diga o que posso fazer para impressioná-la.

Com um rosto de galã, uma reputação respeitosa na cama e uma série de filmes bem-sucedidos no currículo, Michael Schett não estava acostumado a ser rejeitado. Uma garota não o descartava assim desde o sétimo ano.

Robbie sorriu.

— Lexi gosta de um desafio. Você poderia começar me decifrando. Talvez, ela queira "mudar" você?

Michael Schett soltou uma gargalhada. Conhecia Robbie e Paolo há anos.

— Bela tentativa, Liberace. Ela é linda, mas nenhuma garota é ***tão*** linda assim.

— Ei, Michael, sabe o que dizem por aí, né. Ninguém é homem de verdade até estar com outro homem e não gostar.

NAS PRIMEIRAS HORAS da manhã, quando todos os convidados já tinham ido embora, Paolo foi para a cama e deixou Robbie sozinho com Lexi.

— Sabia que Michael Schett está mesmo a fim de você?

Lexi virou os olhos.

— O quê? Ele é um cara legal. A maioria das mulheres o devoraria. Até ***eu*** dormiria com ele.

— Não dormiria ***não***. Você e Paolo estão grudados pela virilha, e você sabe disso.

— Na verdade, estamos grudados pelo coração. Mas entendi o que quis dizer.

Robbie estava preocupado com Lexi. Por fora, parecia que tinha dado a volta por cima. Mas a contínua obsessão dela pela Kruger-Brent e pelo primo não era normal. Seu ritmo de trabalho deixaria qualquer empregado daquelas fábricas desumanas em Taiwan envergonhado.

— Trabalho não é tudo, sabia, Lex? Nunca pensou em se acertar com alguém?

Lexi riu.

— Com Michael Schett? Os filmes dele são mais longos que seus relacionamentos!

— OK, tudo bem, esqueça Michael. Mas todo mundo precisa de amor na vida.

— Eu tenho amor na minha vida. Tenho você.

— Não estou falando disso. Você não quer ter filhos um dia? Uma família?

— Não, não quero.

Lexi suspirou. Como poderia explicar para Robbie que, depois de Max, nunca mais amaria de novo? Ele não fazia nem ideia de seu romance com Max — ninguém fazia —, muito menos que fora ele quem publicara as fotos que quase a arruinaram. Mas Lexi sabia. Sabia que amor era para os fracos. O amor a deixara cega. Por causa do amor, perdera a Kruger-Brent. A única coisa que importava agora era destruir Max e recuperar sua adorada empresa. Quanto a filhos, a Kruger-Brent era sua filha. Confiara em Max, e ele arrancara sua filha de seus braços, tirando-a de seu seio e levando-a para longe.

Contrariando todas as expectativas, ela reconstruíra sua vida e sua reputação. A Templeton Estates era um enorme sucesso. Mas, por dentro, o desejo de ter a Kruger-Brent de volta corroía a vida de Lexi como um ácido. Transformava cada vitória em cinzas.

Percebendo que ela ficou chateada, Robbie mudou de assunto.

— Você tem ficado muito na Cidade do Cabo ultimamente. Já ouviu falar do tal Gabriel McGregor?

Agora, ele conseguira a atenção dela.

— Já sim. Mas não o conheço. Ele é dono de uma empresa chamada Fênix. É nosso concorrente.

— É bom?

— Infelizmente, bom demais — admitiu Lexi. — Ele é um executivo muito sagaz.

— Mas?

Ela fez uma pausa.

— Eu não sei. Como eu disse, não o conheço pessoalmente. Mas tem algo nele em que não consigo confiar. Você sabia que ele diz que é nosso parente? Que é descendente de Jamie McGregor.

— E não é?

— Não faço ideia. Suponho que pode ser. Como ***você*** ficou sabendo dele?

Indo até a sua mesa, Robbie pegou uma carta escrita a mão. Entregou a Lexi.

— Ele e a esposa estão muito envolvidos nas campanhas contra a Aids por lá. Ele me escreveu perguntando se eu e Paolo não estaríamos interessados em ajudá-lo. Vou para lá na semana que vem para conhecê-lo.

Lexi leu a carta duas vezes. ***Parecia*** genuína. Mas não conseguia afastar o mau pressentimento. Quem era Gabe McGregor, realmente? Muita gente tentava provar uma conexão com a família dela. Mas esse homem era rico demais para ser um caçador de fortuna. Mesmo assim...

Quando viu, estava falando:

— Também vou para lá na semana que vem a negócios. Podemos ir conhecê-lo juntos, se você quiser?

O rosto de Robbie se acendeu. Havia anos que ele vinha tentando fazer Lexi se interessar por obras de caridade.

— Seria ótimo! Posso fazer reservas para irmos no mesmo voo. Seria como nos velhos tempos. Lembra de quando éramos crianças e íamos para a África com o papai? Aqueles passeios maçantes pela história da Kruger-Brent? Nossa, o papai não parava de falar: ***Jamie McGregor tinha uma mina de diamante aqui, Kate Blackwell estudou aqui, blá blá blá blá blá.*** — Ele riu

— Claro que lembro.

Parecia que esses passeios com seu pai tinham sido ontem. Lexi amava cada segundo deles.

— JAMIE! TIRE o trenzinho do cereal da sua irmã ou você vai ficar de castigo.

Gabe McGregor fitou o filho de 4 anos com o que esperava ser um olhar duro.

Jamie disse em um tom sério:

— Desculpe, pai. Mas não posso fazer isso. Teve um acidente e agora preciso esperar o trem de resgate vir pegá-lo.

Collette, a irmã de 2 anos de Jamie, abriu um berreiro enorme.

— Não ***quelo*** o trem! ***Meu*** cereal!

— Pare de chorar, Collette — disse Jamie, contrariado. — Você vai deixar o maquinista com dor de cabeça.

— Jamie! — gritou Gabe.

Dando a volta silenciosamente pela mesa de café da manhã, Tara McGregor tirou o trem causador da discórdia da tigela de cereal de Collete, secou-o com papel toalha e o entregou ao filho resmungão.

— Mais uma reclamação, Jamie, e eu jogo o trenzinho no lixo. Agora coma a sua torrada e vai poder tomar o seu achocolatado.

Para surpresa de Gabe, Jamie se esqueceu na mesma hora do brinquedo e se concentrou em enfiar a torrada com manteiga de amendoim na boca. Logo, suas bochechas estavam estufadas como as de um hamster.

— Acabei.

— Tem certeza de que ele não vai engasgar? — Gabe fitou Tara, preocupado. — Ele parece uma cobra tentando engolir um coelho.

Tara nem levantou o olhar.

— Ele vai ficar bem.

Como de costume, a rotina matinal de Tara McGregor era um ridículo show de malabarismo: preparar o café da manhã, alimentar e vestir as crianças, mediar a Terceira Guerra Mundial, ajudar Gabe a se lembrar onde colocara suas meias/laptop/telefone/sanidade.

Gabe observou enquanto a esposa fritava bacon para seu sanduíche com uma das mãos enquanto verificava o e-mail em seu Blackberry com a outra. Com seu sedoso cabelo ruivo, cintura fina e pernas longas como de uma gazela, Tara tinha uma sensualidade antiquada que a maternidade apenas acentuara. Por trás, ela parecia Cyd Charisse. De frente, tinha uma aparência mais inocente e saudável. Combinação de camponesa da década de 1940 com filha de fazendeiro irlandês. Pele clara. Sardas. Seios fartos e femininos. Um sorriso tão lindo que deixou Gabe de joelhos da primeira vez em que a viu, e que ainda fazia com que tivesse vontade de levá-la para cima e transar com ela, mesmo seis anos depois.

Às 9 horas, Tara estaria na clínica, cuidando de bebês moribundos.

Ela é um anjo. Uma em um milhão. Como diabos uma mulher linda e inteligente como ela se apaixonou por um cara como eu?

TARA DINEEN DETESTOU Gabe McGregor na primeira vez em que o viu.

— Aquele cara? Você quer dizer aquele bobão?

Tara e sua amiga Angela estavam no novo bar da moda em Waterfront. Angela apontara Gabe como "um gatinho". Tara discordou.

— Qual é o problema dele? — perguntou Angela. — Ele tem o corpo de Paul Roos e o rosto de Daniel Craig. Ele é uma delícia.

— E sabe disso — disse Tara, com ironia. — Olhe para ele, exibindo dinheiro para aquele bando de Olívias Palito.

Como sempre, Gabe estava cercado de modelos, mimando-as com champanhe Cristal.

— Vamos até lá — disse Angela.

— Não, obrigada. Se quiser, pode ir sozinha.

Angela traçou uma linha reta até Gabe. Conversaram um pouco, mas os olhos de Gabe não conseguiam ficar muito tempo longe da ruiva que lhe lançava olhares fatais do outro lado do bar.

— A sua amiga não quer se juntar a nós?

— Não — disse Angela de mau humor. Por que Tara sempre chamava a atenção de todos os homens? — Se você quer saber, ela acha você um bobão.

— Acha?

Gabe deixou seu drinque de lado. Foi até Tara e perguntou:

— Você sempre julga um homem antes de falar com ele?

Olhando mais de perto, Gabe pôde ver que a garota não tinha uma beleza clássica. Tinha o nariz arrebitado. Os olhos eram um pouco afastados. Era alta e forte. A palavra "robusta" veio à sua mente. Mesmo assim, havia algo de atraente nela, algo que a diferenciava das beldades da ***Vogue*** que ele estava acostumado a namorar.

— Nem sempre. Mas no seu caso... bem...

— Bem, o quê?

— É óbvio.

— O que é óbvio?

— Você! — Tara riu. — Por favor. O champanhe caríssimo? O relógio Rolex? O seu pequeno harém? Qual é o seu carro? Nem me diga. — Ela fechou os olhos, fingindo estar se concentrando. — Uma Ferrari, certo? Ou... não. Um Aston Martin! Aposto que você se vê como um James Bond.

— Para dizer a verdade, tenho um Range Rover bastante comum — disse Gabe, fazendo uma anotação mental para colocar seu Vanquish à venda no dia seguinte. — Por que não me dá o seu telefone, e ele a leva para jantar?

— Não, obrigada.

— Por que não? Sou um cara legal.

— Não faz o meu tipo.

— Qual é o seu tipo? Posso mudar.

— Pelo amor de Deus, eu não sou o ***seu*** tipo. — Tara apontou para os clones de 19 anos da Heidi Klum que jogavam beijos para Gabe. — Aceite um conselho de amiga. Desista enquanto é tempo.

Mas Gabe não desistiu. Descobriu onde Tara trabalhava (ela era médica da clínica da Cruz Vermelha para pacientes com Aids em uma das piores áreas da cidade) e mandava entregar dúzias de rosas para ela todos os dias. Chamou-a para sair inúmeras vezes, mandou ingressos para o teatro, livros, até joias. Firme e educadamente, ela devolvia tudo.

Depois de três meses, Gabe estava a ponto de perder as esperanças quando recebeu no trabalho um e-mail inesperado de Tara. Quando o chefe dela descobriu que uma de suas médicas estava sendo perseguida pelo dono da Fênix, praticamente arrastou-a até o computador.

— Você faz ideia de quanto vale aquela empresa? Uma doação desse McGregor e poderíamos comprar antivirais para os próximos cinco anos.

— Mas não estou interessada nele.

— E daí que "não está interessada"?! Tem gente morrendo, Tara, não preciso ***lhe*** dizer isso. Agora, pisque seus lindos olhos e traga Gabriel McGregor para cá com seu talão de cheques, e já.

— Ou o quê? — Tara riu. Adorava seu chefe, principalmente quando tentava dar ordens.

— Ou vou colocá-la de castigo no quarto sem jantar, sua vaca insolente. DIGITE!

A VISITA DE GABE à clínica da Cruz Vermelha na favela Joe Slovo mudou sua vida para sempre.

Ele próprio vivera em favelas. Com Dia, vivenciara a pobreza devastadora desses lugares. Mas nada o preparara para a intensidade da miséria humana em Joe Slovo.

Meninas de até 2 anos eram trazidas diariamente por alguma parente mulher depois de serem estupradas por um tio ou pelo pai. Aparentemente, a crença popular de que o "tratamento" para o HIV era fazer sexo com uma virgem se transformara em uma teoria do tipo "quanto mais jovem melhor". A maioria das crianças morria por causa dos ferimentos internos muito antes de desenvolver a Aids, seus frágeis e minúsculos corpos devastados pela força da penetração.

— Com vinte randes, compramos dez desses kits para crianças estupradas — disse Tara para um Gabe visivelmente chocado. Ela entregou para ele um saco plástico com o Ursinho Pooh na frente. Dentro, havia um rolo de papel higiênico, duas calcinhas infantis, alguns lenços esterilizados e um pirulito.

— É isso? A menininha é estuprada e é isso que vocês dão para ela?

Tara deu de ombros.

— Elas recebem remédios, quando nós temos. As crianças são as primeiras na fila para receberem antivirais. Não podemos fazer mais nada.

Depois de uma hora conhecendo as alas do hospital — meninas de 20 anos morrendo e implorando às enfermeiras para salvarem seus bebês, homens jovens reduzidos a esqueletos fitando o teto sem reação — Gabe pediu licença. Tara o encontrou sentado do lado de fora, lágrimas escorrendo pelo seu rosto. Pela primeira vez, ela se perguntou se não tinha sido dura demais com ele. Gabe era tão bonito que era difícil não desconfiar dele. Mas seu sofrimento por causa das crianças era obviamente genuíno.

— Desculpe pelo choque.

— Tudo bem. — As mãos de Gabe estavam tremendo. — Eu precisava desse choque. O que eu posso fazer? De que vocês precisam?

— De tudo. Precisamos de tudo. É só dizer, que precisamos. Remédios, camas, brinquedos, comida, seringas, camisinhas. Precisamos de um milagre.

Gabe colocou a mão no bolso e pegou o talão de cheques. Sem pensar, rabiscou um número, assinou e entregou a Tara.

— Não posso fazer milagres, infelizmente. Mas talvez isto ajude. Só até que eu pense em alguma coisa para longo prazo.

Tara olhou para o número e começou a chorar.

O PRIMEIRO ENCONTRO deles foi uma catástrofe. Desejando impressioná-la como um cidadão sério, e não um playboy rico, Gabe conseguiu ingressos para a estreia de um documentário político que recebera excelentes críticas. Tara amou o filme. O que a incomodou foi a trilha sonora adicional dos roncos de Gabe.

— Desculpe. Mas você tem de admitir que o filme era chato.

— ***Chato***? Você sabia que ganhou a Palma de Ouro em Cannes?

— Palma da Chatice seria mais adequado — murmurou Gabe.

— Como você pode ter achado chato? O tratamento dispensado aos refugiados no Ocidente é um dos temas mais fascinantes e complexos na sociedade moderna.

Não tão fascinantes como os seus seios nessa camiseta.

Quando eles se sentaram para jantar — Gabe escolhera deliberadamente um restaurante reservado especializado em carnes em uma rua calma, nada muito chamativo —, as coisas pioraram. Tara se inclinou, seus lindos olhos dançando iluminados pela luz da vela. Por um glorioso momento, Gabe achou que ela fosse beijá-lo. Em vez disso, ela perguntou seriamente:

— Qual ***é*** a sua posição política, Gabe? Como você se definiria?

— Eu não me definiria.

— Por favor. Estou interessada.

Gabe suspirou.

— Está certo. Sou capitalista.

Mais tarde naquela noite, sozinho na cama, Gabe ficou se perguntando se de alguma forma errara as palavras, dizendo algo como ***sou um nazista matador de criancinhas*** ou ***tenho fetiche por cavalos, e você?*** Só de ouvir a palavra "capitalista", Tara entrou em um estado de fúria tal que saiu do restaurante antes mesmo de terminarem a entrada.

Ele teve de implorar por um segundo encontro. Desta vez, escolheu algo simples. Incontroverso. Levou-a para patinar no gelo.

— Nunca patinei antes. — Hesitando sobre o gelo, usando calça jeans e polainas cor-de-rosa, Tara parecia ter 13 anos. Gabe nunca desejara tanto uma mulher.

— É fácil. — Ele sorriu, pegando a mão dela. Puxando-a para mais perto, ele patinou atrás dela, passando seus braços pela cintura dela. — Apenas ande... e deslize. Ande... e deslize. Deixe-me levá-la. — Ele começou a patinar.

— Não, não, não, está bem. Não me empurre. Posso fazer sozinha.

— Está tudo bem. Você só precisa relaxar. Não vou deixar que você caia. — Ele começou a acelerar, fazendo com que os dois deslizassem no gelo.

— Não, Gabe. Não quero que você... prefiro... cuidado!

O cara que se chocou com eles devia pesar, pelo menos, uns noventa quilos, um caminhão humano sem freios. Gabe precisou levar seis pontos na testa. Tara fraturou uma costela e quebrou o braço em dois lugares.

— Você fica bem de branco — brincou Gabe no pronto-socorro, quando acabaram de colocar o gesso nela.

— Obrigada.

Ela não estava sorrindo. ***Ah, meu Deus, estraguei tudo. Ela nunca mais vai querer sair comigo. Não depois disso.***

— Não sou muito bom em encontros, sou?

— Não.

— Esse provavelmente foi o pior encontro que você já teve.

— Sem dúvida.

— Tirando o anterior.

— É verdade, tirando o anterior.

— A questão é a seguinte...

— Sim, Gabe?

— Você está rindo de mim.

E estava mesmo. Tara estava chorando de tanto rir. Instintivamente, ela levantou o braço para enxugar as lágrimas e acertou o rosto com o gesso. Por alguma razão, isso fez com que risse ainda mais.

— Desculpe. Mas você fica adorável com o rosto todo roxo. E é o pior exemplo de encontro do mundo. Quer dizer, você é ruim em uma escala super-humana.

— Eu sei. — Aproveitando o momento, ele se inclinou e beijou-a, um beijo tão apaixonado que surpreendeu os dois. Mas foi uma surpresa boa. Então, se beijaram de novo. E de novo.

— Eu amo você — disse Gabe.

Tara sorriu.

— Talvez você fique desapontado, mas acho que também amo você.

— Sei que sou um péssimo namorado. Mas seria um ótimo marido.

— Mesmo? Está me pedindo em casamento?

— Não sei. Isso foi um sim?

— Volte com uma aliança e pensarei a respeito.

Três meses depois, eles se casaram.

OS ESCRITÓRIOS DA FÊNIX ficavam na Adderley Street, a rua principal do próspero centro financeiro da Cidade do Cabo. Robbie e Lexi foram levados ao 12º andar.

— Por favor, esperem aqui. O Sr. McGregor já vai recebê-los.

A sala de espera era um ambiente confortável, mobiliado com sofás macios e mesas cheias de revistas. Janelas que iam do chão até o teto ofereciam uma vista espetacular da Table Mountain. A impressão geral era de riqueza e tranquilidade.

— A Kruger-Brent não tinha um escritório satélite nesta rua? — perguntou Robbie.

— Ainda tem.

— McGregor deve estar indo muito bem para ter uma sede aqui.

Lexi, que estava pensando a mesma coisa, assentiu de mau humor. Tinha sido uma sugestão dela que o encontro fosse no escritório da Fênix.

— Assim poderemos nos conhecer melhor antes de seguirmos para a clínica. — Na realidade, a intenção dela era avaliar seu concorrente. Agora, desejava não ter se incomodado. ***Só esses sofás Stefan Anthony devem ter custado uns vinte mil dólares. Quanto será que a Fênix faturou no ano passado?***

— Desculpe-me por deixá-los esperando. Sou Gabe. Gostariam de entrar?

Gabe os acompanhou até seu escritório. Por um momento, Lexi ficou sem palavras. Imaginara Gabriel McGregor como um executivo comum, careca, de meia-idade.

Por que Robbie não me avisou que ele era tão atraente?

— Lexi Templeton. — Ela deu um aperto de mão frio.

— É um prazer conhecê-la, Lexi. Tara e eu ficamos muito animados quando seu irmão nos respondeu. Robbie e Paolo já fizeram tanto pela luta contra a Aids.

Lexi pensou: ***pare de puxar o saco. O que você realmente quer?***

— Não sabia que também estava envolvida em obras de caridade.

— Não estou mesmo. Vim para a Cidade do Cabo a negócios.

— Ah, claro. Templeton Estates. É a sua empresa, não é?

Você sabe que é. Não venha se fazer de bobo comigo, rapaz.

— Engraçado que três pessoas com os mesmos ancestrais estejam na mesma cidade, envolvidos na mesma obra de caridade ***e*** trabalhem no mesmo ramo. Não acham?

Lexi assentiu categoricamente.

Gabe pensou: ***gostaria de saber o que a está consumindo? Ela é tão agradável e cortês quanto uma onça que levou um puxão na cauda.***

No decorrer dos anos, vira inúmeras fotografias de Lexi Templeton, incluindo as infames de sexo. Sabia que ela era bonita. Mas nenhuma fotografia conseguia fazer jus à sua ***presença física***, à forma como ela parecia encher o ambiente só de entrar. Ela já estava dominando a reunião, deixando o irmão em segundo plano.

O silêncio estava ficando constrangedor.

— Sinto muito por Paolo não poder vir — disse Robbie. — Mas a saúde não é mais a mesma, infelizmente. Ele acha todas as viagens muito cansativas.

— Eu compreendo. Quem sabe da próxima vez? Minha esposa vai ficar feliz em ver que também veio, Lexi. Ela fica de saco cheio com todo o papo de homem.

Lexi franziu ainda mais a testa. ***Então ele acha que eu sou uma "mulherzinha", não é? Que estou aqui para passar os próximos dois dias fazendo compras com sua esposa dondoca enquanto ele depena a fundação de Robbie? Bem, pode esquecer. Estou aqui para proteger os interesses do meu irmão.***

Em voz alta, ela disse.

— Quero muito conhecê-la. Podemos ir?

Sem esperar uma resposta, Lexi se dirigiu para a porta.

Pode passar, Vossa Majestade, pensou Gabe.

Seria um dia interessante.

MAIS TARDE NAQUELA NOITE, deitados na cama na grande casa de fazenda que tinham nas colinas sobre Camps Bay, Gabe perguntou a Tara o que ela achara dos Templeton.

— Ele é um amor. Ela é uma vadia de carteirinha.

Gabe riu.

— Você é tão educada, amor. Por que não me diz o que realmente acha?

— Ah, por favor. Não pode ter gostado dela. — Tara apagou o abajur da mesa de cabeceira. — E ela certamente não gostou de ***você.*** Todas aquelas farpas?

Era verdade. Após um dia longo e cansativo, visitando as três novas clínicas para pacientes com Aids que a Fênix fundara, a negatividade de Lexi já estava começando a incomodar todo mundo.

— Qualquer um teria pensado que você estava atrás do dinheiro do irmão dela. Ali está você, tentando ajudar aquelas pobres pessoas sofredoras, e essa mulher falando com você como se tivesse passado herpes para ela.

— Outra imagem encantadora. Obrigado, amor.

— Tem ***certeza*** de que nunca transou com ela? — implicou Tara.

— Absoluta.

— Isso explicaria muita coisa. Foram tantas, Gabe. Você pode ter se esquecido dela.

— Ha, ha. Pode acreditar, se eu tivesse transado com ela, ela não estaria tão infeliz.

— Seu cretino arrogante! — Tara bateu na cabeça dele com o livro. Graças a Deus, não era de capa dura. — Falando sério, por que você acha que ela não gostou de você?

Gabe vinha se fazendo a mesma pergunta o dia inteiro. Percebeu o olhar de desdém que Lexi lançava toda vez que ele mencionava a conexão familiar entre eles. Talvez tivesse alguma coisa a ver com isso? A Fênix ganhara algumas concorrências da Templeton recentemente, mas não podia acreditar que uma executiva séria como Lexi levaria isso para o lado pessoal.

— Ela provavelmente só está tentando proteger o irmão. Não quer que ninguém se aproveite dele.

— Besteira — disse Tara com firmeza. — Robbie Templeton tem 40 anos e é muito rico. Ele sabe se cuidar sozinho. Além disso, isto é o que a fundação dele ***faz***: ajuda pessoas com Aids. Eu não podia acreditar na frieza daquela mulher. Todo mundo chora quando visita clínicas como as nossas pela primeira vez, mas não aquela. Ah, não. Parecia que não estava se importando nem um pouco.

Gabe não tinha tanta certeza. Lexi se mantivera reservada, certamente. Distante, até. Não quisera pegar bebês no colo quando ofereceram, e parecera pouco à vontade no meio de tanto sofrimento e doença. Mas as pessoas reagiam à tragédia de formas diferentes. Esticando a mão, Gabe acariciou a barriga da esposa. Depois que Collette nasceu, o corpo de Tara perdera um pouco da firmeza. Tara se incomodava com isso, mas Gabe adorava seus novos contornos suaves. Ela lhe dera seus filhos, trouxera alegria e um objetivo para a sua vida que nenhuma palavra conseguiria expressar, nem nada que fizesse poderia pagar. Gabe a amava mais do que a própria vida.

Ele sussurrou no ouvido dela:

— Eu amo você.

Tara suspirou.

— Eu também amo você, Gabe. Mas estou esgotada. Seja bonzinho e vire para o seu lado da cama, está bem?

Ah! As delícias do casamento.

PELA PRIMEIRA VEZ na vida, Tara McGregor estava errada. A verdade era que Lexi ficara profundamente comovida com o que viu na clínica. Aqueles bebês minúsculos, com braços esqueléticos e juntas salientes. Quando a enfermeira perguntou se queria segurar uma neném, Lexi foi tomada por um terror irracional de que poderia quebrá-la. A pele era fina como papel... e se segurasse com muita força? A ideia de causar mais algum mal para aquela criança era insuportável. O olhar suplicante da menininha assombraria Lexi para sempre. Estava determinada a não demonstrar nenhuma emoção ou fraqueza na frente de Gabe McGregor. Mas, assim que voltaram para a Cidade do Cabo, ela desabou nos braços de Robbie.

— Como isso ainda pode acontecer? Aquelas crianças estão sendo abandonadas para morrer. E os programas de ajuda internacional?

— Estão sobrecarregados — explicou Robbie, pacientemente. — Eles precisam de dinheiro do setor privado desesperadamente. É por isso que quero tanto me envolver com os projetos de Gabe McGregor. Você não poderia ser um pouco mais simpática com ele?

Lexi enxugou as lágrimas.

— Vou fazer um cheque agora mesmo para aqueles bebês. Mas não confio em McGregor. Desculpe, mas não confio.

NOS DOIS ANOS SEGUINTES, os caminhos de Lexi Templeton e Gabe McGregor se cruzaram com mais frequência, em eventos beneficentes e conferências, assim como ocasionalmente em salas de reunião quando estavam em lados opostos de um acordo. A Templeton Estates estava investindo em mercados imobiliários emergentes por todo o mundo, da Geórgia ao Irã e ao Tibete. Mas alguma coisa atraía Lexi na África do Sul. Os rendimentos eram altos. Mas ia além disso. A África do Sul era o berço da Kruger-Brent. Lexi sentia uma necessidade incrível de ser bem-sucedida ali.

Fênix, cujos investimentos se limitavam à África do Sul, continuava sendo a líder do mercado. Dia Kabele saíra do negócio no ano anterior, deixando Gabe McGregor como o homem a ser derrubado no setor imobiliário. Lexi Templeton tinha total intenção de ser a mulher que iria derrubá-lo. Mas a Fênix não era o único alvo à sua frente.

Ela nunca deixava de pensar na Kruger-Brent. A Templeton não tinha negócios em Nova York, mas Lexi insistia em manter um escritório caríssimo lá simplesmente porque podia ver bem o prédio da Kruger-Brent de sua janela. Não admitia isso a ninguém. Mas, bem no fundo, Lexi sempre vira a Templeton como um degrau. Algo para preencher seu tempo até que descobrisse o que fazer para recuperar a Kruger-Brent, destruindo Max Webster no processo.

À primeira vista, ela sabia que devia parecer louca. A Kruger-Brent era uma gigante, cem vezes maior do que a Templeton. Um monstro. Intocável.

Lexi via as coisas de forma diferente.

Tamanho é a fraqueza da Kruger-Brent. Ela tem muitos pontos vulneráveis, muitos negócios expostos para quem quiser pagar. E eu conheço todos eles. A Kruger-Brent é um monstro de 12 cabeças que não se falam. Quando Max perceber que está sendo atacado, será tarde demais.

Os negócios eram um jogo. Ultrapassar a Kruger-Brent seria como uma partida multibilionária de ***Jenga***. Sim, a torre de Max era infinitamente mais alta que a de Lexi. Mas tirando alguns blocos estratégicos da base, o edifício todo desabaria. A parte difícil seria controlar a explosão, quando chegasse a hora. Lexi precisava que a empresa ficasse fraca antes que ela desse o golpe final, mas que não quebrasse totalmente a ponto de não sobrar nada de seu legado.

Até agora, Max estava fazendo a maior parte do trabalho pesado por ela. Era um político e articulador brilhante, mas seu desempenho como presidente não tinha nenhum brilho. Lexi lembrou-se de um comentário que um professor de Harvard fez sobre um de seus alunos, que se imaginava o próximo Donald Trump:

— Jon Dean? Por favor. Aquele cara não consegue vender um dólar por noventa centavos.

Max Webster, pelo que parecia, não conseguia vender um dólar ponto. Ele herdara a atração de Kate Blackwell pelo crescimento indiscriminado, uma estratégia brilhantemente bem-sucedida nas décadas de 1960 e 1970, mas desastrosa no mundo atual de mercados flutuantes.

Max podia esperar. A Kruger-Brent também.

Por enquanto, Lexi precisava se concentrar na missão que tinha em mãos: aniquilar Gabe McGregor.

O SAFÁRI FOI IDEIA de Gabe. Ele cercou Lexi em uma convenção imobiliária em Sun City, depois do discurso de encerramento de Sol Kerzner.

— Tenho reservas de uma semana em Shishangeni Lodge para a próxima semana. Tara e as crianças iriam, mas Jamie ficou doente. Fiquei me perguntando se você não estaria interessada?

Vestido formalmente com um terno cinza-escuro que realçava seu bronzeado e destacava os olhos cinza-claros — iguais aos de Lexi —, Gabe estava ainda mais bonito do que da última vez em que ela o vira. ***Seria isso parte do motivo para eu não gostar dele? Por ele ser tão atraente?*** Era possível. Max deixara uma ferida profunda. A simples ideia de desejar tanto alguém a deixava apavorada.

— Muita gentileza sua, mas infelizmente não posso. Vou passar o resto do mês viajando.

— Que pena. — Gabe balançou a cabeça. — Dizem que um safári é a melhor experiência no campo.

— Tenho certeza de que você vai se divertir muito. — Lexi olhou descaradamente para o relógio.

— Seria a oportunidade perfeita para conversarmos sobre o Elizabeth Center também. Mas se a sua agenda está tão cheia...

Desgraçado. Ele me tem nas mãos e sabe disso.

O Elizabeth Center seria o maior shopping do país, construído sobre duzentos dos melhores acres comerciais em um subúrbio de luxo em Johannesburgo. Todas as imobiliárias que se prezavam estavam tentando comprar ações, incluindo a Templeton. De alguma forma, Gabe conseguira fechar um acordo privado para a Fênix e agora tinha dez por cento das ações do empreendimento, tornando-o o segundo maior acionista. Uma palavra de Gabe poderia abrir as portas para a Templeton. Ou fechar.

— Você disse que será na próxima semana?

Gabe sorriu. ***Peguei você.***

— Vou pedir para a minha assistente enviar os detalhes para o seu escritório.

Lexi assentiu laconicamente.

— Obrigada.

— Sabe, talvez você até se divirta. Coisas mais estranhas que isso já aconteceram.

Lexi não estava nem um pouco convencida disso.

SHISHANGENI PRIVATE LODGE é a joia da coroa da Kruger Park. Composto de 22 chalés de palha individuais, tinha piscina, biblioteca, salas de conferências e uma adega melhor do que muitos restaurantes cinco estrelas. Todos os chalés tinham um deque com vista para a floresta, bem como um bar, uma lareira e um chuveiro externo (para aqueles que desejavam se unir com a natureza sem abrir mão de ovos de codorna no café da manhã e patê de ***foie gras*** no jantar).

— Que tal suas acomodações?

Gabe encontrou Lexi para um jantar à beira da piscina. Era a primeira noite no Shishangeni. Sobre eles, um avermelhado sol africano esparramava seus últimos raios na terra, espalhando seu tom laranja pelo tapete de tantos tons de verde. No caminho desde o aeroporto Kruger Mpumalanga, todas as resoluções de Lexi de não se deixar impressionar foram jogadas pela janela. Ela vinha à África do Sul desde bem pequena, mas a beleza extraordinária desse pedaço do Parque Nacional deixou-a sem fôlego.

— Ótimas, obrigada.

O chalé de Lexi tinha vista para o rio Crocodile ao sul. A leste, ela podia ver quase até a fronteira com Moçambique — quilômetros e quilômetros de um dos países mais impressionantes do mundo.

— A água demorou um pouco para esquentar.

Gabe franziu a testa.

— Isso não é comum. Vou conversar com o gerente.

Na verdade, o chuveiro de Lexi estava perfeito, muito quente, ducha forte, seus jatos aliviando cada ponto de tensão de seus ombros e costas cansados. Só não queria que Gabe percebesse que estava gostando.

Isso não são férias. É uma missão de sondagem. Estou aqui por causa do Elizabeth Center, não de uma maldita zebra.

— Está ansiosa para o safári amanhã?

— Claro. Acho que sim.

— Parece que temos boas chances de ver os cinco grandes: rinoceronte, elefante, búfalo, leão e leopardo.

— Ótimo.

Gabe cerrou os dentes. ***Mais uma palavra monossílaba e vou estrangular essa mulher.***

Levar Lexi para o Shishangeni foi sugestão de Tara. Gabe podia ouvir a voz da mulher:

— Já se passaram dois anos e você ainda não faz a menor ideia de por que essa mulher odeia você. Pessoalmente, não sei por que se importa. Mas como sei que você obviamente ***se importa***, pelo amor de Deus, leve-a a algum lugar e descubra qual é o problema dela.

Na hora, pareceu um bom plano. Agora, sentado em frente ao rosto lindo e feroz de Lexi, enquanto ondas de hostilidade eram lançadas sobre ele, Gabe se perguntou por que se importava com a opinião dela.

Porque tinham um ancestral distante em comum?

Porque Lexi era sua concorrente nos negócios?

Porque era irmã de Robbie?

Ou seus motivos eram mais egoístas que isso? A ***verdadeira*** razão para estar sentado ali seria porque ele não suportava a ideia de uma mulher sensual e inteligente dispensando-o da forma que Lexi fazia? A última mulher que pareceria imune ao seu charme foi Tara, e ele acabou se casando com ela.

Estou sendo um tolo? Eu amo Tara. Independentemente do que for esse sentimento por Lexi, não posso deixar que ameace esse amor.

Lexi quebrou o silêncio.

— Então, o Elizabeth Center. Parece que existem muitos interessados?

Gabe acenou para o garçom.

— Podemos pedir? Estou um pouco cansado para falar de negócios esta noite.

— Claro. — Lexi forçou um sorriso. — Temos muito tempo.

Ela tentou não notar como os ombros largos de Gabe esticavam o tecido azul de sua camisa. Ou como as enormes mãos de jogador de rugby rasgavam o pão ao meio com tanta facilidade como se fosse um lenço de papel.

Eu não deveria ter vindo. Vou embora amanhã de manhã. Direi a ele que surgiu um imprevisto em Nova York.

ELA NÃO FOI EMBORA na manhã seguinte. Às 6 horas, estava sentada sonolenta na traseira de um jipe, se arremessando no mundo selvagem.

— Hoje à noite, dormiremos em uma barraca de lona. — Gabe parecia descansado e feliz com sua calça cargo velha e camisa cáqui. Indiana Jones sem o chicote. Lexi, ao contrário, parecia exatamente o que era: uma nova-iorquina que dormira pouco e desejava voltar para cama ou, pelo menos, parar no Starbucks mais próximo e tomar um ***vanilla latte*** triplo. — Está empolgada?

— Muito.

O ronco do motor do jipe conforme passavam pelos sulcos da trilha tornavam qualquer conversa difícil. Durante meia hora, o silêncio reinou entre eles. Então, Gabe gritou:

— Olhe lá!

Uma leoa saiu de trás de um espinheiro, bocejando e se espreguiçando, estendendo as longas patas douradas sob o sol matinal. Gabe tirou fotos.

— Você viu? Inacreditável! Este dia vai ser fantástico.

Lexi pensou: ***ele parece um garoto. Será que os negócios o empolgam tanto assim?***

AO MEIO-DIA, eles pararam para comer embaixo da sombra de um baobá. Lexi ficou morrendo de medo quando dois nativos se aproximaram deles. Ambos estavam descalços, armados com lanças e usavam apenas uma espécie de tanga com penas em volta da cintura.

— Tudo bem — disse Gabe. — São boxímanes. Eles andam por essas terras desde a Idade da Pedra.

— O que eles querem?

— Comida, provavelmente. — Gabe estendeu a mão, oferecendo pão aos homens. Eles rejeitaram, apontando para Lexi e sorrindo. Um deles tirou uma bolsa de folhas secas que estava embaixo das penas e ofereceu a Gabe.

— Ah. Eu me enganei. — Gabe sorriu. — Parece que é você que eles querem. — Ele balançou a cabeça para os boxímanes. — Sinto muito. Ela não está à venda.

— Eles queriam me trocar por um punhado de folhas? — disse Lexi, indignada, assim que os homens se afastaram. — Eles não poderiam, pelo menos, ter oferecido um boi ou coisa parecida?

— Os boxímanes não prendem animais. Mas são botânicos. Conhecem cada veneno, remédio e narcótico dessa mata. Para eles, aquelas folhas podiam ser preciosas.

— Você deveria ter aceitado a oferta — disse Lexi, cinicamente.

Gabe fitou-a por um longo tempo.

— Como eu poderia? Você não é minha para eu vender.

Lexi sentiu seu rosto corar.

— Por que você me convidou para vir para cá?

— Por que você me odeia tanto?

O motorista gritou de dentro do jipe.

— Hora de seguirmos, pessoal. Se quisermos chegar ao rio Crocodile ao pôr do sol, é melhor nos apressarmos.

LEXI PASSOU O RESTO da tarde em silêncio, fingindo interesse na vida selvagem. Por dentro, sua mente estava a mil por hora.

Ele me deseja. Foi por isso que me trouxe aqui. Eu também o desejo?

Ela tentou refletir sobre o assunto de forma imparcial. Gabe era casado. E muito feliz no casamento, segundo Robbie, e Lexi não tinha motivo para duvidar do irmão.

Talvez essa seja parte de sua atração? Ele é um homem íntegro de família. Bom marido, bom pai. Construiu o tipo de vida que eu nunca poderei ter.

Pensou em seus amantes, desde Christian Harle, passando por todos os roqueiros e atores cafajestes. Pensou nas loucuras sexuais dos tempos de faculdade. Depois, pensou em Max e na paixão destrutiva e animal que partilharam. ***Em alguns aspectos, ainda partilhamos. Sempre partilharemos.*** Homens como Gabriel McGregor, bons e honestos, nunca se apaixonavam por Lexi. ***Eles me observam e me admiram de longe, como turistas em um safári encarando de forma provocante uma tigresa. Eles sabem que é perigoso se chegar perto.***

Conforme se aproximavam da clareira onde passariam a noite, o jipe passou por cima de uma cratera e o corpo de Gabe caiu sobre o de Lexi. O contato não durou mais que alguns segundos. Mas bastou.

CONVERSARAM PERTO da fogueira até tarde da noite. Gabe falou de sua infância. Em como assistira à obsessão de seu pai pelos Blackwell e pela Kruger-Brent consumi-lo como um câncer.

— Eu sabia que não queria ser como ele. Amargurado, agarrado ao passado. Eu precisava seguir o meu caminho.

— Então, você não se importa com a Kruger-Brent? Não quer ser dono dela?

Pelo seu tom de voz, estava claro que Lexi achava difícil de acreditar.

— Não, eu não quero. Por que deveria? Para mim, é apenas um nome. Além disso, pelo que posso ver, trouxe tanto sofrimento para a sua família quanto riqueza.

Ele está certo. Mas não compreende. A Kruger-Brent é uma droga. Uma vez que a experimenta, ela domina. Nada mais importa.

Quanto mais Gabe falava, mais Lexi compreendia a ligação que ele tinha com a família deles. Ia além dos olhos cinza McGregor e um ancestral comum. Gabe compartilhava com Lexi o desejo de viajar, a atração magnética pela África. Como Robbie, ele fora viciado em drogas e voltara do abismo. Por baixo da superfície de gigante gentil, Lexi sentia que ele possuía uma forte ambição.

Como eu e Max. Como Kate Blackwell.

Gabe cresceu em uma família em guerra, destruída pela amargura e pela inveja. Quando ele falava de seu pai, Lexi pensava imediatamente em sua tia Eve, agarrada ao passado, escravizada por ele.

Eu e Max também somos escravos desse passado. Mas Gabe não é. Ele se libertou.

Ele é como nós. Mas não é um de nós.

De repente, como se uma luz tivesse se acendido, ela percebeu por que odiara Gabe por tanto tempo. Era tão óbvio que ela riu alto.

— O que é tão engraçado?

— Nada.

Eu tenho inveja de você. É isso que é engraçado. Tenho inveja da sua liberdade, da sua bondade, do seu casamento feliz. Tenho inveja da sua capacidade de se importar com os outros. Com aquelas crianças com Aids. Com as famílias faveladas a quem você e Dia deram casa. Você tem sentimentos. Seu coração ainda está aberto.

Meu coração está fechado desde que eu tinha 8 anos de idade.

NAQUELA NOITE, Lexi ficou deitada acordada na barraca, pensando. Havia algo entre ela e Gabe. Não tinha imaginado. Era real.

Parte dela desejava se levantar, ir de fininho até a barraca de Gabe e fazer amor com ele. Só para saber como era ser abraçada e desejada, como era fazer amor com um homem bom, íntegro. Mas a maior parte dela sabia que nunca poderia fazer isso. Gabe pertencia a outra mulher. Também pertencia a outro mundo.

QUANDO GABE ACORDOU na manhã seguinte, Lexi tinha deixado o acampamento. Dezoito horas depois, ela estava de volta a Nova York.

Na semana seguinte, a Templeton Estates recebeu uma proposta de cinco por cento das ações do Elizabeth Center, com termos altamente vantajosos.

Ela recusou a oferta.

Capítulo 23

MAX WEBSTER ESTAVA em lua de mel.

Ele e Annabel, sua jovem esposa inglesa, estavam caminhando pela Table Mountain. Annabel estava bem à frente, seu longo cabelo com mechas cor de mel dançando ao vento. Seus pés estavam perdidos em um tapete de flores. Sobre a cabeça, o sol brilhava em um céu muito azul.

Max gritou:

— Cuidado! Não chegue perto da beirada! — Mas o vento abafou suas palavras. Annabel continuava dançando. Estava cantando uma velha canção popular que a mãe de Max costumava cantar para ele no banho quando era pequeno. ***Estranho. Como ela conhece essa música?*** Max tentou cantarolar, então percebeu que tinha se esquecido do ritmo.

Os outros turistas tinham ido embora. O casal estava sozinho, e a distância entre os dois estava aumentando. Annabel estava bem na beirada do precipício.

Max estava gritando.

— Volte! Não é seguro!

— O que você disse?

Graças a Deus. Ela me escutou. Annabel parou e se virou de forma que Max pudesse ver seu rosto. Só que não era o seu rosto. Era o de Lexi, balançando para trás e para frente como uma criança afobada.

Max correu na sua direção.

— Lexi, volte. Eu amo você. Sinto muito. — Estendeu a mão para puxá-la para um lugar mais seguro, mas chegou tarde demais. Os dedos dela escorregaram e ela se desequilibrou para trás. Estava caindo.

Max pulou atrás dela. Estavam abraçados no ar, o chão se aproximando cada vez mais depressa. O rosto de Lexi começou a mudar grotescamente, como plástico derretido. Estava se transformando em Eve.

— Você matou Keith. Matou seu pai. Não acreditou mesmo que escaparia impune, acreditou?

Mas, mãe, eu fiz isso por você. Tudo que fiz foi por você. Mãe!

— Max. — Annabel Webster sacudiu o marido até ele acordar. — Max! Você está sonhando. Acorde, querido. Está tudo bem. É só um pesadelo. Não é real.

Ela o abraçou, até que ele se acalmasse, como um bebê. Essa era a terceira vez esta semana. Era evidente que os remédios que o Dr. Barrington estava prescrevendo não estavam fazendo efeito. Quando ele parou de tremer, ela falou:

— Meu amor, você precisa falar com alguém. Isso não é normal.

Max enxugou a testa com o lençol e se jogou no travesseiro.

— Estou bem. Só um pouco estressado por causa do trabalho. Vai passar. Volte a dormir.

O CASAMENTO TINHA sido ideia de Eve. Tudo era sempre ideia de Eve.

Ela repreendeu Max em um dos jantares semanais que tinham.

— Você precisa de um herdeiro. Alguém para assumir a empresa e desfazer todos os seus erros. Alguém que fará a Kruger-Brent ser grande de novo.

— Estou tentando, mãe — disse Max, fraco.

— Está fracassando. Precisa se casar.

Max sabia que era um presidente medíocre. Sabia que o brilho da Kruger-Brent estava se apagando lentamente, como uma estrela morrendo. Não ajudava em nada sua mãe ficar criticando todas as suas decisões, obrigando-o a tomar um caminho e depois culpando-o quando os lucros desejados não se materializavam.

Foi Eve quem insistiu que vendessem tudo que tinham na Ucrânia:

— Se houvesse petróleo naqueles campos, já teriam encontrado. Energia alternativa, esse é o futuro. Você é burro ou o ***quê***?

Obedientemente, Max vendeu os cinco mil acres da Kruger-Brent para a Exxon, investindo o dinheiro da venda em um parque eólico em Israel. Seis meses depois, a Exxon encontrou petróleo. Um ano depois disso, o parque eólico faliu. Eve culpou Max.

— Você não perfurou aquele terreno direito. O que espera quando se faz um trabalho mal feito? Isso são negócios, Max, não um joguinho de criança. Meu Deus, você é bem filho do seu pai.

Eve vinha falando cada vez mais de Keith ultimamente. Era quase como se estivesse transferindo o ódio que sentia pelo marido para o filho. Max destruíra Keith Webster, mas o monstro que Keith criara continuava vivo em Eve. Max tinha feito tudo que a mãe quis: matou Keith. Traiu Lexi. Recuperou a Kruger-Brent. Mas todo troféu que ele conquistava era como gasolina nas chamas do ódio de Eve. Conseguia alimentar o fogo. Mas nunca apagar.

Enquanto isso, a estrela de Lexi continuava sua inexorável ascensão. Ninguém se lembrava do escândalo sexual que a tirara da Kruger-Brent. Quando as pessoas viam Lexi Templeton hoje em dia, pensavam em glamour, resistência e sucesso. Ninguém na Kruger-Brent dizia isso na frente de Max. Mas os murmúrios pelas suas costas eram ensurdecedores:

Cometemos um erro. Nunca deveríamos ter-nos livrado dela. Lexi é a vencedora da família, não Max. Apostamos no cavalo errado.

Quando conheceu Annabel, Max estava bebendo muito. Estava com 35 anos, mas parecia dez anos mais velho. Sua beleza estava apagando. ***Como tudo o mais em mim.*** Annabel Savary era 15 anos mais jovem que Max, bonita, e tudo que ele não era: sensata, feliz, saudável e descomplicada. O produto de um casamento abençoado (o pai de Annabel era um lorde inglês, e sua mãe, uma socialite norte-americana), ela viera para Nova York transferida da Christie's, a casa de leilões. Max a conheceu em um leilão. Não conseguiu comprar o quadro de Constable que queria, mas saiu de lá com um prêmio muito mais valioso.

Annabel Savary amava Max Webster da mesma forma que um dia amara seu pônei, Trigger. Todo mundo dizia que Trigger era velho e genioso demais para ser domesticado. Mas a menina de 9 anos se recusava a desistir. Trigger era um pônei bonito, inteligente, forte e rápido como uma bala. Com paciência, e depois de levar inúmeras mordidas, coices e outros sinais da rebeldia de Trigger, Annabel o transformou em um animal doce e carinhoso. Na época em que ele morreu, quando Annabel tinha 18 anos, Trigger já ganhara inúmeros prêmios e era famoso em Derbyshire pela devoção à jovem dona.

Annabel tinha tanta certeza de que Max podia mudar quanto Max tinha de que não podia. Sabia que o melhor era não continuar com ela. ***Ela não faz ideia de como estou destruído.***

Mas Eve não quis escutar. Aprovava Annabel inteiramente, acreditando que a moça era jovem e inocente demais para representar qualquer ameaça à sua influência.

— Case rápido com ela, antes que ela mude de ideia. Engravide-a.

Max obedeceu. O casamento foi um borrão. Quando viu as fotografias depois, mal conseguia se lembrar de ter estado lá. No caminho para a igreja, só conseguia pensar se Lexi apareceria (ela não foi) e se a satisfação de sua mãe duraria dessa vez.

Max sabia o quanto Eve queria um neto. Por diferentes razões, Annabel também estava ansiosa em lhe dar um filho. Max achava a pressão insuportável. Com Lexi, ele soltara as rédeas de sua sexualidade. De alguma forma, em sua mente, Lexi e Eve tinham se tornado um mesmo ser, a mãe-amante, a satisfação de todas as suas fantasias mais sombrias e profundas. Lexi deixara que ele despejasse em seu corpo toda sua frustração e fúria. Ela conhecia seu lado selvagem, a perversão animal, e o desejava. Sodomia, violência, algemas, não havia limites. Com Lexi, Max alimentara a fera que existia dentro dele. Mas Annabel nunca poderia conhecer aquele monstro. Ela era pura e adorável. Max não podia contaminá-la, a única coisa boa em sua vida.

Foram a teimosia e a paciência sobre-humanas de Annabel que salvaram o casamento. Após seis meses infelizes e sem sexo, ela tomou a iniciativa. Ignorando os protestos de Max, uma noite, ela pegou o pênis mole dele e começou a acariciar. Nada aconteceu.

— Sou sua esposa, Max. Sou mulher. Entre em mim.

— Pare! — Max detestava vê-la falando daquela forma.

— Não, não vou parar. Basta.

— Meu Deus, Annabel. Não consigo ter uma ereção sob ordens, OK?

Ela colocou-o na boca. Apesar de não querer, Max começou a ter uma ereção. Imagens odiosas e degradantes de sua mãe e Lexi invadiram sua mente como esgoto.

— Por favor, pare. — Mas Annabel não parou. Montando nele, ela colocou seu pênis entre suas pernas, mexendo-se e apertando até que, finalmente, Max gozou com um gemido. Depois, ele chorou nos braços dela durante horas.

Foi naquela noite que Annabel percebeu que ele estava doente. E também foi naquela noite que ela concebeu os filhos gêmeos deles.

MAX ESPEROU ATÉ a respiração de Annabel voltar a um ritmo regular antes de sair da cama. Pegando um punhado de comprimidos controlados no armário do banheiro, ele os engoliu e jogou água no rosto. Seu reflexo no espelho era fantasmagórico.

Preciso me recompor para a reunião do conselho amanhã. August Sandford quer me pegar. Qualquer sinal de fraqueza, e ele vai acabar comigo.

Foi Sandford quem pedira a sessão de emergência do dia seguinte. Desde o início, August verbalizou seu desacordo quanto à estratégia de Max de abandonar os investimentos imobiliários em outros países e se concentrar apenas no mercado norte-americano. August queria que a Kruger-Brent seguisse os passos da Templeton. Eve não queria nem escutar falar disso.

— Você não é o cachorrinho da Lexi, Max. A Kruger-Brent lidera, não segue ninguém.

Como resultado, centenas de milhões desapareceram dos balancetes da empresa. Agora o conselho queria respostas.

Entrando na ponta dos pés no quarto dos bebês, Max fitou maravilhado os meninos adormecidos. George e Edward estavam com quase 3 anos agora. Eram tão perfeitos que Max às vezes tinha medo de tocar neles. Minúsculas réplicas masculinas de Annabel, louros, robustos e doces.

— Querido, são 4 horas. — Annabel apareceu na porta, bocejando. — Pelo amor de Deus, volte para a cama.

— Já vou. Desculpe.

Max seguiu-a para o quarto.

Será que meu pai me olhava quando eu estava dormindo? Será que ele me amava como eu amo esses meninos?

Os sonhos começaram de novo.

TARA MCGREGOR riu para si mesma enquanto colocava a massa do bolo das crianças no forno. ***Que ridículo! Estou me comportando como uma garota de 16 anos.*** Mas não conseguia reprimir sua felicidade.

Gabe viria mais cedo para casa essa tarde. Era aniversário dele. As crianças tinham feito um bolo para ele e preparado presentes com rolos de papel higiênico, purpurina e cola. (Jamie escolheu um magnífico foguete, enquanto Collette não surpreendeu ninguém com seu presente temático da Pequena Sereia. Gabe ia adorar.) Mas Tara estava guardando o melhor presente para depois. Mal podia esperar para ver a cara de Gabe quando contasse para ele.

Ela estava grávida de novo. Um acidente. ***Aos 41 anos!*** Desde que vira a linha rosa no teste ontem de manhã, não conseguia parar de rir. Olhou para o relógio da cozinha: 15h30. Gabe deveria chegar às 16 horas.

A campainha tocou. ***Ele chegou mais cedo! Dois milagres em um dia.*** Tara correu para abrir antes de Mala, a empregada.

— Feliz aniv... ah. Em que posso ajudá-lo?

Um homem negro enorme estava à sua frente. Com quase 30 anos, o rosto marcado pela acne e olhar frio, deixou Tara desconfortável na mesma hora.

— Seu marido está em casa?

Era metade pergunta, metade deboche. O desconforto de Tara se transformou em medo. A adrenalina tomou conta de seu corpo.

— Está sim. Ele está lá em cima — mentiu ela. — Infelizmente, está ocupado no momento. Volte outra hora. — Ela começou a fechar a porta. Sorrindo, o homem forçou entrada. Quando Tara viu, ele estava com uma chave de fenda na garganta dela.

— Quieta, senão mato você, sua vadia. — O hálito dele era de maconha. — Onde fica o cofre?

Mala apareceu nas escadas. Quando viu o que estava acontecendo, gritou.

— As crianças! — gritou Tara. — Tire-as daqui!

A empregada se virou e correu. Tara sentiu uma dor cortante. O homem rasgara seu rosto com a chave de fenda, quase atingindo seu olho esquerdo. Sangue começou a jorrar do corte.

— Eu disse QUIETA! — gritou ele. De repente, havia vários homens na entrada, seis, talvez sete. Todos eram negros e estavam drogados. Tara analisou seus rostos para ver se reconhecia algum. Deviam ser de algum distrito próximo. Se conhecesse a família de algum deles, se pudesse apelar a eles como pessoa...

Tara escutou Collette gritar no andar de cima. Sentiu seu sangue gelar.

— Não a machuquem! Levem o que quiserem. Mas não machuquem meus filhos.

Dois dos homens desceram, carregando Collette e Jamie embaixo do braço. Collette estava histérica. Quando Jamie, com 7 anos, viu o rosto de sua mãe sangrando, lutou para se soltar. Lançando-se sobre o bandido que segurava Tara, mordeu sua perna com força.

— Solte minha mãe! Saia de perto dela!

O homem gritou de dor. Puxando o pé, ele deu um chute na cabeça do menino como se fosse uma bola de futebol. Tara escutou o crânio do filho quebrar e caiu de joelhos. Seu filho estava caído no chão, imóvel.

— Abra o maldito cofre, sua vadia. Abra AGORA ou mato todo mundo.

GABE ESTAVA BUZINANDO. ***Droga de trânsito.*** Nem estava na hora do rush, mas todas as estradas que levavam a Camps Bay estavam engarrafadas.

No banco do carona, estava o cartão que Jamie lhe dera pela manhã. Era uma foto dos dois pescando, pai e filho sorridentes ao lado de um rio azul e muito calmo. ***Amo Você, Papai*** estava escrito em cima com ***glitter*** vermelho.

Eu também amo você, filhão, murmurou Gabe para si mesmo. Se essas estradas idiotas esvaziassem, ele estaria em casa em dez minutos.

TARA ESTAVA DE JOELHOS. Sentiu o metal frio da chave de fenda em sua têmpora, mas tentou não pensar nisso, nem em seu querido Jamie deitado inconsciente no corredor.

Apertou os números no teclado do cofre: quatro... seis... um...

— Se digitar algum código de segurança, corto a garganta de seus filhos. Se escutarmos alguma sirene, eles morrem. Entendeu?

Tara hesitou, o dedo parado no ar. Uma série de números abriria o cofre. Outra combinação abriria o cofre e, simultaneamente, alertaria a polícia.

Que Deus nos ajude.

Ela apertou o último dígito.

PELO MENOS, as estradas estavam esvaziando. Seguindo pela costa, Gabe virou à esquerda, para a rua tortuosa que levava à sua casa. Pensou em Tara. Esta manhã, ela estava com um bom humor incrível, pulando da cama feito o Tigrão. Antes de ele sair para o trabalho, ela lhe deu um longo beijo com a promessa de uma "surpresa de aniversário" à noite. Gabe sorriu. Já era aquela história de mulher perder a libido aos 40. Aos seus olhos, Tara estava mais sensual que nunca.

Quando pensava em como tinha chegado perto de perdê-la dois anos antes naquele safári louco com Lexi Templeton, Gabe se sentia mal. Lamentava o jeito como as coisas terminaram com Lexi. Não se falavam desde aquele dia, embora Gabe considerasse Robbie Templeton um bom amigo. Mas não podia ser diferente. Quaisquer que fossem seus sentimentos por Lexi, Tara era sua vida. Ao pensar nisso, sentiu uma pontada familiar de saudade.

Apertou o pé no acelerador.

O HOMEM ESTAVA enfiando um colar de diamante em sua mochila da Nike. Tara olhou para a entrada. Jamie não estava lá. Onde ele estava? Lá em cima com os outros homens? A casa estava em total silêncio. Uma poça de sangue manchava o piso de madeira branca no lugar onde o desgraçado chutara a cabeça de Jamie. ***Que tipo de animal podia fazer isso com uma criança?***

— Bonito. — Ganância brilhava nos olhos do homem enquanto acariciava as pedras inestimáveis. O colar era um presente de aniversário de casamento de Gabe. A pedra principal tinha seis quilates, uma pedra perfeita de Klipdrift, a cidade onde Jamie McGregor começara sua fortuna. Era impressionante, mas Tara nunca o tinha usado. Colares com diamantes de seis quilates não combinavam muito com a clínica para pacientes com Aids.

É por isso que meus filhos vão morrer? Por um colar idiota?

— Pode levar. Leve tudo. — Ela chorava. — Por favor, só me deixe ir ver meu filho. Sou médica, ele precisa de cuidados médicos.

— Mais tarde. — O homem fechou a mochila. Fitou Tara como se a estivesse vendo pela primeira vez. Milhares de homens já tinham olhado para ela dessa mesma forma na clínica. Desconfiança. Ódio. Inveja. Fúria mal reprimida. A maldição deste lindo país.

Ela sabia o que ia acontecer.

— Vocês, sua gente, tiram tudo de nós. — As mãos do homem estavam na garganta dela. — Nossa terra. Nossa comida. Nossos diamantes. Demônios brancos.

— Eu trabalho para o seu povo, todos os dias. — Tara tentou não demonstrar seu terror, mas sabia que ele podia ver em seus olhos. — Trabalho na clínica para pacientes com Aids em Pinetown.

— Aids? VOCÊS trouxeram a Aids para nós! Vocês, médicos brancos. Vocês matam nossas crianças.

— Que absurdo. — A raiva era a última defesa de Tara. — Vocês matam suas próprias crianças com sua ignorância. Nós tentamos ajudar. Meu marido já doou milhões...

Uma das mãos enormes e negras cobriu sua boca, empurrando-a para o chão. A outra rasgou sua camisa, agarrando com força seus seios. Tara sabia que não adiantava lutar. O desgraçado provavelmente gostaria. Em vez disso, se afastou de seu corpo, trancando-se em sua mente.

É só o meu corpo. Não sou "eu". Ele não pode me tocar.

Sentiu que ele estava em cima dela, dentro dela, o fedor e o peso dele, a fúria com que ele forçava seu enorme e grotescamente intumescido pênis para dentro do corpo dela.

Pense nas crianças. Se ele conseguir o que quer comigo, talvez não os machuque.

Ele não estava fodendo ela. Estava esfaqueando-a, dando golpes frenéticos na carne dela, usando o próprio corpo como uma arma.

A polícia vai chegar, ou Gabe. Deus, Gabe! Ela abafou um soluço. O relógio na parede marcava 16h10. ***Cadê você?***

GABE ESTAVA ABAIXADO no acostamento da estrada. As mãos pretas de óleo.

Bentley estúpido. Colocara pneus novos no mês passado, e um deles já furou. Estava irritado por estar atrasado de novo. Tara sempre chamava sua atenção por causa disso, e desta vez esforçara-se de verdade para sair do escritório na hora. Levantando o estepe da mala do carro, se tocou que não trocava um pneu desde quando era adolescente na Escócia. ***Droga, estou ficando velho.***

Dois carros de polícia passaram por ele com as sirenes ligadas.

Devia ser outro assalto.

Mãos à obra.

TARA ESCUTOU AS sirenes. A esperança tomou conta de seu corpo.

O homem parou de estuprá-la e levantou as calças. Havia medo em seus olhos. Gritou para os companheiros:

— ***Masihambe! Amaphoyisa!***

Tara entendia zulu.

— Vamos. Polícia.

Ela começou a tremer de alívio.

Graças a Deus. Ah, graças a Deus. Acabou.

Pela primeira vez, se perguntou se perderia o bebê por causa do estupro. Havia sangue nas suas coxas.

Cinco homens desceram as escadas correndo e pularam pelas janelas no térreo como gazelas. ***Não eram seis antes? Será que contara errado?*** Tentou olhar melhor para seus rostos, mas era impossível, eles corriam muito rápido.

Pegando sua mochila, o líder já estava indo atrás dos outros. Então parou e voltou.

— Vadia desgraçada. Você ditou o código do alarme, não foi?

Ele foi para as escadas. O sangue de Tara congelou. ***As crianças.***

— Não! — Ela tentou ir atrás dele, mas suas pernas cederam como gelatina.

Ele começou a subir.

OS PORTÕES ELETRÔNICOS estavam fechados.

— Nenhum sinal de arrombamento. Tem certeza que foi aqui, cara?

— Tenho. — O sargento de polícia assentiu. — McGregor. É o cara da Fênix. Talvez tenham entrado pelos fundos.

— Você sabe abrir essas coisas?

O oficial mais velho olhou sem ânimo para os portões que mais pareciam do Fort Knox. Quase todos os dias recebia chamados alertando para invasões. Nove em cada dez vezes eram alarmes falsos. Crianças brincando com cofre, ou alguma empregada Bantu burra levando um susto e apertando o botão de emergência.

— Não dá. Não sem um código. Teremos de escalar, chefe.

O oficial mais velho suspirou. Estava ficando velho demais para isso.

— Vamos, então. Dax, Willoughby, vocês vão de carro pelos fundos. Tenham bom senso, OK? Esse pode ser de verdade.

— Claro, chefe. — Todos riram.

CINCO HORAS. Quarenta minutos para trocar um maldito pneu. ***Você é patético, Gabe McGregor. Patético.***

Ao fazer a curva, Gabe viu dois carros de polícia parados do lado de fora de seus portões.

— Sinto muito, senhor, mas não pode entrar.

— Como assim não posso entrar? Esta é a minha casa. O que aconteceu? Cadê a minha esposa?

O jovem policial ficou branco.

— Fique aqui, senhor. Vou chamar o detetive Hamilton. — Saiu correndo ladeira acima.

"***Que se dane***", pensou Gabe. Passando a primeira marcha de seu Bentley, ele pisou fundo no acelerador, fazendo os pneus girarem e levantando poeira.

— Senhor! Pare! — Mas era tarde demais. O carro subiu a ladeira como um raio. Em segundos, Gabe estava correndo para dentro de casa. Havia policiais por todos os lados.

— Tara! — gritou Gabe. Podia ouvir o pânico na própria voz. — Tara? Amor?

Um policial se aproximou dele.

— Gabriel McGregor?

Gabe assentiu, incapaz de falar.

— Cadê a minha esposa? Cadê meus filhos?

— É melhor se sentar um minuto, senhor...

— Não quero me sentar. Para onde vocês levaram meus filhos?

Um homem apareceu no topo das escadas. Em seus braços uma bolsa de lona para cadáveres.

Tinha pouco mais de um metro de comprimento.

Capítulo 24

A NOTÍCIA DO ASSASSINATO BRUTAL da esposa e dos filhos de Gabriel McGregor não chocou apenas a África do Sul, mas o mundo todo. Era uma tragédia grega: o filantropo branco e sua esposa médica, atacados pelas próprias pessoas que eles passaram a vida tentando salvar.

Algumas semanas depois dos crimes, o terrível drama tomou um rumo novo e inesperado. Gabe McGregor saiu de seu escritório na Fênix na hora do almoço, como de costume. Desde então ninguém mais o vira.

Teorias da conspiração abundavam pela internet: ***estaria Gabe envolvido nos assassinatos? Talvez Tara quisesse se divorciar dele, e ele a matara para proteger sua fortuna? Descobriu que os filhos não eram seus e os matou em um acesso de fúria? Teria se matado por causa do remorso? Teria assumido uma nova identidade para fugir da polícia?***

Claro, não havia nenhuma prova concreta para sustentar especulações tão fantásticas. Mas isso não impediu que os tabloides de todo o mundo cavassem todos os segredos do passado de Gabe, seu vício em drogas, sua condenação por assalto e agressão, a investigação que sofrera sob suspeita de fraude, dissecando cada uma das histórias em detalhes e salivando sobre as "implicações" imaginadas. Muitas pessoas defenderam Gabe — os policiais envolvidos na investigação dos assassinatos, Robbie Templeton, o pianista mais famoso do mundo e dono de uma fundação que lutava contra a Aids, e Dia Katele, ex-sócio de Gabe na Fênix e herói de muitos sul-africanos negros. Mas suas vozes foram abafadas pelos uivos da massa.

O relacionamento inter-racial avançara muito na nova África do Sul. Ninguém queria acreditar que essa linda médica branca e seus filhos fotogênicos tinham sido massacrados por uma gangue de homens negros que a polícia jamais conseguiria prender. Não quando havia tantas outras possibilidades mais interessantes.

Para aqueles que conheciam Gabe e Tara, porém, isso não era uma novela. Era uma realidade assustadora e inimaginável.

Lexi estava em seu escritório em Nova York quando ficou sabendo das mortes.

— Eles não podem estar ***todos*** mortos. As crianças não. Deve haver algum engano.

Não havia engano algum. A primeira coisa que Lexi sentiu foi pura compaixão. ***Coitado do Gabe. Todos eles, a família inteira, mortos!*** Pensou em ligar ou escrever para ele, mas logo percebeu como seria inapropriado. Ela e Gabe não se falavam há mais de dois anos. E por uma razão muito boa. Como ela gostava de falar para Robbie e para quem mais quisesse ouvir, Lexi Templeton odiava Gabe McGregor.

Lexi via o mundo em preto e branco. Não operava nos tons de cinza. Desde que era menina, brincando com suas bonecas, dividira as pessoas à sua volta em dois campos: amigos e inimigos.

Robbie era seu amigo. Seu amor e lealdade por ele eram infinitos e continuariam assim por toda a vida.

Os homens que a sequestraram eram seus inimigos. Max era seu inimigo. Agora, desde que ele a rejeitara no safári, Gabe se tornara seu inimigo. Inimigos precisavam ser destruídos.

Pairando sobre esse mundo em preto e branco, havia um único imperativo ainda mais importante: a Kruger-Brent. A Kruger-Brent era o começo e o fim de tudo. Era a religião de Lexi. Seu Deus. Max a roubara dela. Isso o tornava seu maior inimigo. Mas Gabe McGregor vinha de perto em segundo. Ele não apenas era melhor do que Lexi nos negócios, mas também a humilhara. Ele a vira na sua forma mais fraca e vulnerável. E devia ser castigado por esse crime, não sendo merecedor de sua compaixão.

Mesmo assim, Lexi sentiu compaixão. Como poderia não sentir? Quando ficou sabendo do desaparecimento de Gabe, sentiu algo ainda mais profundo. Imaginou-o sozinho em algum lugar, sofrendo, tentando fugir e dar um fim a sua vida de desespero e tristeza insuportáveis. E, de repente, o mundo ficou cinza. Pela primeira vez na vida, Lexi Templeton tirou um dia de folga. Passou o dia em seu apartamento soluçando, sem conseguir sair da cama.

DAVID TENNANT foi vê-la. Um membro da diretoria da Templeton, David era advogado formado no ofício. Parecia um personagem dos livros de Dickens. Usava espessas costeletas vitorianas, carregava um relógio de bolso e tinha um nariz longo e bulboso que sempre fazia Lexi se lembrar do Sr. Punch. Mas, por trás de sua aparência cômica, David Tennant tinha um raciocínio rápido. Era um dos conselheiros em que Lexi mais confiava.

— O que é Cedar International?

Lexi adotou uma expressão de ignorância fingida.

— O quê?

David Tennant não acreditou na expressão inocente.

— Cedar International. O que é? Que tal DH Holdings? Faz com que se lembre de alguma coisa?

Lexi tentou demonstrar arrogância.

— Claro. São dois fundos de investimento internacionais. Por que pergunta?

— Ah, não sei. — David Tennant abriu um sorriso irônico. — Acho que só estava curioso quanto ao porquê de você vir desviando ativos da Templeton para eles como um ditador sul-americano prestes a fugir?

Lexi sorriu. Talvez o charme funcionasse, já que não conseguira nada com a cara de pau.

— Relaxe, David. Não vou a lugar algum. Montei essas empresas para fazer investimentos fora do portfólio principal da Templeton.

— Eles realmente não têm nada a ver com o nosso portfólio! Somos um fundo imobiliário, Lexi. A Cedar International tem duas fábricas de papel, uma mina de diamante falida no Congo e uma rede de empresas de reciclagem na Europa. A DH holdings é dona de um banco na internet e — ele consultou suas anotações — uma usina de beneficiamento de café no Brasil. Você ficou louca?

Era típico de David ser tão observador. Uma característica irritante.

Esqueça o charme. Vou tentar usar a imagem de chefe furiosa.

— A Templeton Estates é minha, David. Não preciso que fique me lembrando do nosso plano de negócios.

— Não? Então se importaria em me dizer ***para que*** servem essas aquisições? E essas empresas de fachada?

Droga. Esquecera-se que é impossível intimidar David Tennant. Devia ser exatamente por isso que ele era seu conselheiro mais próximo e por que permitira que ele comprasse dez por cento das ações da empresa.

Ele tem direito a uma explicação. Só tenho de pensar em uma que acalme sem revelar a verdade.

— Olhe, talvez eu devesse ter lhe falado. Mas nem todos esses negócios foram tão bem quanto eu esperava. Não queria parecer... bem, tola.

Silêncio.

— Eu sabia que eram acordos arriscados, então os tirei do nosso balancete.

Mais silêncio. Lexi continuou.

— Essas empresas realmente não se encaixam em nosso portfólio. Montei a Cedar muitos anos atrás, para comprar algum negócio diferente e falido que eu achasse interessante. Ela existe desde praticamente o início da Templeton.

— Eu sei. Você a registrou nas ilhas Cayman em 2010.

— Verdade. — ***Como diabos ele sabia disso?***

Lexi garantiu que a trilha seria tão complexa e enrolada que ninguém conseguiria chegar até ela, muito menos fazer uma ligação com a Templeton Estates.

Devo ter sido descuidada. Isso não pode acontecer de novo.

— Também percebi que duas das empresas, a mina e a usina de café, pertenceram à Kruger-Brent.

Na verdade, todas elas pertenceram à Kruger-Brent... um dia. Com as outras, comprei as ações, depois as revendi para as minhas empresas de fachada após um intervalo adequadamente discreto. Acho que você não chegou tão ***longe, Sherlock Holmes.***

Lexi manteve seu tom de voz casual.

— Verdade. Pura coincidência.

David Tennant parecia cético. Lexi estava ficando cada vez mais reticente e afastada ultimamente. Ela ficou furiosa quando um artigo recente da ***Vanity Fair*** fez comparações entre ela e Eve Blackwell, sua tia agoráfoba. Talvez a verdade doesse?

— Eu deveria ter lhe contado, David. Desculpe.

Ele amoleceu um pouco.

— Como você disse, Lexi, esta empresa é sua. Só não nos leve para o buraco, está bem? Tantas transferências do tamanho das que tem feito recentemente, e o nosso fluxo de caixa... Bem, não preciso lhe falar dos riscos.

Depois que ele saiu, Lexi ficou sentada em sua mesa pensando por muito tempo.

Sua estratégia ***Jenga*** não estava dando certo. Achara que poderia enfraquecer a Kruger-Brent discretamente, fazendo aquisições estratégicas aqui e ali sem que ninguém as ligasse a ela. Mas David Tennant já fizera a ligação. Mais importante, a Kruger-Brent não estava mostrando nenhum sinal de colapso iminente.

Preciso de uma nova estratégia. Algo maior, mais ousado. Preciso pensar.

Estava na hora de encarar os fatos. O desaparecimento de Gabe a abalara profundamente. Não estava dormindo. Chorava sem nenhuma razão aparente. Pior ainda, isso estava começando a afetar sua competência no trabalho. Conseguira tranquilizar David Tennant, por enquanto. Mas conhecia David. Esse homem era um rottweiler. Nunca esquecia. Da próxima vez...

Não. Não pode haver uma próxima vez.

Escreveu um e-mail para seu irmão:

"Mudei de ideia. Se ainda estiver valendo, gostaria de aceitar o seu convite. Tenho trabalhado muito ultimamente. Preciso de um descanso."

Três semanas na casa de fazenda de Robbie e Paolo na região das vinícolas na África do Sul poderiam ser exatamente o que o médico prescreveu.

NA SEMANA EM que Lexi chegou à África do Sul, Gabe McGregor foi oficialmente dado como morto.

— É uma formalidade legal — disse Robbie. — Ninguém sabe o que aconteceu. Mas, levando em consideração o estado dele e o tempo que está desaparecido... ele não mexeu em nenhuma conta bancária. Deixou o passaporte no escritório.

Lexi assentiu. Já fazia semanas que aceitara o fato de que Gabe tinha morrido. Mesmo assim, ver sua morte confirmada nos jornais era estranho e triste.

Nunca pude pedir desculpas. Gostaria que ele tivesse consciência do quanto significava para mim.

ROBBIE TEMPLETON abriu a carta do advogado no café da manhã.

— Ah, meu Deus — implicou Paolo. — Importunando as sopranos peitudas de novo, é? Garoto malvado.

— É da firma de advocacia que representa Gabe McGregor. Estão pedindo que eu compareça à leitura do seu testamento. Segundo esta carta, sou um dos beneficiários.

Lexi pediu para ver a carta.

— Não sabia que você e Gabe eram tão chegados. — Sentiu um ciúme inexplicável.

— Éramos amigos. Mas eu não esperava nada desse tipo. Para ser sincero, nem preciso do dinheiro. Gabe sabia disso.

— Todo mundo precisa de dinheiro, Robert — disse Paolo, com firmeza. — Minha intenção é me tornar vergonhosamente extravagante na minha velhice. Não me force a trocar você por outro mais jovem e mais rico, ***chéri.***

Robbie riu. Lexi não conseguiu.

"Estão pedindo que eu compareça à leitura do seu testamento."

Seu testamento.

Ele realmente morreu.

ROBBIE ODIAVA escritórios de advogados. Fazia com que se lembrasse do dia em que se sentara em frente a Lionel Neuman, quando ainda era adolescente, vendo o rosto do velho com cara de coelho se retorcendo enquanto Robbie abria mão de sua herança. Que tempos sombrios tinham sido aqueles. E como ele estava feliz agora. Afastar-se da Kruger-Brent foi a melhor decisão que tomou na vida. Mesmo assim, advogados ainda o assustavam, e Frederick Jansen não era exceção. Só de olhar para o terno escuro e severo de Jansen e seu rosto marcado por rugas, como de uma estátua de argila que ficou muito tempo no sol, Robbie se sentia um garoto travesso de novo. Não ajudou em nada o fato de os outros cinco homens na sala estarem todos de terno. Robbie, de jeans e uma camiseta da Filarmônica de Los Angeles, se sentia um tolo.

— A maior parte dos bens do Sr. McGregor estava em um fundo familiar. — Jansen seguia seu discurso monótono. Robbie nem prestava atenção aos jargões jurídicos: "***intestado... impostos... fiduciários... herança... desejos...***" Algumas palavras entravam em sua mente, como "***doações beneficentes***". Quando Gabe fez seu testamento, esperava que seus filhos estivessem vivos quando ele morresse. No caso de isso não acontecer, a riqueza dele deveria ser dividida entre um seleto grupo de fundações beneficentes, entre eles a Fundação Templeton/Cozmici contra a Aids.

— Desculpe, posso interrompê-lo um momento?

O advogado olhou para Robbie como se estivesse pedindo permissão para deflorar a sua filha.

— Quanto... quanto exatamente nossa fundação receberia?

Frederick Jansen franziu o nariz, irritado. ***Este homem era um tolo? Não*** lera ***o parágrafo seis, artigo d, subseção viii?***

— A porcentagem do legado dedutível de imposto do Sr. McGregor...

— Desculpe de novo. — Robbie levantou a mão, o coração palpitando. — Não sou muito bom com porcentagens. Se pudesse me dar um número fechado. Sabe, uma estimativa.

— ***Uma estimativa***? — O maxilar de Frederick Jansen tremia de tanta irritação. Não podia imaginar o que dera em seu cliente para deixar tanto dinheiro para esse gay norte-americano vulgar. — Sr. Templeton, como está explícito no documento à sua frente, sua fundação deve receber uma soma total na casa dos, uma ***estimativa***, se prefere, de 25 milhões de dólares norte-americanos. Agora, ***podemos*** prosseguir com a leitura?

O advogado recolocou seus óculos de leitura e prosseguiu seu monólogo, mas Robbie não estava mais escutando. ***Vinte e cinco milhões!*** Era uma quantia incrivelmente generosa, para um homem que tinha a sua própria fundação. Se existia paraíso, Gabe McGregor, sem dúvidas, devia estar lá.

— Com licença, Sr. Jansen. — Uma mulher nervosa com aspecto de rato apareceu na porta. Robbie pensou: ***coitadinha. Eu não seria assistente desse camarada nem por todo o chá da China.*** — Tem um senhor aqui que quer vê-lo.

A expressão de irritação de Frederick Jansen ficou ainda mais explícita.

— Sarah. Deixei perfeitamente claro que não deveria ser interrompido sob nenhuma circunstância.

— Eu sei, senhor. Mas...

— ***Nenhuma*** circunstância! Você é surda?

— Não, senhor. Mas é que, senhor...

Ela não conseguiu prosseguir. Um homem apareceu na porta. Frederick Jansen ficou boquiaberto. Os papéis caíram de suas mãos, deslizando lentamente para o chão, como plumas.

— Olá, Fred. — Gabe sorriu. — Parece que viu fantasma.

FREDERICK JANSEN conhecia Gabriel McGregor como cliente. Os outros homens na sala trataram com ele de negócios ou assuntos beneficentes. Robbie era o único ali que era amigo de Gabe. Ficando em pé em um pulo, abraçou-o.

— Você certamente sabe como fazer uma entrada triunfal! Acho que isso quer dizer que não vou ganhar os meus 25 milhões?

Robbie estava brincando para aliviar a tensão e para esconder o próprio choque. Gabe estava com a aparência terrível. Sempre fora tão grande, forte, como um urso simpático. O homem parado na frente de Robbie agora encolhera visivelmente. Devia ter perdido uns vinte quilos. O rosto estava abatido e envelhecido. Mas o maior choque de todos era o cabelo. A densa cabeleira loura tinha sumido. O cabelo de Gabe tinha ficado completamente branco.

— Digamos que não vai receber ainda. Escute, Robbie, pode me fazer um favor?

— Claro. Qualquer coisa.

— Tenho certeza de que algumas pessoas no saguão me reconheceram quando cheguei.

Robbie pensou: ***eu não apostaria nisso.***

— A imprensa logo estará aqui. Não posso voltar para casa. Será que posso me esconder com você e Paolo por um tempo?

— Claro. Contanto que... — Robbie hesitou, não sabendo como falar. — Tem certeza de que não trará muitas lembranças dolorosas?

Gabe e Tara tinham ficado na propriedade de Robbie no último verão, com os filhos. Foram férias mágicas para todos eles.

Gabe ficou comovido com a preocupação de Robbie.

— Tudo bem. As lembranças não são dolorosas. São só o que tenho agora.

— Tudo bem, então. Neste caso, vamos sair daqui.

Robbie tinha um milhão de perguntas para fazer a Gabe. ***Eu e o resto do mundo.*** Mas elas podem esperar. O mais importante era levá-lo para casa e alimentá-lo, longe dos olhos gulosos da mídia.

Ele é da nossa família agora. Um de nós. Eu e Paolo vamos protegê-lo.

QUANDO ROBBIE passou pela porta da sua casa de fazenda de braços dados com Gabe, Lexi desmaiou. Quando ela voltou a si, deitada na cama de um dos quartos de hóspedes, estava com um galo na cabeça do tamanho de um ovo de pato.

— Sinto muito. — A voz dela estava rouca. — Acho que devo estar mais exausta do que tinha percebido. Pensei ter visto Gabe. Foi tão real! Como se ele estivesse ao seu lado. Acha que eu preciso de um psiquiatra?

— Sem dúvidas. — Robbie sorriu. — Mas não porque esteja vendo coisas. Acontece que nosso amigo Gabriel não está ***tão*** morto quanto achávamos que estava.

— Oi, Lex.

Uma versão envelhecida de Gabe apareceu na cabeceira de Lexi.

Ela desmaiou de novo.

Demorou 24 horas para que ela aceitasse que Gabe não estava apenas vivo, mas aqui, na casa de Robbie, com ela. Enquanto Lexi aceitava a realidade, Gabe tomou banho, comeu e dormiu pela primeira vez em semanas. Ao anoitecer, a notícia de que Gabriel McGregor tinha voltado do mundo dos mortos já havia se espalhado. A mídia levou cerca de um minuto e meio para descobrir seu paradeiro. Por sorte, a propriedade de Robbie e Paolo era totalmente à prova de lentes bisbilhoteiras, ficando atrás de uma longa via de acesso e cercada por um muro de árvores impenetrável. Paolo convenceu a polícia a proibir voos rasantes de helicópteros. Quando perceberam que era impossível conseguir uma foto, os paparazzi voltaram relutantes para Cidade do Cabo, montando acampamento em frente à sede da Fênix. Gabe não poderia se esconder na casa de Robbie Templeton para sempre. Alguma hora teria de aparecer, e quando o fizesse, eles estariam esperando.

Na primeira semana, Gabe passava 18 de cada 24 horas dormindo. Nas refeições, comia bem, mas em silêncio, trocando alguns sorrisos de gratidão com Robbie e Paolo. Mal olhava para Lexi.

Chamaram um médico. Fez um exame completo em Gabe. Não querendo arriscar mais vazamentos para a imprensa, Robbie entrou em contato com seu padrinho em Nova York, Barney Hunt, e pediu que pegasse um voo para vir examinar Gabe.

— Eu diria que ele está bem mentalmente — disse Barney —, levando em consideração a magnitude do trauma que sofreu. Ele está se permitindo recuperar.

— Mas ele mal fala — protestou Robbie. — Ainda não disse onde passou todo esse tempo. Não falou de Tara nem das crianças nem uma vez. Quando ele fala "me passa o sal, por favor", está tagarelando.

— Ele vai falar quando estiver pronto. E Lexi? Como ela está?

Parecia uma pergunta estranha e sem propósito.

— Lexi? Ela está bem, acho. Louca varrida como sempre, obcecada pela Kruger-Brent, mas isso não é novidade. Ela veio para cá para relaxar, o que eu achei um bom sinal.

— E ela está relaxando?

— O aparecimento de Gabe foi meio que um choque para ela. Não sei. Ela tem ficado pouco em casa. Sai a cavalo. Acha que eu devo me preocupar?

— Não, não. — Barney Hunt deu um sorriso tranquilizador. — Gosto da sua irmã, só isso. Eu me importo com vocês dois. Assim como o seu pai.

Robbie ficou tenso. Fazia anos que não via Peter. Pai e filho estavam mais afastados que nunca.

— Já tenho bastante com o que me preocupar com Gabe e Lexi — disse Robbie na defensiva.

— Eu entendo — disse Barney. — Só quero que se lembre de uma coisa: seu pai não vai viver para sempre. Gabe tem anos pela frente para recuperar o que está sentindo. Lexi também. Mas você e Peter...

— Obrigado, Barney. Estou bem. Nós estamos bem.

A conversa acabou.

LEXI ESTAVA DEITADA na cama, sem conseguir dormir. Voltaria para Nova York em dois dias. De volta à realidade. As férias com Robbie deviam ter ajudado a clarear sua mente. Mas estava ainda mais confusa que antes.

Gabe estava vivo. Isso era uma coisa boa. Obviamente. Então, por que a presença dele na casa fazia com que se sentisse tão... ***tão o quê?*** Não havia como descrever. Lexi e Gabe se cruzavam como navios fantasmas em um mar perdido. Às vezes, Lexi sentia que ele a estava observando. Quase como se estivesse esperando que ela dissesse alguma coisa. Mas dizer o quê?

Desculpe-me por não saber como conversar com você? Sinto muito por terem cortado a garganta de sua esposa e filhos? Que bom que está vivo, mas preferia que estivesse bem longe da casa do meu irmão?

Em outros momentos, sentia hostilidade no olhar dele. ***Ele sentiu alguma coisa por mim naquele safári anos atrás, e ambos sabemos disso. Será que ele me culpa por isso? Será que faço com que se sinta culpado?***

Lexi não entendia a passividade de Gabe. Se estivesse no lugar dele, estaria com sede de sangue. Não pensaria em nada além de uma terrível vingança justiceira contra aqueles que acabaram com sua família. Mas Gabe não demonstrava raiva. Nem ódio. Lexi não conseguia entender.

Olhou para o relógio da mesa de cabeceira. Eram 4 horas. Sua mente estava a mil. Não tinha nenhuma chance de conseguir dormir. Forçando-se a levantar da cama, colocou um penhoar por cima do pijama velho de Robbie que estava usando e desceu as escadas na ponta dos pés. Talvez uma xícara de leite quente ajudasse.

— O que você está fazendo aqui?

Lexi deu um pulo.

— Meu Deus, Gabe. Você me assustou.

Gabe estava escondido na semiescuridão, com o rosto estranhamente iluminado pelos primeiros raios de sol.

— Não consegui dormir.

— Bem-vinda ao meu mundo. Sabe, quando Collette nasceu, ficamos um ano sem dormir. Eu e Tara ficávamos fantasiando como seria bom dormir até tarde em um domingo. Agora, posso dormir até a hora que quiser. Mas nunca consigo ir até depois do amanhecer. Nunca.

— Sinto muito.

Deus, era tão inadequada. Que expressão pequena, inútil. Como tentar apagar um vulcão com uma pistola de água.

— Eu estava prestes a fazer, sabe. Eu ia me matar.

— Gabe, de verdade. Você não precisa me contar isso.

— Mas, então, eu pensei: "por que ***eu*** deveria ter o direito de descansar em paz depois do que eu fiz? Eu deveria acordar todos os dias, ***todos os dias,*** e ver seus rostos. Escutar seus gritos.

Gabe começou a chorar. Lexi estava congelada no lugar, sem saber o que fazer. Então, deixou o instinto dominá-la. Ela o abraçou.

— Não foi culpa sua.

— Foi sim! — Ele soluçou. — A culpa foi minha. Eu deveria estar lá. Se eu não estivesse atrasado. Se não tivesse parado para trocar aquele maldito pneu! Ah, Deus, Lexi. Como eu os amava!

Ele se agarrava a ela como um náufrago se agarrando a uma boia. Então, de repente, estava beijando-a, eles estavam se beijando. Lexi conseguia sentir o gosto salgado das lágrimas em sua boca, o rosto dele contra sua face, seu pescoço, seus seios. Havia um desespero terrível na forma como ele arrancava as roupas dela, deitando-a no chão gelado de cerâmica. Como se, fazendo amor com ela, pudesse, de alguma forma, voltar à vida.

Quando a penetrou, ele soltou um grito angustiado, como um animal sofrendo à beira da morte. Lexi o abraçou com força. Ao fechar os olhos, sentiu a dor dele passar para seu próprio corpo. ***Está tudo bem, Gabe. Está tudo bem, meu amor.***

No início, Max costumava fazer amor com ela da mesma forma. Com desespero. Como se Lexi pudesse salvá-lo. Mas isso foi em outra vida. Gabe não era Max. Gabe era um homem bom, decente, íntegro. Gabe estava sofrendo porque tinha amado. Max sofria porque não conseguia amar. Porque estava destruído.

Como eu.

Quem sabe eu e Gabe possamos nos salvar?

QUANDO ROBBIE desceu na manhã seguinte, encontrou seu amigo e sua irmã dormindo profundamente no sofá, enroscados um nos braços do outro. Sorriu.

Paolo serviu um pouco de café.

— Eu não ficaria tão feliz se fosse você. — Ele apontou para os amantes adormecidos. — Isso vai ser um problema.

— Por quê? Você mesmo disse que Gabe deveria encontrar alguém. Que precisa de amor para voltar a viver.

— Verdade, mas Lexi?

Robbie levantou a cabeça.

— Por que não Lexi? Deus sabe como seria bom ela ter uma pessoa normal em sua vida. Alguém para acabar com a sua obsessão pela Kruger-Brent.

— Eu amo sua irmã, Robbie. Você sabe disso. Mas amantes não podem se "consertar".

Robbie pensou: ***Você está errado. E nós dois? Nós nos consertamos.***

— Dê uma chance a eles. Ela o ama, sabe? Estou convencido disso. Quando ele desapareceu, ela perdeu o rumo. Lexi é dura por fora, mas seus sentimentos são muito intensos.

Paolo não disse nada.

Tomara que estivesse errado, para o bem de todos.

Capítulo 25

MANHATTAN. DOIS ANOS DEPOIS.

GABE, LEXI E ROBBIE ESTAVAM no apartamento de Lexi em Nova York, jogando cartas.

Gabe estava explicando as regras.

— O jogo se chama "Copas". O objetivo é descartar quantas cartas de copas conseguir para seu adversário, sem ganhar nenhuma. Cada carta de copas que ganhar conta contra você; por exemplo, se tem o dez de copas, perde dez pontos; o às, 25 pontos, e daí por diante. A carta mais perigosa do baralho é a dama de espadas. Se ficar com ela, perde cinquenta pontos. Entenderam até agora?

Robbie disse:

— Acho que sim. Perder é bom, ganhar é ruim, certo?

— Para mim, parece um jogo ridículo — resmungou Lexi.

Não estava de bom humor. Normalmente, adorava quando Robbie ficava hospedado em sua casa. Viam-se tão raramente. Ele era uma influência boa e calma para o relacionamento ardente de Lexi e Gabe; um lembrete de que o amor deles era mais profundo do que as brigas e a competitividade do dia a dia. Mas hoje, nem mesmo Robbie estava conseguindo melhorar seu humor.

Lexi passara a manhã assistindo, impotente, às ações da Kruger-Brent subirem quase vinte pontos. Durante anos, vinha silenciosamente colocando em prática sua estratégia ***Jenga***: comprar partes fundamentais do império da Kruger-Brent, através de empresas de fachada anônimas. A ideia era que, se conseguisse tirar a peça certa, na hora certa, o prédio todo desabaria. Max seria despedido. Ela, Lexi, voltaria gloriosa para levar a empresa de volta à sua grandeza.

Mas isso não tinha acontecido. A Kruger-Brent era como uma aranha gigante. Cada vez que cortava uma das pernas dela, ela crescia de novo. Max estava ganhando o jogo. O cretino a estava derrotando.

O humor dela não melhorou em nada quando perdeu as duas primeiras rodadas do jogo de cartas.

— Isso é ridículo. Quem já ouviu falar de um jogo em que não se deve ganhar?

Robbie riu. Adorava o olhar furioso de Lexi. Era o mesmo olhar de quando ela tinha 6 anos e perdeu em um jogo de tabuleiro e exigiu que ele ou a babá aceitassem uma revanche.

— Você ***deve*** ganhar. Mas para ganhar, precisa perder.

— Na verdade, tem outra regra — disse Gabe. — Não disse antes porque nunca costuma acontecer. Mas se, de alguma forma, você conseguir ficar com ***todas*** as cartas de copas ***e*** com a dama de espadas, ou seja, se conseguir ficar com todas as cartas que podem lhe prejudicar, tem a opção de diminuir pela metade seus pontos negativos ou de dobrar os de seus adversários.

Lexi ficou quieta. Em poucos minutos, como por milagre, o mau humor dela desapareceu. Sentando-se mais perto de Gabe, ela o abraçou e lhe deu um beijo.

— Vamos jogar, então. De quem é a vez de dar as cartas?

Robbie observou o rosto de Gabe se iluminar.

— O que houve?

— Nada. Eu amo vocês, só isso.

MAIS TARDE NAQUELA noite, Gabe e Lexi fizeram amor pela primeira vez em semanas. Lexi andava tão preocupada com o trabalho ultimamente que negligenciara Gabe. Mas, naquela noite, compensou, acariciando e estimulando-o até que implorasse para penetrá-la, sussurrando o quanto o amava em seu ouvido. Depois, Gabe caiu em um sono profundo e satisfeito.

Lexi ficou acordada, sua mente a mil, empolgada demais para fechar os olhos.

Finalmente, encontrara um jeito. Foi Gabe quem lhe deu a ideia.

Já sei como vou recuperar a Kruger-Brent.

Eu estava jogando o jogo errado.

LISA JENNER, EMPREGADA de Eve Blackwell, penteava o longo cabelo grisalho da patroa, enquanto se perdia em devaneios. A velha estava divagando de novo.

— Rory me amava. Ele ia se casar comigo, sabe. Mas, então, aquele homem armou para mim. Esperou até que eu estivesse indefesa, inconsciente, e fez ***isso.*** — Eve passou as mãos murchas, com veias aparecendo, pelo rosto, apalpando as cicatrizes com os dedos.

— Que homem, madame? — Lisa só estava trabalhando com a Srta. Blackwell havia um mês, mas já estava acostumada com seus acessos de loucura.

— Meu marido, claro! — respondeu Eve. — Max.

— Seu marido morreu, madame. Em um acidente muito tempo atrás. Max é seu filho, lembra?

Eve franziu a testa. ***Max é meu filho. Meu filho?***

— Meu filho é um tolo. Ele está destruindo a Kruger-Brent. É fraco, como o pai.

Lisa Jenner prendeu o cabelo de Eve em um coque alto e apertado, colocando um grampo de marfim para segurar. Depois, colocou o véu da patroa.

— Acabamos, está pronta — disse ela, contente. — Max está esperando a senhora na sala de estar com o Dr. Marshall. Gostaria que eu a acompanhasse?

— Não! — A voz de Eve estava estridente pelo pânico. — Meu rosto! Não deixe que ele toque meu rosto! Ele não é médico. É um maníaco!

— Tudo bem, Lisa. Pode deixar que cuido disso.

Annabel insistira em vir com Max hoje. Da última vez que visitara a mãe sozinho, voltou para casa arrasado, a ponto de ter um colapso nervoso. Ela não deixaria isso acontecer de novo.

— Venha, Eve. O Dr. Marshall não está aqui para machucá-la.

— Quem é você?

— Sou eu, Annabel, Eve. Esposa de Max. Eu e ele estamos aqui para conversar com o médico. Trouxemos um pouco daquele queijo defumado que você gosta.

— Ela é uma boa procriadora, a esposa de Max. — Eve se levantou sem firmeza. — Ele deveria se casar com ela logo. A Kruger-Brent precisa de um herdeiro.

Kruger-Brent. Como Annabel passara a odiar essas duas palavras. A pressão de administrar a Kruger-Brent levara Max à beira de um ataque de nervos. Sua mãe parecia querer que ele sacasse uma varinha de condão e recuperasse todas as perdas da empresa do dia para a noite. Ela não tinha a menor ideia da realidade do mercado. Mas como poderia?

A megera velha mal sabia o próprio nome.

— Oi, mãe. Você parece bem.

Eve entrou na sala de estar arrastando os pés. A idade não chegou gradualmente para Eve Blackwell. Ela atacou de surpresa. Em uma questão de meses, sua coluna muito ereta ficou curvada. As veias em suas mãos ficaram destacadas como raízes de uma árvore. Manchas escuras surgiam como uma praga em sua pele que já fora perfeita. Mas nenhuma dessas mudanças importava para Max. A seus olhos, sua mãe seria eternamente bonita.

Ele se aproximou para beijá-la. Eve o empurrou.

— Eu sei o que você fez — disse ela baixinho. — Vou contar para todo mundo. ***Aí*** você vai se arrepender.

Annabel viu o marido encolher. ***Por que ele deixa que ela o oprima? Que poder ela tem sobre ele?***

— Basta, Eve — disse ela. — Você está confusa.

Enquanto o médico media a pressão de Eve, Max puxou Lisa Jenner para um canto.

— Ela fica assim o tempo todo? Ou piora quando estou aqui?

— Não deve se culpar, senhor — disse a empregada, docemente. — Ela tem seus momentos de lucidez. Mas este tem sido seu estado normal. Ela tem escrito muito. Parece acalmá-la.

— Escrito? Escrito o quê?

— Não sei. Apenas divagando, acho. Ela não me deixa ver. Todos os papéis ficam trancados na gaveta da escrivaninha dela.

Mais tarde, Max contou a Annabel o que Lisa lhe contara.

— Acha que eu devo abrir a gaveta? Dar uma olhada?

— Não — disse Annabel, com firmeza. — Ela pode estar velha e maluca, mas tem direito à privacidade.

Na verdade, Annabel Webster não ligava a mínima para a privacidade de sua sogra. Sua única preocupação era Max. ***Só Deus sabe os absurdos maléficos que estão nesses papéis. Assim que ela morrer, eu mesma vou abrir a gaveta e queimar tudo.***

LEXI CHEGOU TARDE em casa. De novo.

Gabe não conseguiu esconder sua decepção.

— Preparei o jantar. Duas horas atrás. Onde diabos você estava?

— No trabalho. — Como sempre quando estava errada, Lexi usava um tom de voz agressivo. — Só porque você perdeu a sua ambição, não significa que eu também tenha de perder a minha.

O rosto de Gabe se contraiu de dor. A ironia é que tinha passado a ocupar um cargo menor na Fênix para passar mais tempo com Lexi. Tinha esperanças de um dia conseguir convencê-la a se casar e formar uma família. Mas sempre que tocava no assunto, ela ignorava a pergunta ou vestia a máscara de "vadia".

— Você está mentindo. Liguei para o escritório. Você saiu de lá horas atrás.

— Ah, então agora você está me espionando?

— Espionando não. Você estava atrasada. Fiquei preocupado.

— Sou gente grande, Gabe. Se quer saber, estava em uma reunião de negócios.

— Com quem?

— ***Não é da sua conta!***

Lexi foi para o quarto, furiosa, e bateu a porta. Tirando as roupas, tentou organizar seus pensamentos.

Por que estou fazendo isso? Por que estou tentando afastá-lo de mim?

Lexi amava Gabe tanto quanto sempre o amara. Mais até. Mas seus níveis de estresse estavam nas alturas. Ela estava se preparando para a batalha mais importante de sua vida — a batalha pelo controle da Kruger-Brent — e não podia contar a Gabe ou a qualquer outra pessoa o que estava fazendo. A aposta era a mais alta possível. Se fracassasse, poderia perder tudo. Sua fortuna, sua empresa, talvez até a sua liberdade.

Na verdade, tem outra regra. Não disse antes porque nunca costuma acontecer...

Você deve ganhar. Mas para ganhar, precisa perder.

E se recuperasse a Kruger-Brent, mas perdesse Gabe?

Tirou esse pensamento da cabeça. Ganharia o jogo. Precisava ganhar. Quando recuperasse a Kruger-Brent e sua vingança contra Max estivesse completa, então acertaria as coisas com Gabe. Ele não ia a lugar nenhum.

A KRUGER-BRENT não conseguiu pagar um empréstimo em Cingapura. O banco executou a hipoteca de uma de suas propriedades. A quantia envolvida era tão pequena, Max nem chegou a ficar sabendo. Um gerente cingapuriano foi demitido. A Kruger-Brent refinanciou. Fim da história.

Poucas semanas depois, um descuido parecido na Alemanha levou a outra execução. Mais uma vez, a quantia era baixa.

Lexi anotou as datas.

KAREN LOMAX, uma jornalista financeira do ***The Wall Street Journal***, recebeu um telefonema. Depois que desligou, virou para seu colega Daniel Breen.

— Ei, Dan. Você ouviu falar alguma coisa sobre problemas de crédito na Kruger-Brent?

Daniel Breen balançou a cabeça.

— Você escutou?

— Uma mulher acabou de ligar. Disse que eu deveria investigar uns empréstimos que não foram pagos na Ásia. Acha que tem alguma coisa nisso?

Daniel Breen deu de ombros.

— Acho que só tem um jeito de descobrir.

As cartas foram lançadas.

GABE ABRIU A PASTA à sua frente, olhando as fotos.

— Então, ela ***não*** está tendo um caso?

O detetive particular balançou a cabeça.

— De acordo com as evidências, não, senhor, ela não está tendo um caso.

Gabe ficou visivelmente aliviado.

— Entretanto...

Gabe levantou o olhar.

— Existem algumas... anomalias.

— Que tipo de anomalias?

— Financeiras. Se for para a página 12 do documento, encontrará tudo lá.

Gabe foi para a página 12. Lenta e metodicamente, começou a ler.

AS PRIMEIRAS SEMANAS do romance de Gabe com Lexi foram como um sonho.

Gabe não acreditava que seria possível amar de novo depois do que aconteceu. Certamente não enquanto as suas feridas estivessem tão abertas. Mas, como por um milagre, naquelas primeiras semanas no refúgio africano de Robbie, Lexi levou vida ao seu coração morto. Quando Gabe acordava de madrugada, suando e gritando o nome de Tara, Lexi o abraçava até que o pesadelo passasse. Gabe falava sempre de seus filhos, lembrando uma vez após a outra dos eventos terríveis de seu aniversário como um cachorro farejando o próprio vômito. Lexi escutava. Ele jogava sua culpa nas mãos dela, que a aceitava com gentileza e graça como se ele estivesse lhe dando um buquê de flores.

Mas, inevitavelmente, a vida real acabou se intrometendo no idílio de amor deles. A cada dia que passava, Gabe ia transferindo mais seus poderes na Fênix a outras pessoas, satisfeito em se dedicar a Lexi e às suas obras de caridade. Se o assassinato de Tara lhe ensinara alguma coisa, foi que amor e vida eram preciosos demais para serem desperdiçados lendo papéis em um escritório.

Mas Lexi não via as coisas assim. Para ela, trabalhar era como respirar. A sede da Templeton era em Nova York. Gabe se mudou para lá para ficar com ela. Gostava da cidade, da energia, da animação, mas nunca deixava de se sentir um hóspede no apartamento de Lexi. Como um primeiro passo para construírem uma nova vida juntos, Gabe comprou uma linda casa de veraneio em Bridgehampton. Um lugar para fugirem, para passarem um tempo juntos.

— O que você achou? — Ele levou Lexi a todos os cômodos com paredes de madeira, todos mobiliados com simplicidade, mas bom gosto, com sofás confortáveis e roupas de cama de linho irlandês da White Company. — Tentei criar um lugar tranquilo. Uma fuga da cidade.

— É... é bonitinha. — Lexi tentou soar entusiasmada. Mas por dentro, pensava: ***não quero fugir da cidade.***

O rosto de Gabe mostrou sua decepção.

— Você não gostou.

— Gostei. Não é isso. É só que... quando vamos vir para cá?

— Nos finais de semana.

— Eu trabalho nos finais de semana, amor.

Lexi não só trabalhava nos finais de semana. Começava a trabalhar cedo e ia até tarde da noite. Trabalhava no Dia de Ação de Graças e no Dia do Trabalho. Gabe não sabia que a decisiva viagem que Lexi fizera para visitar o irmão na África do Sul eram suas primeiras férias em mais de cinco anos.

Não eram apenas as longas horas. Era o segredismo. Era comum Lexi falar enquanto dormia, resmungando sobre a Kruger-Brent e Max e vingança. Ela parecia estar ansiosa porque o tempo estava se esgotando. Mas quando Gabe perguntava tempo para quê, Lexi fingia não saber do que ele estava falando. Pouco tempo atrás, Gabe ficara chocado quando David Tennant, o braço direito de Lexi na Templeton, mencionou que a empresa estava com problemas.

— Lexi está liquidando bens mais rápido do que conseguimos acompanhar. O dinheiro desaparece nas contas dessas empresas obscuras, depois, ***puf***, não existe mais.

Quando Gabe questionou Lexi, ela desdenhou.

— David está preocupado à toa. Fiz algumas operações financeiras, só isso.

— Ele disse que você está deixando a Templeton sem nada.

— Ele está exagerando.

Ponto final.

Ultimamente, chegou ao ponto de Gabe ter a sensação de que precisaria marcar hora para falar com Lexi. Quando conseguia, todos os assuntos que ***ele*** queria discutir — casamento, filhos, o futuro deles — ficavam de fora da pauta.

— Não posso ter filhos, Gabe. Já lhe disse isso.

— Não pode ou não vai?

Isso irritou Lexi.

— Certo. Não vou. Qual a diferença?

— Tem muita diferença! Por que você não vai? De que tem tanto medo?

— Não tenho medo de nada. Pare de me encher o saco! Você quer que eu passe mais tempo com você, mas, quando passo, você fica me interrogando.

Contratar um detetive particular foi um momento crítico. Mas Gabe não podia mais aguentar. Precisava saber o que Lexi estava escondendo dele. Ele a amava, mas estava cansado de ficar em casa sozinho enquanto Lexi viajava sabe-se lá para onde em uma viagem sem fim de negócios. Ele não era namorado dela. Era com quem ela passava o tempo entre uma viagem e outra. Foi quando se perguntou: ***será que ela encontrou outra pessoa?***

— ACHO QUE NÃO ESTOU entendendo bem. — Gabe devolveu a pasta para o detetive particular sentado no sofá, um homem gordo com bochechas inchadas pela bebida e uma pança tão grande que ia quase até o joelho.

— A Srta. Templeton é fiduciária da sua fundação beneficente?

— É sim.

— Ela tem autorização para fazer transações financeiras no nome da fundação?

— Tem. Mas é só uma formalidade. Lexi é uma celebridade, e isso é muito útil para nós. Ajuda a angariar fundos. Mas ela não está envolvida com os negócios diários da fundação.

— O que torna ainda mais curioso o fato de ela ter feito várias retiradas consideráveis das contas da fundação.

O detetive particular tirou uma caneta vermelha do bolso do paletó. Circulou as datas e quantias e entregou o papel para Gabe. Gabe fitou por um longo tempo.

— Tem certeza de que foi Lexi quem autorizou essas retiradas?

— Sim, senhor.

Ela está roubando de mim? Das obras de caridade? Não faz sentido.

— Você sabe por quê?

— Não, senhor. Ainda não. Infelizmente, a sua noiva é uma ilusionista quando o assunto é dinheiro. Assim que ela coloca as mãos no dinheiro, ele desaparece. O rastro de documentos que ela deixa é muito complexo, quase impenetrável.

Gabe pegou seu talão de cheques. Escreveu um número, destacou o cheque e entregou ao detetive. Os olhos do homem gordo cresceram.

— Penetre.

— Sim, senhor. Farei isso, senhor. Obrigado, senhor.

DESCENDO A LADEIRA da casa de praia de Gabe em Bridgehampton, segurando o cheque como um talismã, o detetive particular pensou nas burrices que os homens faziam por amor.

Já vira centenas de fotos de Lexi Templeton. Lábios perfeitos para um boquete em um rosto de anjo. Peitos e bunda maravilhosos; mas era elegante. Uma mulher como essa consegue ferrar o homem que quiser. Mas ela escolhera esse homem velho, de cabeça branca, um caco, mas que ***por acaso*** era cheio de dinheiro e confiava nas pessoas?

Talvez McGregor achasse que estava a salvo porque ela também era rica. Se fosse isso, era ainda mais tolo.

Não sabia que as mulheres mais ricas são as mais gananciosas?

ERA SEXTA-FEIRA DE MANHÃ. Max estava sentado em seu escritório na Kruger-Brent, olhando as fotografias na sua mesa. Seus meninos, George e Edward, estavam com 5 anos. No escritório de Max, havia inúmeros porta-retratos de prata com fotos deles, de mãos dadas, sorrindo para a câmera. Também havia fotografias de Annabel, e de Eve, quando era jovem, no auge de sua beleza. Mas eram seus filhos que o deixavam hipnotizado, a inocência deles iluminando a sala como o sol.

É assim que deve ser a infância. Feliz. Pura.

August Sandford entrou como um furacão.

— Já viu o preço das nossas ações? Que diabos está acontecendo?

August Sandford não tinha envelhecido bem. Seu cabelo castanho cheio escasseara, deixando uma boa parte da cabeça exposta. Os músculos de quando tinha 20 e poucos anos já tinham se tornado gordura há bastante tempo. A Kruger-Brent fizera dele um homem rico, no papel. Mas, esta manhã, August vira o valor desses papéis caírem quase 15 por cento. Com esposa, três filhos e uma amante exigente para sustentar, os níveis de estresse de August estavam sempre "em alta". Esta manhã, as manchas de suor embaixo de seu braço estavam tão grandes que pareciam prestes a pingar.

Max abriu o Bloomberg na tela seu computador. ***Meu Deus.*** August estava gritando.

— Algum cretino está vendendo nossas ações a descoberto.

Era verdade. Alguém estava pegando emprestadas muitas ações da Kruger-Brent e vendendo com desconto. Efetivamente, estava apostando que o preço das ações iria cair. O problema era que, fazendo vendas descobertas nessa escala, o vendedor estava tornando sua previsão uma profecia autorrealizável.

— Aquela matéria no ***The Wall Street Journal***, foi ali que tudo começou. Aquela jornalista vadia, insinuando que o nosso risco de crédito é alto! Dois empréstimos ruins e o mercado já está se virando contra nós. Porra, como ela soube de Cingapura? É o que eu gostaria de saber.

— Não sei.

— Bem, você ***deveria*** saber. É o presidente desta empresa, Max. Estamos deixando vazar notícias ruins como uma camisinha rasgada, e você fica aí sentado em sua torre de marfim sem fazer nada!

A cabeça de Max começou a latejar. Fechou os olhos. Quando abriu de novo, August não estava mais lá. ***Graças a Deus.*** Parado à sua frente estava um homem velho. Estava debruçado sobre uma bengala de madeira, que segurava com mãos frágeis e cheias de manchas.

— Posso ajudá-lo?

O velho balançou a cabeça.

— Não. Infelizmente, ninguém pode me ajudar. É tarde demais.

Havia algo de familiar em sua voz. Sua tristeza tocou o coração de Max.

— Tarde demais para o quê, senhor? — perguntou, gentilmente. — Talvez eu possa ajudar.

— Tarde demais para tudo. Estou morto, sabe? Meu filho me matou.

Limo nojento e verde começou a escorrer das narinas do velho.

— Por que fez isso comigo, Max? Eu o amava tanto.

Keith?

Um fedor forte e terrível tomou conta do escritório de Max. Ele começou a sufocar, segurando na mesa para não cair.

— Saia daqui! Você está morto! Saia daqui e me deixe em paz!

— Max?

— Eu disse para SAIR!

August Sandford estava sacudindo Max pelos ombros.

— Max! Está me escutando? Você está bem? Max?

— Deus. Eu o matei!

— Matou quem?

Era tudo de que precisavam no meio de uma crise. Um presidente pirando.

Lentamente, Max acordou do pesadelo. O terror começou a desaparecer. ***Tudo bem. Estou no meu escritório. August está aqui. Foi um sonho, só isso. Apenas um sonho.***

— Sinto muito. — Tentou sorrir para August Sandford. — O estresse às vezes me pega. Estou bem.

Até parece que está.

Max forçou-se a olhar para a tela na sua frente. Esse era o verdadeiro pesadelo. E não fazia a menor ideia do que fazer a respeito. Percebendo sua indecisão, August assumiu o controle.

— Precisa convocar uma reunião do conselho. Imediatamente. Precisamos descobrir quem está vendendo nossas ações a descoberto e por quê. Se forem os boatos sobre crédito, podemos lidar com isso. Mas precisamos agir rápido.

August Sandford saiu apressado da sala. Max ficou olhando para a porta aberta, meio que esperando que o fantasma de seu pai fosse aparecer de novo. ***Annabel está certa. Preciso de ajuda.***

Ele apertou o interfone na sua mesa.

— Diga ao conselho que estou convocando uma reunião de emergência.

A tela de seu computador estava piscando.

Baixa de 15 por cento.

Dezesseis...

— Quero todo mundo naquela mesa em 15 minutos.

LEXI ESTAVA ARRUMANDO sua mesa na Templeton quando David Tennant bateu na porta de seu escritório.

— Entre. — Ela abriu um sorriso simpático. David Tennant não retribuiu sorriso nem a simpatia.

— Vim lhe entregar isto. — Ele passou a ela um envelope branco lacrado.

Lexi brincou.

— Pela sua expressão, não deve ser um cartão de Natal adiantado.

— Não. É a minha carta de demissão.

Lexi foi pega de surpresa.

— Está falando sério?

— Nunca falei tão sério em toda a minha vida. Achei que éramos sócios, Lexi. Mas sócios não mentem um para o outro.

— David! Eu não menti.

David Tennant balançou a cabeça, sem acreditar.

— Não mentiu? Você não tem feito ***nada*** além de mentir nos últimos meses. Lexi, você roubou o balancete da empresa sem misericórdia, apesar de ter me prometido solenemente que iria parar. As nossas reservas estão tão baixas que mal podemos comprar um cachorro-quente. Você se recusa a me dizer, a dizer a qualquer um de nós, o que você está comprando.

— Não estou comprando nada — disse Lexi, sendo sincera. — É verdade que comprei algumas empresas.

— Da Kruger-Brent.

— Verdade — admitiu Lexi. — Mas parei de fazer isso anos atrás.

— Mesmo? Então, onde *está* o dinheiro, Lexi?

Lexi pegou um peso de papel na sua mesa e ficou analisando-o. Quando falou, não olhou nos olhos de David Tennant.

— Infelizmente, não posso lhe contar.

David Tennant virou-se para sair.

— Espere! Por favor, David. Confie em mim. Vou pagar todo o dinheiro que peguei emprestado da Templeton. Com juros. Esse negócio que estou fazendo pode render uma fortuna.

— E se isso não acontecer?

— Vai acontecer. Mas no pior dos casos, posso refinanciar a Templeton.

— Como?

Lexi fitou impetuosamente.

— Pegando emprestadas as minhas ações da Kruger-Brent.

— Lexi, você já viu os mercados esta manhã? As ações da Kruger-Brent estão em queda livre.

— Como assim "queda livre"? Estão em baixa? — Ela ligou o computador, tentando esconder sua animação. ***Começou.***

— Não estão em baixa. Estão desmoronando. Alguma coisa está acontecendo lá. As pessoas estão vendendo ações da KB como se fossem granadas ativadas. A não ser que Max Webster consiga mudar a maré, eles podem estar falidos na segunda de manhã.

O preço da ação apareceu na tela de Lexi. Suas mãos começaram a tremer.

Em outras circunstâncias, David Tennant poderia ter sentido pena dela. Se a Kruger-Brent falisse, Lexi perderia uma fortuna. Mas, depois de vê-la acabar com seus dez por cento da Templeton sem o menor remorso — sete anos de trabalho por água abaixo —, ele não sentiu nem um pouco de compaixão.

Ele saiu da sala dela sem olhar para trás.

Depois que ele foi embora, Lexi ficou sentada à sua mesa por bastante tempo.

"Eles podem estar falidos na segunda de manhã."

Se isso não der certo, destruí a coisa que mais amo no mundo.

UMA HORA DEPOIS, Lexi saiu do escritório e foi dirigindo até os Hamptons. Este final de semana com Gabe estava agendado há meses. Não podia cancelar. Tinha de se comportar normalmente. Agir como se nada tivesse acontecido.

Gabe viu o Aston Martin DB 7 de Lexi parar na entrada da casa. Observou pela janela do quarto deles enquanto ela saía do carro.

Nosso quarto. Que piada. Lexi não deve ter passado mais de seis noites aqui no ano todo.

Como sempre, ele ficava sem fôlego com a beleza dela. Estava usando um terno cinza simples com blusa de seda creme, o cabelo louro preso em um rabo de cavalo simples. Mas ela ainda brilhava mais que a estrela do norte. ***Para mim, ela sempre vai brilhar.*** Não conseguia suportar a ideia de perdê-la. Talvez, de alguma forma, haveria uma explicação para ela ter pegado o dinheiro? Para todos os segredos e mentiras? Agarrando-se a uma fraca esperança, ele desceu.

Lexi jogou a mala para o final de semana no chão e o abraçou forte. Na mesma hora, Gabe viu que ela estava chorando. ***Lágrimas de remorso? Culpa?***

— O que houve?

Lexi seguiu-o até a sala de estar. Ela se jogou no sofá branco que apenas algumas horas antes suportara o peso do detetive particular.

— Tem alguma coisa a perturbando? Alguma coisa que queira me dizer?

Só naquele momento, Lexi percebeu a pressão sob a qual estava vivendo. A maior aposta de sua vida estava na mesa. Desejava poder desabafar com Gabe. Mas sabia que não podia.

— Não sei nem por onde começar.

Gabe sentiu o poço de amor dentro dele se encher. Ela parecia tão perdida e vulnerável.

Ela está realmente arrependida. Vai confessar tudo. Eu vou perdoá-la. Tudo vai ficar bem.

— A Templeton está afundando.

Gabe escondeu sua surpresa. Não era o que estava esperando ouvir. Foi por ***isso*** que ela roubou da sua fundação? Para injetar dinheiro na sua empresa? Não era a melhor das razões, mas às vezes na hora do desespero...

— David Tennant pediu demissão hoje. Vou ter de dispensar os outros também.

— Sinto muito, querida. Sei o quanto essa empresa significa para você.

Lexi olhou para ele realmente surpresa.

— A Templeton? Não significa tanto para mim.

Agora Gabe estava confuso.

— Mas... você estava chorando.

— Não é por causa da Templeton. — Lexi fungou.

É isso. É agora que ela vai abrir o jogo sobre o dinheiro. Pedir para recomeçar do zero.

— O preço das ações da Kruger-Brent despencou hoje. Afundou. Eles podem... este pode ser o fim da empresa.

Gabe recuou como se tivesse levado um soco.

Kruger-Brent? Ela estava chorando por causa da maldita Kruger-Brent?

Foi a gota d'água. Gabe não batia em outro ser humano desde que quase matara aquele coitado em Londres, trinta anos atrás. Mas sentiu seus punhos se fecharem. Lexi não tinha vergonha? Ela roubara dinheiro, não só dele, o homem que ela supostamente deveria amar, mas de milhares de vítimas da Aids que precisavam desesperadamente. Mas isso não a incomodava. Ah, não. Ela só se importava, ***sempre***, com aquela maldita empresa. Gabe se lembrou de seu pai, de como ele tinha morrido sem dinheiro e amargurado, destruído pela sua obsessão com a Kruger-Brent. ***Viajei meio mundo para evitar o mesmo destino. E aqui estou eu, apaixonado por uma mulher tão envenenada e corrompida pela Kruger-Brent quanto meu pai.***

Indiferente à fúria dele, Lexi continuou.

— Eles tiveram alguns problemas com crédito. Eu não tinha percebido que era tão sério, mas parece que é. O mercado consegue sentir a fraqueza de Max como um tubarão sentindo cheiro de sangue.

— Eu não dou a mínima. — A voz de Gabe era quase um sussurro.

— O quê?

— Eu disse que NÃO ME INTERESSA!

De repente, ele estava gritando. Berrando. Lexi nunca o vira tão furioso.

— Por mim, a Kruger-Brent pode ir para o inferno, e Max Webster também. Você roubou da minha fundação.

Lexi não disse nada. Gabe podia ver as engrenagens da cabeça dela avaliando suas opções: negar? Explicar? Desculpar-se?

Para ela, tudo é um jogo. Só o que importava era ganhar, e dane-se a verdade.

Depois de bastante tempo, ela disse:

— Eu não roubei. Peguei emprestado.

— Por quê?

Outra pausa.

— Não posso dizer. — Ela abaixou a cabeça. — Mas tive um motivo muito importante.

— Mais importante do que comprar retrovirais para crianças em estado terminal?

— É. — Lexi respondeu sem pensar, de coração.

Gabe lançou um olhar para ela que era uma mistura de horror e nojo. Ela tinha ido tão longe que realmente achava que um negócio podia ser mais importante do que salvar vidas? Aparentemente sim.

Lexi não conseguiu suportar a decepção dele. Lágrimas escorreram de seus olhos.

— Você terá o dinheiro de volta, Gabe. Terá o dobro. Prometo.

— Não é o dinheiro. — Gabe apoiou a cabeça nas mãos.

Lexi pensou: ***ele parece tão cansado. Tão derrotado. Fui eu quem fez isso com ele?***

— Acabou, Lexi. Eu amo você. Mas não posso continuar.

Lexi sentiu seu mundo desmoronar. Queria gritar: ***não! Eu amo você. Por favor, não me abandone. Não vá!***

Mas sabia que não conseguiria segurá-lo. Gabe era bom, honesto e verdadeiro. Merecia uma vida normal e feliz. Ela fizera o que precisava fazer. Gabe nunca entenderia, mesmo se ela contasse a ele. O que, claro, nunca faria.

Lexi precisou de todo seu autocontrole para se levantar, pegar sua mala e se dirigir para a porta.

— Eu também amo você, Gabe. Sinto muito. Você terá seu dinheiro de volta.

Gabe ficou parado na porta, observando-a se afastar no carro.

Adeus, Lexi.

NA SEGUNDA-FEIRA de manhã, quando as bolsas abriram, as ações da Kruger-Brent tinham caído quase noventa por cento.

Em Wall Street, os boatos predominavam. ***Alguém*** tinha informações internas sobre a Kruger-Brent, e não eram boas:

O empréstimo em Cingapura era apenas a ponta de um iceberg de dívidas.

Uma fraude na contabilidade estava prestes a ser descoberta.

Um dos "remédios milagrosos" da empresa seria revelado como letal.

Desde a crise financeira de 2009, os mercados não viam uma gigante cair de joelhos da noite para o dia. Dois empresários apareceram do nada, admitindo que tinham apostado alto na falência da empresa. Carl Kolepp, dono do fundo de investimentos de lendária agressividade CKI, foi um. ***The Wall Street Journal*** estimou que, no final de semana, Kolepp ganhou 620 milhões de dólares com a decadência da Kruger-Brent.

Lexi Templeton, como o resto de sua famosa família, tinha perdido tudo.

Max Webster fez um pronunciamento na CNBC, apelando para os acionistas ficarem calmos, citando a famosa frase de Roosevelt de que "a única coisa a temer é o próprio medo". Como milhões de outras pessoas, Lexi assistiu à transmissão do pronunciamento de Max ao vivo. Ficou chocada com a aparência doente dele, como estava frágil e abatido. O mundo estava pegando fogo, e Max estava queimando.

Veja isso como uma preparação para o fogo do inferno. Desgraçado.

O pronunciamento de Max não acalmou ninguém. Na terça-feira, estava tudo acabado. Centenas de milhares de funcionários da Kruger-Brent em todo o mundo acordaram sem emprego. Dezenas de milhares viram seu dinheiro sumir como fumaça. Por todos os Estados Unidos, as manchetes eram:

KRUGER-BRENT FALIU!

GIGANTE NORTE-AMERICANO DESMORONA!

No meio de toda essa comoção, poucas pessoas notaram o pequeno comunicado à imprensa de que a Templeton Estates não estava mais no mercado.

NA QUINTA-FEIRA, a imprensa parou de perturbar Lexi em busca de entrevistas. Ela dera uma declaração expressando seu profundo pesar pela falência da Kruger-Brent e deixando claro que não tinha mais nada a dizer.

A família Blackwell inteira viu suas portas serem invadidas por fotógrafos, registrando cheios de alegria a extraordinária queda deles. Era o declínio de um titã. A mídia se empanturrava com a desgraça alheia como mosquitos sedentos de sangue. A cena de Peter Templeton com a aparência velha e frágil do lado de fora de Cedar Hill House foi exibida em todos os grandes canais de televisão, que estavam passando uma retrospectiva após a outra da ilustre história da Kruger-Brent. Entrevistas com Kate Blackwell da década de 1960 foram tiradas dos arquivos e reprisadas, aumentando enormemente a audiência das redes de TV. Os Estados Unidos tinham crescido com os Blackwell e a Kruger-Brent. Como Robbie Templeton disse à imprensa do lado de fora do Royal Albert Hall em Londres, era o fim de uma era.

Eve Blackwell, como sempre, continuou em sua prisão autoimposta em Park Avenue.

O paradeiro de Max Webster era desconhecido.

DUAS SEMANAS DEPOIS, o furor começou a cessar. Uma noite, por volta das 18 horas, Lexi Templeton saiu discretamente de seu apartamento. Pegando vários táxis para garantir que não estava sendo seguida, chegou a um restaurante italiano barato no Queens por volta das 19 horas.

Ele estava sentado à mesa, esperando por ela.

Lexi se sentou.

— Já fez todas as transferências?

— Conforme nosso acordo. Setenta por cento para você, trinta para mim. Um pouco injusto, já que eu fiz todo o trabalho — brincou ele.

Lexi riu.

— Verdade, e eu assumi todo o risco. Apostei cada centavo que eu tinha para conseguir pegar emprestadas as ações que precisávamos. Levei a minha empresa à falência, peguei empréstimos e roubei. — Afastou o pensamento de Gabe da cabeça. — Se os mercados não tivessem entrado em pânico, eu estaria arruinada.

— Mas eles entraram, não foi? — Carl Kolepp riu. — Como você se sente?

Lexi retribuiu o sorriso.

— Rica.

— Que bom. O espaguete é por sua conta.

Eles comeram e comemoraram. O que eles fizeram era totalmente ilegal. Venda a descoberto era uma coisa. Mas manipular o preço das ações de uma empresa através de uma campanha orquestrada de desinformação? Isso era outra coisa. Lexi usara o seu conhecimento interno da Kruger-Brent para enganar os acionistas. Se ela ou Carl fossem pegos, ambos teriam de cumprir uma longa sentença.

Mas não seremos pegos.

Desta vez, Lexi cobrira todos os seus rastros. Todos os elos que a ligavam a Carl Kolepp tinham sido meticulosamente destruídos. A não ser que um deles confessasse, estavam livres.

— Então, o que vai fazer agora? — perguntou Carl a Lexi. — Comprar uma ilha em algum lugar bem tranquilo? Encher uma piscina de champanhe Cristal?

Ela achou graça da ideia.

— Claro que não. Agora está na hora de colocar as mãos à obra.

— Como assim?

— Vou reconstruir a empresa, claro. Comprar de volta todos os negócios decentes, e me livrar de todas as porcarias que Max comprou nos últimos dez anos. Dividi os meus pontos. Agora vou dobrar os dos meus adversários.

— Como?

Lexi riu.

— Esqueça. Uma piada particular.

— Deixe-me ver se entendi direito. — Carl Kolepp parecia confuso. — Você levou a sua própria empresa à falência só para poder reconstruí-la?

— Exatamente. Perdi para poder ganhar.

— Alguém já disse que você é um pouco maluca?

Lexi sorriu.

— Algumas pessoas. Parece que é comum na minha família.

Capítulo 26

FELICITY TENNANT ESTAVA DEPRIMIDA. Ao pegar as correspondências na caixa ainda de pijama, não retribuiu os acenos felizes de seus vizinhos nessa gloriosa e ensolarada manhã de setembro. Atrás de Felicity, estava a idílica casa branca em que ela e seu marido, David, viveram felizes e em harmonia durante os vinte anos de casamento. Até mês passado.

Primeira regra de um casamento feliz: Mantenha seu Marido Fora de Casa.

Desde que David pedira demissão da Templeton, ficava se arrastando pela casa como um urso com dor de cabeça, pegando no pé de Felicity. Por razões que a esposa não entendia, aparentemente tinham perdido muito dinheiro. David estava até falando em vender a casa e se mudar para um lugar mais modesto. Talvez até sair de Westchester County.

Só sobre o meu cadáver.

As correspondências da manhã não ajudaram a melhorar o humor de Felicity. Contas, contas e mais contas. Só havia um envelope branco entre os marrons e vermelhos (***contas vencidas! Que Vergonha!***) que Felicity teria gostado de abrir, mas David ficava muito irritado quando ela abria suas correspondências. Mas, também, David vinha ficando muito irritado com tudo ultimamente.

— Aqui. — De volta à cozinha, ela entregou a ele a carta, com as contas. — Para você.

David Tennant abriu o envelope sem interesse. Desde que a Templeton faliu, era como se uma nuvem negra estivesse sobre sua vida. Nada mais parecia importar. Dentro do envelope, havia um bilhete e um cheque. David Tennant leu os dois. Duas vezes. Felicity notou que as mãos do marido começaram a tremer.

— O que foi? O que é isso?

Ele entregou o bilhete a ela.

"Querido David, sinto muito por ter demorado tanto. E sinto muito também por não ter sido franca com você. Espero que este cheque, de alguma forma, ajude a reconstruir a confiança que você tinha em mim. Sua amiga, Lexi."

— Tolice. — Felicity Tennant não ficou nem um pouco impressionada. — A consciência pesada levou a melhor, não foi? Já não era sem tempo. ***Sua amiga***, até parece! Depois da forma como Sua Alteza nos tratou.

Silenciosamente, David Tennant entregou o cheque para a esposa.

— Meu Deus do Céu! — Felicity Tennant se agarrou na mesa da cozinha para não cair.

O cheque era de 15 milhões de dólares.

Afinal, aquele seria um bom dia.

YASMIN ROSS SORRIU para seu patrão quando ele entrou no escritório.

— Bom dia, Sr. M. A correspondência está em cima da sua mesa, ao lado do leite e do muffin de amora. Passei a reunião da manhã para 15 minutos depois para que você tenha tempo de comer alguma coisa.

Gabe retribuiu um sorriso, agradecido.

— Yas, você é um anjo.

Coitado. Yasmin observou-o entrar no escritório, ombros caídos, cabeça baixa. Os sorrisos de Gabe não a enganavam, nem a ninguém no escritório da fundação. Desde que ele terminara com Lexi Templeton, parecia que a alegria se esvaíra dele como ar de um pneu furado. ***Lexi deve ser louca, deixando-o escapar por entre seus dedos. Eu não mandaria Gabe McGregor para fora da minha cama por nenhum dinheiro do mundo.***

Sentando-se à sua mesa, Gabe beliscou o muffin. Sabia que sua assistente estava preocupada com ele, o que o deixava comovido. Não estava comendo bem ultimamente. Nem dormindo, aliás. Suspirando, concentrou-se na correspondência. Todos os dias, Gabe recebia muitas cartas implorando, pedindo doações de sua fundação. Dizer "não" era a parte que menos gostava em seu trabalho, mas era preciso fazer. Se abrissem muitas frentes, não chegariam a lugar nenhum. Ainda havia muito a ser feito.

Recentemente, Gabe vinha dizendo "não" com mais frequência que antes, graças ao buraco que Lexi deixara nas contas da fundação. Legalmente, Gabe tinha a obrigação de dar queixa do roubo na polícia. Mas ainda não conseguira se forçar a fazer isso. Ainda não, pelo menos.

Quando viu a caligrafia no envelope branco, engasgou com o café, entornando líquido marrom por toda a mesa. Gabe não tinha nenhuma notícia de Lexi desde o fatídico dia nos Hamptons.

O que ela poderia querer? Uma reconciliação?

É isso o que eu quero também?

Ele abriu a carta. Mas não havia nenhuma carta. Só um cheque.

Era de exatamente três vezes a quantia que Lexi tinha roubado.

AUGUST SANDFORD estava desconfiado.

— Não sei, Jim. Quem mais vai?

Jim Barnet era o chefe — ex-chefe — do departamento de produção da Kruger-Brent. Junto um seleto grupo de outros chefes de departamentos, Jim Barnet fora chamado para uma reunião com os administradores de falência da empresa. Aparentemente, surgira um potencial comprador, interessado em alguns dos negócios mais rentáveis da Kruger-Brent.

— Eu, Mickey. Alan Dawes, eu acho. Tabitha Crewe.

— Tabitha? Eles querem mineração?

— Parece que sim. E imobiliário.

— E ninguém faz ideia de quem é o misterioso benfeitor?

— Não. Mas fala sério, cara. Até parece que está chovendo ofertas para nós. A maior parte do mercado ainda acha que somos tóxicos.

August desligou o telefone.

— Quem era, querido? — Leticia, sua amante, rolou na cama, pressionando os seios macios contra seu peitoral. Desde que a Kruger-Brent faliu, o desempenho de August como amante estava um fiasco. Era como se houvesse um fio invisível ligando seu pênis ao valor de seu patrimônio. Quando um estava murcho, o outro acompanhava.

— Jim Barnet. Parece que algum comprador cheio de grana quer conversar conosco.

— Isso é bom, certo?

Colocando as mãos por debaixo dos lençóis Frette, Leticia gentilmente acariciou as bolas de August. Ele costumava adorar isso nos velhos tempos.

— Talvez. — August sentiu as primeiras pontadas de uma ereção. ***Um bom sinal?*** — Espero que sim.

MANDRAKE & CONNORS era uma das maiores e mais respeitadas firmas de contabilidade de Wall Street. Nos dias de glória da Kruger-Brent, fizeram uma fortuna trabalhando para a empresa. Agora, em uma irônica virada do destino, estavam cuidando da sua falência. Desenredar as contas de uma rede de negócios tão vasta e complexa podia levar meses, até anos.

August Sandford estava sentado junto a cinco de seus ex-colegas em uma das salas de reunião da Mandrake & Connors. Um mês atrás, os seis membros do conselho da Kruger-Brent estavam dando as cartas em reuniões como essa. Hoje, Whit Barclay, o contador, estava no comando. Estava amando cada minuto.

— Todos vocês sabem por que estão aqui.

Whit Barclay era um homem pequeno, com queixo fraco, pouco cabelo e lábios permanentemente molhados. Um zangão, que só conseguira chegar ao topo da colmeia cheia de outros zangões pelo simples fato de estar no mesmo emprego há 32 anos.

— Não preciso nem falar que tudo que for discutido entre essas quatro paredes hoje deve permanecer estritamente confidencial.

Os membros da Kruger-Brent murmuraram que sabiam.

— Uma empresa chamada Cedar International nos procurou, expressando seu interesse em algumas das áreas mais lucrativas da Kruger-Brent.

— E mineração — acrescentou August Sandford. Tabitha Crewe lançou-lhe um olhar venenoso. Todo mundo sabia que o departamento de Tabitha, que era responsável pelas minas de ouro e de diamante da Kruger-Brent, era fraco.

— Exatamente — Whit Barclay respondeu. — De qualquer forma, a Cedar International...

August Sandford interrompeu de novo.

— Quem são esses caras? Desculpe estragar a festa de todo mundo. Mas alguém já ouviu falar dessa empresa?

— Realmente, Sr. Sandford. Não há necessidade de grosserias.

— Eu nunca ouvi falar — disse Jim Barnet.

— Nem eu. — Mickey Robertson e Alan Dawes concordaram.

— Como podemos saber se ela pode ser levada a sério?

Whit Barclay ficou vermelho de raiva. ***Ele*** deveria presidir esta reunião.

— Posso garantir aos senhores que a Cedar International é uma empresa legítima, ***altamente*** capitalizada com...

— É, mas quem são eles? O que eles fazem? Não eram ativos em nenhuma das nossas áreas de atuação, ou já teríamos ouvido falar deles.

A porta da sala de reuniões se abriu. Todo mundo se virou.

Whit Barclay disse com rigor:

— Deixem-me apresentar-lhes a CEO da Cedar International.

O queixo de August Sandford quase caiu na mesa.

— Olá, August. Todo mundo. — Lexi abriu um sorriso doce. — Já faz um tempo.

LEXI TINHA FEITO o dever de casa. Sabia exatamente quais eram os negócios viáveis da Kruger-Brent e quais escoavam perigosamente os fundos da empresa. Podia se dar ao luxo de escolher, comprando a ***crème de la crème*** a preço de banana. A única área em que deixara o coração falar mais alto que a cabeça foi na mineração. Jamie McGregor construíra a Kruger-Brent com diamantes. A Kruger-Brent sem um departamento de mineração seria como a Microsoft sem o Windows. Além disso, estava certa de que poderia dar a volta por cima, assim que despedisse Tabitha Crewe e o resto dos preguiçosos que Max permitira que acabassem com a empresa.

Assim que a notícia de que Lexi Templeton tinha comprado a Kruger-Brent e estava reconstruindo a empresa se espalhou, a imprensa ficou louca com a história.

BELA BLACKWELL COMPRA SEUS NEGÓCIOS DE VOLTA.

KRUGER-BRENT RENASCE DAS CINZAS.

LEXI CONSEGUE UM ACORDO DE ÚLTIMA HORA.

O público norte-americano não pensou em se perguntar onde Lexi conseguira dinheiro para essa compra épica. Ela era uma Blackwell. Claro que era rica. Aqueles mais próximos a ela ficaram mais desconfiados.

— O que você fez? Roubou um banco? — perguntou Robbie.

Lexi se manteve reservada.

— Não me faça perguntas e não lhe conto mentiras.

August, que fazia ideia de quanto dinheiro Lexi deve ter perdido com a queda das ações da Kruger-Brent, ficou ainda mais perplexo. Mas não ousou tocar no assunto. Lexi lhe jogara uma corda para salvar sua vida. Não estava com a menor pressa para começar a cortá-la.

UMA NOITE DE OUTUBRO, August e Lexi ficaram trabalhando até mais tarde, examinando o portfólio de propriedades na Europa. A Kruger-Brent menor e mais enxuta agora funcionava na antiga sede da Templeton. Era muito menos majestosa, mas por metade do preço, a proposta agradou August. Sentado no chão da sala de Lexi no meio de um mar de documentos — os novos móveis ainda não tinham chegado —, ambos estavam começando a ficar cansados.

— Certo. Itália. — August bocejou, esfregando os olhos. — Eu diria para ficarmos com a parte comercial e acabar com a residencial.

— Concordo. — Lexi colocou a mão na boca. — Ah, meu Deus.

— O quê?

Ela ficou de pé, meio bamba.

— Acho que vou vomitar.

Ela voltou do banheiro alguns minutos depois com o rosto branco como uma vela.

— Está bem?

— Estou, sim. Acho que só um pouco exausta. Estressada. Sei lá.

August lembrou-se de sua conversa com Max Webster no dia em que as ações começaram a cair. ***Estou bem. Esses Blackwell não sabem bem o que é "estar bem".*** Ninguém via Max desde que a empresa falira. Os boatos diziam que ele tinha tido um colapso nervoso. August Sandford acreditava nisso.

— Você deveria ir a um médico — disse ele para Lexi.

— Estou bem. — Ela pegou a próxima pasta cheia. — Romênia. Pegar ou largar?

— Largar. Você deveria ir a um médico.

Lexi virou os olhos.

— Se eu continuar me sentindo mal na segunda, eu vou, OK?

Lexi não tinha a menor intenção de ir ao médico. Primeiro, porque não tinha tempo. Segundo, a ciência médica ainda não tinha descoberto o tratamento para coração partido.

Ser presidente da Kruger-Brent era tudo o que Lexi sempre quis. Arriscara tudo para acabar com Max, e conseguira. Vencera. Mas sem Gabe para compartilhar, sua vitória parecia triste e vazia: um presente de aniversário lindamente embrulhado sem nada dentro.

Dormir, é disso que eu preciso. E de férias.

Era o estresse. O estresse fazia pessoas passarem mal o tempo todo, não fazia? Se alguém descobrisse que ela e Carl tinham manipulado deliberadamente o preço das ações da Kruger-Brent, os dois passariam uma década na cadeia.

É isso que está me dando náuseas. Não o estúpido Gabriel McGregor.

GEORGE E EDWARD WEBSTER encontraram a mãe no jardim.

— Mamãe — disse George. — Papai está com dor de barriga.

— Acho que ele precisa de um remédio rosa — acrescentou Edward.

Annabel abaixou a tesoura. Jardinagem era a sua terapia, sua fuga. Desde o colapso da Kruger-Brent, ela se refugiava em suas roseiras com uma frequência cada vez maior, incapaz de assistir Max se acabar por causa da culpa. Era a decepção de Eve que o assombrava mais. Torturado pela ideia de que desapontara a mãe, Max ansiava pelo perdão dela. Mas é claro que a velha megera maluca não tinha ligado nem retornado nenhum dos telefonemas de Max.

— O que vocês estavam fazendo no quarto do papai? Já disse para não entrarem lá. Seu pai precisa descansar.

— Não entramos lá — disse George, indignado.

— Ele estava deitado no chão do corredor — explicou Edward. — Tivemos de passar por cima dele para pegar nossas botas. Não foi, George?

Annabel não estava escutando. Correndo pelo quintal da casa, com as mãos e o rosto sujos de terra, ela encontrou Max encolhido em posição fetal no chão, gemendo.

— Amor! Max. O que você fez? Tomou alguma coisa? MAX!

Ela o sacudiu com força. Max murmurava coisas incoerentes em resposta. Annabel só conseguiu compreender algumas palavras. "***Eve... Keith... ela me obrigou a fazer isso...***" Freneticamente, Annabel procurou comprimidos nos bolsos de Max.

— Por favor, meu amor, me diga o que você tomou. — Mas não adiantou. Deixando-o no chão, apertando a barriga e gemendo no carpete, ela discou 911.

— A BOA NOTÍCIA é que não há nada de errado fisicamente com ele, Sra. Webster.

Annabel tentava se concentrar nas palavras do psiquiatra. Estava sentada em um consultório no térreo de um sanatório particular. Era uma sala tranquilizadora, pintada em um tom de azul-celeste, com uma grande janela com vista para os jardins. O psiquiatra, Dr. Granville, tinha aproximadamente a idade de Annabel, cabelos louros, e era bonito como um adolescente. Ele parecia ser gentil. No General Hospital, a equipe médica estivera ocupada demais para tranquilizá-la. A atenção toda deles estava em Max. Compreensível. Quando Annabel chegou com ele ao pronto-socorro, ele já tinha começado com os espasmos e a espumar pela boca como um cachorro raivoso. Ele precisou ser sedado antes de os médicos poderem examiná-lo. Foi horrível.

— Não houve nenhuma overdose. Nenhuma tentativa de se machucar. Isso também é bom.

Certo. Tudo é bom. É tudo fabuloso.

— Então, o que ***tem*** de errado com ele? — Annabel contorcia as mãos em desespero.

— Tente imaginar o corpo dele como um circuito elétrico, do qual o cérebro é o centro. O circuito do seu marido simplesmente superaqueceu. Todos os fusíveis deram pane ao mesmo tempo.

— Um colapso nervoso?

Dr. Granville fez uma careta.

— Não gosto desse termo. Eu não descreveria os sintomas do seu marido como uma condição nervosa. Ele está em depressão profunda. Acredito que tenha vivido com uma esquizofrenia não tratada durante anos. Parece que existem lembranças reprimidas...

Annabel interrompeu

— O que podemos ***fazer***?

Esquizofrenia... depressão... eram apenas rótulos inúteis. Queria saber que Max ia melhorar.

Dr. Granville foi compreensivo.

— Eu sei que é muito difícil. Você quer respostas, e eu não as tenho. Nós vamos ter de submetê-lo a um tratamento com remédios e terapia. Com a combinação certa de medicamentos, os sintomas podem ser efetivamente controlados.

— Mas não curados?

Dr. Granville fitou a mulher linda e exausta à sua frente e desejou, de todo coração, que tivesse a varinha de condão de que ela precisava.

— Ninguém pode ser curado de ser quem é, Sra. Webster.

NAS DUAS SEMANAS seguintes, não houve nenhuma mudança no estado de Max.

Annabel implorou Eve para ir visitá-lo.

— Ele sempre pergunta por você. Pelo amor de Deus, Eve, ele é seu filho! Independentemente do que tenha feito ou deixado de fazer, independentemente do que aconteceu na Kruger-Brent, você não pode perdoá-lo?

Mas o cérebro da velha estava tão estragado quanto o do filho. Max era seu marido, Keith. Max era o marido de sua irmã, George Mellis. Max a estuprara, a desfigurara, roubara a Kruger-Brent dela.

— Não fale o nome dele comigo! — Eve gritou com Annabel pelo telefone. — Ele está morto, morto, e espero que apodreça no inferno!

TIRANDO O PIJAMA, Max se sentia em paz. Iria ver sua mãe, finalmente. Tudo ficaria bem.

Furou as mangas e as pernas da calça com uma mola solta da cama e começou a rasgá-las. Nunca deveria ter transado com Lexi. Foi quando o veneno entrou em seu sistema. Fora infiel à sua mãe. Foi por isso que tiraram a Kruger-Brent dele. Não estava mais limpo.

Calma e metodicamente, ele amarrou os pedaços de pano, fazendo um nó que seu pai lhe ensinara quando acamparam na África do Sul quando era um menino.

Venha aqui, Max. Deixe-me lhe mostrar.

Precisava se lembrar de ensinar o nó a Edward e George. Eles iam acampar no próximo verão. Ia ser uma delícia. Agora que não estava trabalhando, teria mais tempo para a família. ***Meus amados meninos.***

Na ponta dos pés, em cima da cama, nu, Max jogou o pano sobre a viga do teto. O laço se ajustou perfeitamente em seu pescoço, acariciando a sua pele como os dedos de uma amante. Fechou os olhos e deixou sua mente voltar para o passado. Seu aniversário de 8 anos. A arma.

— ***O que é?***

— ***Abra e descubra.***

O tom de voz de Eve era baixo e sensual.

— ***Você está velho demais para brinquedos. Keith não entende, mas eu entendo.***

Max sentiu seu perfume. Chanel.

— ***Gostou?***

Sua cabeça estava encostada nos seios macios dela, sentindo seu cheiro, adorando-a.

Eu amei, mamãe. Eu amo você.

Com um sorriso de felicidade, Max se jogou nos braços da mãe.

Capítulo 27

LEXI ESTAVA SENTADA SOZINHA na sala de espera do consultório médico, olhando impacientemente seu Blackberry. Quanto tempo mais a deixariam esperando? Será que não sabiam que tinha uma empresa para dirigir?

Era final de outubro, dez dias depois do chocante suicídio de Max Webster, e Nova York de repente mergulhava de cabeça no inverno. Em outros anos, o humor de Lexi sempre melhorava quando o clima esfriava. Adorava o ar frio nas ruas da cidade, o cheiro das barracas dos vendedores de castanha na frente do seu prédio, o exuberante brilho da luz do sol do inverno, o céu muito azul. Despertava um entusiasmo infantil nela: a promessa de Natal, Papai Noel, embrulhos coloridos com fitas, fumaça da lareira, canela. Este ano, porém, o frio de Nova York parecia se infiltrar em seus ossos. Sentia-se esgotada. Fraca. A morte de Max não lhe causou nem satisfação nem tristeza. Estava entorpecida com um frio que vinha de dentro para fora, do coração até a ponta de seus dedos cobertos por luvas Gucci.

— Srta. Templeton?

A recepcionista era uma mulher negra e rechonchuda, vestida dos pés à cabeça em laranja. Até seus brincos de plástico barato eram da cor do Halloween. Ela deu um tapinha no ombro de Lexi.

— Estamos chamando a senhorita. Dr. Neale vai recebê-la agora.

DR. PERREGRINE NEALE conhecia Lexi Templeton desde pequena. Um entusiasmado jogador de tênis com 60 e poucos anos, ele se orgulhava de seu corpo ainda enxuto. Com sua distinta cabeleira grisalha, voz grossa e feições masculinas e fortes, Perry Neale era particularmente popular com as pacientes de meia-idade; uma categoria a que Lexi pertencia agora, tecnicamente, embora, ao olhar para a pele perfeita e para o cabelo louro sem nenhum fio branco, fosse difícil de acreditar que estava com 40 anos.

— Venha, Lexi. Sente-se.

— Prefiro ficar de pé, Perry, se você não se incomodar. Estou com um pouco de pressa. Se puder me dizer o resultado dos meus exames e me receitar alguma coisa, paro de o importunar.

Perregrine Neale apontou para a poltrona Ralph Lauren no canto.

— Por favor. Não vai demorar. Você parece cansada.

Lexi se sentou.

— Estou cansada. É por isso que estou aqui. Estou cansada de me sentir cansada.

Perregrine Neale riu.

— Isso é comum. O primeiro trimestre costuma ser o mais cansativo.

— Como?

— Disse que é normal se sentir muito cansada nos primeiros meses de uma gravidez. Você está grávida, Lexi.

Agora foi a vez de Lexi cair na gargalhada.

— Acho que não, Perry. Vocês devem ter confundido a minha amostra de sangue com a de outra pessoa. Só para acabar com a dúvida, não faço sexo há meses. Sem mencionar que tenho 40 anos e tomo pílula desde a era dos dinossauros!

— Seja como for, você esta grávida. Acredito que esteja com uns três meses agora. Teremos de fazer uma ultrassonografia para ter certeza.

A expressão de Perregrine Neale era séria. Lexi de repente ficou feliz por estar sentada. Gotas de suor frio começaram a escorrer por suas costas. Segurou na cadeira, lutando contra uma onda crescente de náusea.

— Não posso estar grávida.

Dolorosamente, se lembrou da última vez em que ela e Gabe dormiram juntos. Aconteceu duas semanas antes de ela dar sua cartada final na Kruger-Brent. Quanto tempo fazia? Tinha chegado em casa tarde, estava tensa após uma reunião secreta com Carl Kolepp. Quando Gabe tentou tocá-la, Lexi o empurrou. Mas, pela primeira vez, ele forçou um pouco a barra, acariciando-a e excitando-a de uma forma que só ele conseguia, levando-a ao orgasmo duas vezes antes de finalmente penetrá-la, expulsando a tensão do corpo e da mente dela.

Perregrine Neale ainda estava falando.

— ...12 semanas ...translucência nucal ...medida do pescoço do bebê... — A voz dele parecia um eco, distante e irreal. — ...mães de primeira viagem mais velhas ...risco elevado...

— Não.

Lexi falou tão baixinho que a princípio o médico não a escutou.

— O que você disse?

— Eu disse que NãO! — Desta vez, o pânico em sua voz estava claro. — Não posso estar grávida.

— Lexi. Você ***está*** grávida.

— Quero dizer que eu não posso... não posso ter um filho. Não posso seguir com isso.

Perregrine Neale fez uma pausa.

— Você quer um aborto?

Lexi assentiu.

— Posso providenciar, claro. Mas não tome nenhuma decisão precipitada. Está claro que esta gravidez foi inesperada. Talvez se você se der um tempo para se acostumar com a ideia...

— Não. — Lexi balançou a cabeça com fervor. Sua cabeça estava tomada por imagens de Gabe, seu rosto; seu corpo. Lutou para afastá-las, fechando os olhos com força. — Não posso fazer isso, Perry. Tenho o meu trabalho. A Kruger-Brent. Estamos apenas começando a reconstrução. A época não podia ser pior.

— Lexi, por favor não me interprete mal. Mas você tem 40 anos. Pode não ter outra chance de engravidar, pelo menos não naturalmente. Sempre temos a opção da fertilização ***in vitro***, claro, mas, estatisticamente, as chances não são altas.

— Não quero outra chance. — Lexi se levantou. Estava tremendo, mas seu tom de voz foi firme. — Não quero filhos, Perry. Por favor, marque um aborto o mais rápido possível.

Ela saiu do consultório, batendo a porta.

GABE MCGREGOR ESTAVA sentado na varanda de seu novo apartamento na Cidade do Cabo, perdido em pensamentos. Talvez devesse ter esperado? Pesquisado mais antes de assinar o contrato de aluguel? Foi o primeiro lugar que o corretor lhe mostrara que atendia às suas exigências: isolado, não muito grande, ótima segurança, vista do mar. Gabe assinara o contrato um minuto depois de entrar. Mas agora se perguntava: o ***que estou fazendo aqui? Esta não é a minha casa.***

O que ele esperava? Voltara para a África do Sul porque, depois de Lexi, precisava sair de Nova York. E porque não tinha mais nenhum outro lugar para ir. A Escócia não era mais a sua casa. Londres era fria e cinza, não era a cidade ideal para ficar quando se queria fugir da depressão. A África do Sul já fora a sua casa. Talvez pudesse ser de novo?

Ou talvez não. A Cidade do Cabo estava tão carregada de lembranças de Tara e de seus filhos, de Dia, da Fênix, da felicidade encontrada e perdida, que quando Gabe andava pelas ruas, até sentia o cheiro de tristeza no ar. Tivera a esperança de que este novo apartamento de solteiro pudesse tirá-lo de sua tristeza. Algo moderno e novo, sem nenhum toque feminino, nada que pudesse lembrá-lo de Lexi ou de seu casamento. Mas não adiantou. Recomeçar não tinha nada a ver com geografia, ou utensílios domésticos cromados ou banheiros de mármore preto. Tinha a ver com deixar seu coração seguir adiante. Tomando um gole de sua cerveja, olhando o pôr do sol laranja, viu com uma clareza arrebatadora.

Não queria deixar seu coração seguir adiante.

Quero Lexi de volta.

Depois que ela mandou o cheque, Gabe pensou em procurá-la. Chegou até a pegar o telefone umas duas vezes e discar os primeiros dígitos do número dela, mas desistiu, achando-se um tolo. ***Não foi o dinheiro que nos destruiu. Foi a distância, os segredos, as mentiras. Eu nunca "tive" a Lexi de verdade. A Kruger-Brent era a dona dela, e ainda é.***

Gabe acompanhava as notícias sobre a ressurreição da Kruger-Brent com uma certa compulsão agonizante. Cada artigo, cada reportagem na televisão era uma conexão com Lexi que lhe trazia prazer e dor. Nas entrevistas, ela parecia autoconfiante e equilibrada, uma mulher de negócios brilhante trilhando seu caminho de volta ao topo. Não havia nenhum sinal de dor, nem de coração partido, por baixo da maquiagem perfeita de estúdio. Quando Gabe leu as notícias sobre o suicídio de Max, teve expectativa (esperança?) de encontrar algumas rachaduras na fachada invulnerável de Lexi. Mas até a reação dela a isso foi fria e formal.

— ***Meu coração sofre por sua esposa e filhos, claro. Mas, na Kruger-Brent, o trabalho continua.***

Ninguém que assistisse às suas entrevistas poderia dizer que ela um dia amara Max com todo seu coração. Eles tinham crescido juntos, dois lados da mesma pessoa, como Lexi costumava dizer.

Estava esfriando. Gabe acabou sua cerveja e entrou em seu moderno e perfeito apartamento.

Nunca se sentira tão solitário em toda a vida.

LEXI ACORDOU às 5 horas, suando.

Os sonhos estavam piorando.

Tinha 6 anos, caminhando pela rua em Dark Harbor com seu pai, empurrando um carrinho de boneca. Max, adulto e nu, corria até o carrinho e pegava a boneca. Mas não era uma boneca, era um bebê. O bebê deles. Envolvia o minúsculo, frágil pescoço do bebê com suas mãos e começava a estrangulá-lo.

Lexi estava em trabalho de parto. Gabe estava empurrando-a em uma cadeira de rodas pelo hospital. Ele rodava a cadeira e dizia:

— Sei que está mentindo para mim. Diga-me a verdade sobre a Kruger-Brent e eu posso salvá-la.

— Salvar-me de quê?

Sangue começava a jorrar entre as pernas de Lexi, rios e rios de sangue até que o chão do hospital se convertia em uma piscina de líquido viscoso e vermelho. Ela estava se afogando, gritando para Gabe salvá-la, mas ele não conseguia.

— ***Eu amo você. Mas não posso continuar.***

Fraca, Lexi saiu da cama se arrastando e foi para o chuveiro. Sua consulta era só de tarde. ***Como vou conseguir sobreviver às próximas dez horas?*** Passou um gel de banho por sua pele molhada, lavando-a não porque estava suja, mas porque era algo para fazer. Pegando seus seios nas mãos, surpreendeu-se com o peso deles. O bebê — o negócio — tinha o tamanho da cabeça de uma agulha, mas os seios dela já estavam se preparando para alimentar cinco mil bebês. Perguntou-se quanto tempo levaria para voltarem ao normal depois. Dias? Semanas? Sua barriga, que costumava ser lisa, agora já tinha uma curva suave que parecia mais da idade do que da gravidez. Este não era seu corpo. Era o corpo de uma estranha. Suave. Maternal. Coisas que Lexi não era. Que nunca poderia ser.

Pensou em Gabe. Lágrimas começaram a brotar loucamente em seus olhos. Tentava não pensar no que tinha na barriga como um bebê, muito menos um bebê de Gabe. Mesmo assim, sabia que estava prestes a destruir a última coisa que tinham juntos...

Lexi apoiou a cabeça nas mãos e soluçou.

Malditos hormônios idiotas.

Lexi só queria que esse pesadelo acabasse.

— VEJO QUE É A SEGUNDA consulta que marca conosco?

Lexi fitou a recepcionista da clínica de aborto. ***Está perguntando ou afirmando?***

— Você cancelou o primeiro procedimento cirúrgico no dia... — ela desceu a tela do computador. — ... dez. Certo?

— Sim.

— E qual foi a razão para o cancelamento?

Poxa, deixe-me pensar. Estou jogando fora a minha última chance de ser mãe por meios naturais? Estou matando o filho do

homem que amo, a melhor coisa que já me aconteceu, sem mencionar que é meu próprio filho? Estou com medo de sangrar até morrer na mesa de operações como algum tipo de carneiro dado em sacrifício, sendo castigada por todos os meus pecados que ninguém sabe que cometi?

— Tive uma reunião de negócios.

A recepcionista levantou uma sobrancelha.

— Uma reunião muito importante. Não podia ser adiada.

— Certo. Então, tem certeza sobre o procedimento de hoje?

— Absoluta. — Lexi assinou o formulário de consentimento. — Quando posso ir para meu quarto?

— Assim que estiver pronta, Srta. Templeton. Uma de nossas enfermeiras vai acompanhá-la até a sua suíte.

A garota suspirou ao ver Lexi desaparecer pelas portas duplas. Não importava se era uma adolescente em pânico ou a CEO de uma multinacional, e não importava a máscara de força que usassem. O aborto sempre era triste. Parte do coração de Lexi Templeton se quebraria hoje e nunca se recuperaria.

A recepcionista decidiu que na semana seguinte procuraria outro emprego.

A VOZ DO COMANDANTE soou pelos alto-falantes da cabine.

— Agradeço a paciência de todos. Pediram para que déssemos mais algumas voltas. Logo, estaremos pousando.

Uma reclamação coletiva dos passageiros acordou Gabe. Olhou pela minúscula janela de plástico e viu Nova York abaixo. Pela centésima vez, se perguntou por que diabos estava voltando para cá.

Você sabe por que veio.

Porque precisava.

Seu coração nunca foi embora.

— ESTAMOS UM POUCO atrasados hoje. — A enfermeira abriu um sorriso compreensivo enquanto cuidava de algumas coisas no quarto de Lexi, fechando as cortinas e enchendo a jarra de água. — Você provavelmente vai descer para a sala de cirurgias por volta das 16 horas. Quer que eu traga alguma revista? Infelizmente, não posso oferecer nada para comer.

Lexi forçou um sorriso. ***Como se eu conseguisse comer!*** Talvez alguma coisa para ler ajudasse a distrair.

— Vocês têm ***The Wall Street Journal*** de hoje?

— Ah... não. Acredito que não. — A enfermeira parecia querer se desculpar. — Temos ***Vogue*** e ***In Style***. Acho que talvez tenhamos a nova ***US Weekly***. Quer ver uma dessas?

— Não, obrigada.

Distraída, Lexi pegou o controle remoto e ligou a televisão na CNN. ***Quatro horas. Três horas inteiras.*** Seria capaz de fazer um cheque de um milhão de dólares para furar a fila e acabar logo com isso. De que adiantava ter dinheiro se não conseguia fazer o que queria?

GABE ENTROU EM UM TÁXI. Era imundo e cheirava a taco.

— Park Avenue, por favor. Prédio da Kruger-Brent.

— Não estão mais lá. — O motorista se virou. Um mexicano que mais parecia uma baleia enorme, com manchas de suor embaixo do braço que mais pareciam dois pratos de jantar. Quando falou, atingiu Gabe com o bafo de taco.

— Eles faliram, lembra? Não assiste aos noticiários?

— Certo, certo. Esqueci.

Claro. Lexi deve ter mudado para uma nova sede. Mas onde? Gabe olhou no relógio. Já eram 15 horas e ele estava exausto. Talvez não devesse ir ao escritório de Lexi. Poderia ir para o hotel, dormir um pouco e visitá-la no apartamento hoje à noite.

— Quer saber? Mudei de ideia. Por favor, me leve para o Plaza.

— O senhor manda. Para o Plaza.

LEXI SENTIU A medicação pré-operatória entrar por suas veias.

— Você deve começar a se sentir um pouco fraca — disse a enfermeira. — Relaxe. Voltarei em meia hora para pegá-la.

Lexi jogou a cabeça no travesseiro. Quando a enfermeira saiu, começou a chorar.

Desculpe, bebê.

DO LADO DE FORA, as enfermeiras estavam conversando.

— Mesmo sem maquiagem ela é bonita ***mesmo.***

— Eu sei. Não dá nem para dizer que já tem 40. Acha que ela colocou botox?

— Não mesmo. Dá para perceber.

— É. Mas com o dinheiro dela, poderia pagar, tipo, o melhor. Invisível.

— O quanto ela é rica exatamente?

— Ela comprou a Kruger-Brent à vista, então acho que deve ser tipo Bill Gates. Sabe, se ***eu*** tivesse tanto dinheiro e a aparência dela, acho que ia viver sorrindo. Ela parecia tão triste.

— Por favor, Pearl, dê um tempo. Ela está aqui para fazer um aborto. Ela provavelmente não vai sair dançando pelo corredor.

— Verdade. Quem será o pai?

Discorreram a lista dos namorados de Lexi como se estivessem falando sobre um personagem de novela até que o médico chegou e acabou com a fofoca.

Não importava quem era o pai. Em duas horas, não haveria pai algum.

ERA UMA MÉDICA. Lexi imaginou se ela própria já teria passado por um aborto. ***Como um médico escolhe essa área para trabalhar?***

— Assim que a anestesia for aplicada, quero que conte de vinte até um. OK?

— OK.

Uma picada.

— Comece a contar.

— Vinte, 19...

Lexi pensou em sua mãe, dando-a à luz. Ela sabia que ia morrer? Que sacrificaria a própria vida pela nova vida dentro dela?

— ...15, 14...

O rosto de Max. Estava transando com ela, violenta e apaixonadamente. Ela estava gozando, gritando o nome dele.

— ...12, 11...

A luz estava ficando cada vez mais fraca. Podia se sentir afundando cada vez mais na escuridão.

Gabe estava aqui. Estava falando com ela. Podia ver seu rosto, seus lábios se movendo, mas não conseguia escutá-lo. Ele estava gesticulando muito, gritando. Alguma coisa estava errada.

— Sinto muito — murmurou ela. — Sinto muito, Gabe.

Então, ele sumiu.

PRIMEIRO, ELA achou que estava sonhando. Só quando Gabe pegou a sua mão, ela percebeu que ele era real.

Estava na cama de seu quarto, o mesmo quarto que ocupara antes da cirurgia. Gabe estava sentado à sua cabeceira.

— O que houve? Acabou?

Ele deu um beijo na sua testa.

— Você está falando da cirurgia? Não. Não deixei eles continuarem. Convenci a médica de que você ainda não estava certa.

Lágrimas escorreram pelo rosto de Lexi.

— Eu estava errado? Você queria tanto assim se livrar do nosso bebê? — Ele parecia aflito. — É o ***nosso*** bebê, não é?

Lexi assentiu, infeliz.

— Como você soube que eu estava aqui?

Gabe contou a ela que saiu do avião vindo da Cidade do Cabo, desesperado para vê-la.

— Eu estava indo para o hotel, mas mudei de ideia no último minuto e fui até a sede da Templeton.

— Kruger-Brent — disse Lexi, baixinho.

— Eu sei. Tinha esperanças de encontrá-la lá, mas não tinha certeza. Então, cruzei com August Sandford no elevador. Assim que ele me viu, a expressão dele mudou. Na mesma hora, eu percebi que alguma coisa estava errada.

— August ***contou*** para você?

— Não fique brava. Eu precisei arrancar dele. Vim para cá o mais rápido que pude, mas me disseram que você já estava na sala de cirurgia. Meu Deus. — Gabe balançou a cabeça. — Se eu tivesse chegado trinta segundos depois. Por que não me contou que estava grávida?

Lexi estendeu a mão para tocar o rosto dele.

— Eu não queria magoá-lo. Já magoei o suficiente. Eu sabia que não poderia levar adiante.

— Por que não? — A voz de Gabe saiu trêmula. — De que você tem tanto medo, Lexi?

Finalmente, colocou tudo para fora. Seu medo de dar à luz, sua certeza de que, mesmo se sobrevivesse, seria uma péssima mãe.

— Eu não sou como você — disse ela, soluçando. — Sou diferente. Eu e Max éramos diferentes. Nascemos com essa... ***coisa.*** Essa obsessão, acho que você chamaria assim. Max queria a Kruger-Brent tanto quanto eu. Eu o matei, Gabe. — Ela apoiou a cabeça nas mãos. — Quando tirei a empresa dele, assinei sua sentença de morte.

Todo o sofrimento que estava guardando foi colocado para fora como um demônio exorcizado. Lexi odiara Max por tanto tempo que estava convencida de que o amor tinha acabado. Mas não tinha. A morte de Max foi como se uma parte sua tivesse morrido. Agora, ela entendia isso.

Gabe deixou que ela terminasse. Quando se acalmou, ele disse baixinho:

— Você não matou Max Webster. O homem estava doente. Ele se matou.

— Mas, Gabe, você não sabe. Você não ***me*** conhece. Fiz coisas terríveis. Coisas imperdoáveis.

— Nada é imperdoável. — Gabe fez carinho em seu cabelo. — Foi por isso que peguei aquele avião. Lexi, eu não ligo para o que você fez. Eu amo você. Amo você do jeito que é.

— Mas, Gabe, você não sabe. Não sabe o que eu fiz.

— Não, e não ligo. Achei que quisesse a verdade, mas não quero. O passado, é passado e não podemos mudá-lo. Estou interessado no futuro. — Ele esticou o braço e acariciou a barriga dela. — ***Nosso*** futuro. Tenha o bebê, Lexi. Case comigo. Sei que a Kruger-Brent sempre virá em primeiro lugar. Mas aceito o segundo lugar se for esse o preço para ficar com você.

Ele abriu os braços. Lexi se jogou neles, agarrando-se a ele como à própria vida. O amor que sentia por ele era tão grande que até a assustava. Quanto ao bebê...

— Estou com medo, Gabe — disse ela, finalmente, se afastando. — Minha mãe morreu dando-me à luz. Minha avó morreu dando-a à luz. Não é nem da morte que tenho medo. É de morrer antes de ter a chance de tornar a Kruger-Brent grandiosa de novo.

Gabe fitou-a com uma mistura de espanto e pena.

Tragicamente ela está sendo sincera.

— Você não vai morrer, Lexi. Casa comigo.

Não posso. Nunca vai dar certo. Tem muitas coisas que você não sabe sobre mim. Tantas coisas que você nunca poderá saber.

— Sim.

O rosto de Gabe se iluminou.

— Sério? Vai se casar comigo?

— Sim! — Lexi estava chorando e rindo, abraçando-o e beijando-o em todos os lugares, incapaz de soltá-lo. — Sim, eu vou me casar com você. Eu o amo tanto, Gabe.

Ela sabia que não merecia um final feliz. Mas queria tanto um.

A Kruger-Brent. Gabe. Um bebê.

Finalmente, Lexi Templeton teria tudo.

EVE SABIA QUE O FIM estava perto. Podia sentir a morte rondando-a, um cobertor sufocante que ela não conseguia afastar. O pânico subia por sua garganta como vômito.

Não! Ainda não! Não está na minha hora. Por favor! Ainda não acabei!

Ela era jovem e bonita, muito mais bonita do que Alex. Os homens brigavam pelo privilégio de ir para a cama com ela. Era uma deusa, rica, abençoada, inatingível. Então, vieram os fantasmas para estragar tudo.

Kate Blackwell, sua avó. ***Você é uma garota má, Eve. Alexandra vai herdar a Kruger-Brent. Você não vai ficar com nada.***

Keith Webster. ***É só uma pequena cirurgia, para se livrar dessas ruguinhas em volta de seus olhos. Não precisa se preocupar, querida. Vou cuidar disso.***

Max, seu pequeno farsante, seu salvador. ***Estamos afundando, mãe! Alguém está vendendo as nossas ações a descoberto. Não há nada que eu possa fazer.***

Tolos, todos eles. Ladrões, mentirosos e tolos!

Kate Blackwell estava pressionando o cobertor sobre o rosto de Eve. Não conseguia respirar. Tomada pelo terror, Eve sentiu suas entranhas se abrindo. Sentiu o cheiro podre de sua própria sujeira, sentiu a umidade pegajosa em suas pernas e costas.

Não! Agora não! Não assim!

Com a última força que lhe restava, Eve empurrou sua avó. Estendeu a mão até a gaveta da mesa de cabeceira, os dedos retorcidos procurando desesperadamente por papel e caneta. Começou a escrever, rabiscos pouco legíveis. Dobrando o papel, escreveu um nome atrás.

Quase lá...

Keith Webster arrancou a caneta de sua mão. George Mellis a segurou. A última coisa que Eve viu foi Kate Blackwell se aproximando com o cobertor da morte nas mãos.

A velha maldita estava sorrindo.

Capítulo 28

O CASAMENTO DE LEXI TEMPLETON e Gabriel McGregor era o evento social da década. Realizado em Cedar Hill House em Dark Harbor, teve como convidados reis e primeiros-ministros, magnatas bilionários e astros do cinema. Mas a convidada mais ilustre não era nenhuma dessas personalidades famosas. Era uma bebê recém-nascida: Maxine Alexandra Templeton McGregor. Como única herdeira da Kruger-Brent, a filha de Lexi já era a criança mais rica dos Estados Unidos. Uma fotografia dela, mesmo de baixa qualidade, renderia uma fortuna para o paparazzo sortudo que a tirasse primeiro.

Mas ninguém conseguiria tirar uma foto dela no casamento. A segurança era tão cerrada que nem uma mosca conseguiria entrar na propriedade sem permissão. Hoje, pelo menos, a pequena Maxine podia dormir sossegada, longe dos olhos curiosos do mundo.

— Ela não é linda?

Lexi se debruçou sobre o berço da filha. O terror do nascimento de Maxine já era uma lembrança distante. Nada dera errado. Lexi se preocupara à toa.

— ***Você*** está linda. — Robbie Templeton beijou o rosto da irmã. Como padrinho de Gabe, deveria estar tomando um drinque com o noivo antes da cerimônia. Mas não conseguiu resistir a esses momentos finais com Lexi e sua sobrinha. A pequena Max já tinha o tio famoso na palma das mãos.

— Você é um mentiroso. Ainda estou gorda. — Lexi bateu na barriga não existente por baixo do vestido de renda branca. — Você acha que é ridículo eu usar branco na minha idade?

— De forma alguma — disse Robbie. — É a cor dos recomeços.

Recomeços. Sim. Um novo começo.

Lexi ainda achava difícil aceitar sua nova felicidade. Sob a sua direção, a Kruger-Brent estava prosperando de novo. Eram menores do que na época do auge de Kate Blackwell na década de 1980. Mas estavam voltando ao topo, e a escalada era excitante. A cada mês que passava, Lexi sentia menos medo de descobrirem o que ela e Carl tinham feito. A Comissão de Títulos e Câmbio sequer olhou de relance nenhum dos dois. Ambos estavam limpos.

Melhor ainda, tinha Gabe com quem compartilhar sua felicidade. Gabe e o milagre que era a sua filha. Era difícil dizer com quem Maxine parecia. Ainda tão pequena, seus olhos ainda eram azuis, e seu cabelo era preto. Gabe dizia que se parecia com Lexi, mas só porque ela fechava os punhos e fazia biquinho, e gritava alto quando as coisas não eram do seu jeito.

Paolo colocou o rosto enrugado e envelhecido pela porta.

— Robbie, Gabe precisa de você. Faltam cinco minutos para o show começar.

Robbie olhou para Lexi.

— Da próxima vez que nos falarmos, você será a Sra. Gabe McGregor.

— Eu sei. — O sorriso dela podia iluminar todo o estado do Maine. — Só espero não acordar antes de chegar a essa parte.

TODO O JARDIM de Cedar Hill House, um enorme gramado que ia da casa até a água, tinha sido coberto por um toldo de lona branca. Dentro, uma "nave" de trinta metros de comprimento, contornada por milhares de rosas brancas, levava a um altar sobre uma plataforma.

Os olhos de Peter Templeton estavam cheios d'água ao conduzir a filha até o noivo. Frágil e velho, uma sombra do homem com corpo de atleta de sua juventude, às vezes Peter ficava tão fraco que se apoiava em Lexi para não cair. Mas sua alegria era inconfundível. Depois de tanto sofrimento, Deus, finalmente, concedeu um final feliz para sua amada filha.

— ***Você aceita esta mulher... ?***

— ***Aceito.***

— ***Você aceita este homem... na saúde e na doença, até que a morte os separe?***

— ***Aceito! Aceito!***

Lexi sentiu seus ombros ficarem mais leves e seu peito relaxar. Olhou com amor nos olhos de Gabe e viu seu amor refletido. ***Nunca mais estarei sozinha.***

NOS PORTÕES DE Cedar Hill House, um homem mostrou seu cartão de identificação.

— Entrega especial para a Srta. Templeton.

— OK. Pode deixar aqui.

— Não posso. Meu patrão me deu ordens estritas de entregar à Srta. Templeton pessoalmente. Aqui dentro tem um documento muito importante.

O segurança riu.

— Não me importo se é a tábua original com os dez mandamentos. Você não pode subir até lá.

O homem hesitou.

— Se eu deixar com você, me garante que a Srta. Templeton vai receber? Hoje?

— Claro, camarada. Pode deixar comigo.

Esperou até que o homem fosse embora, depois olhou a encomenda. Era um envelope simples, marrom, de uma firma de advocacia. Maçante. Quem ia querer olhar para esta porcaria no dia do casamento?

Atrás do segurança, havia uma pilha de presentes fechados e cartões, a maioria lixo, deixados por pessoas anônimas e bem-intencionadas. Sem pensar, ele jogou o envelope na pilha.

GABE SENTIU como se estivesse sendo sugado por um ciclone. Todos à sua volta queriam apertar a sua mão e dar um tapinha nas suas costas.

— ***Linda cerimônia.***

— ***Lexi está maravilhosa.***

— ***Parabéns, cara. Onde será a lua de mel?***

O vice-presidente dos Estados Unidos, sem a menor dúvida um dos homens mais chatos do mundo, segurou Gabe por dez minutos depois dos discursos. Mesmo depois de a maioria dos convidados começar a ir embora, Gabe ainda estava apertando a mão de uma personalidade atrás da outra, até que seu pulso doesse. Localizando Robbie na multidão, agarrou seu braço como a um galho em um tsunami.

— Meu Deus. Isso é uma loucura. Não consegui nem respirar nas últimas três horas.

Robbie sorriu

— É o seu casamento. Você é famoso.

— É assim com você, depois dos concertos? Sendo cercado por fãs?

— Quem dera. Você viu Lexi?

Gabe suspirou.

— Eu ia lhe fazer a mesma pergunta. Estamos casados há poucas horas e ela já sumiu.

— Procure no escritório — disse Robbie. — Ela provavelmente está no computador, verificando o preço das ações da Kruger-Brent.

Era uma brincadeira. Mas Gabe disse:

— Sabe de uma coisa? Não é uma ideia tão ruim.

O SUPERINTENDENTE John Carey da Polícia Estadual do Maine balançou a cabeça, sem acreditar.

— Hoje é primeiro de abril e ninguém me contou, certo?

Os detetives Michael Shaw e Antonio Sanchez balançaram a cabeça.

— Vocês estão falando sério?

— Estamos sim, senhor — disse Antonio Sanchez. — Nós só recebemos essa informação ontem à noite. Pelo jeito, confere.

— ***Pelo jeito***? — A pressão do superintendente Carey estava subindo. — Vocês têm ideia do quanto essa mulher é poderosa? E vocês me vêm aqui com essa história de ***pelo jeito***?

Os detetives ficaram em silêncio. Ambos estavam contentes por não serem responsáveis pela decisão. Após um tempo, o superintendente falou.

— Tragam o outro cara. Kolepp. Vamos falar com ele primeiro.

Os detetives Shaw e Sanchez se olharam, nervosos.

— O quê? — indagou o superintendente Carey.

— Nós tentamos, senhor. Mas ele foi embora.

— Como assim, "foi embora"?

— Para a América do Sul, senhor. É o que achamos. Limpou todas as contas bancárias dele.

— Merda. — John Carey era policial havia mais de trinta anos. Esse tipo de coisa — fraudes bilionárias, informações vindas do túmulo — não eram comuns de acontecer no Maine.

O conteúdo da carta escrita por Eve Blackwell para a polícia em seu leito de morte era explosivo. ***Explosivo o suficiente para detonar minha carreira se eu fizer besteira.***

— Devemos trazer a Srta. Templeton, senhor?

O Superintendente Carey pensou por um momento.

— Não, não façam nada ainda. Não até termos certeza. Não podemos nos esquecer de que Eve Blackwell era louca de pedra. Essa história toda pode ser uma farsa.

Precisava de tempo para pensar. Talvez esse drama fosse uma bênção disfarçada? Talvez, após três décadas ingratas na polícia, os deuses estivessem oferecendo a ele, John Carey, uma última chance de alcançar glória e fortuna?

Se fosse uma farsa, e ele prendesse Lexi Templeton no dia do casamento dela, ele seria motivo de piada.

Se não fosse e ele não fizesse...

Pelo menos, ele tinha um consolo. Carl Kolepp podia conseguir desaparecer. Mas Lexi Templeton tinha um dos rostos mais reconhecidos do planeta.

Ela não vai a lugar nenhum.

LEXI ESTAVA EM SEU quarto no andar superior em Cedar Hill House, pensando. Todo o barulho e gritaria lá embaixo eram demais. Precisou fugir.

Eu consegui! Eu me casei com Gabe. Tenho tudo que sempre sonhei.

Lembrou-se dos verões da sua infância que passara nesta casa. De como o sofrimento do pai pela morte da mãe cobrira tudo com um véu de tristeza, fixando sobre a propriedade em Dark Harbor um filtro sépia de perda. Tirando Peter, que ainda morava aqui se arrastando pelos corredores vazios como um fantasma, todos da velha geração estavam mortos: ***minha mãe, tio Keith, tia Eve. Até Max. Coitado do Max.***

Quando meu pai morrer, vou remodelar essa casa toda. Torná-la um lar feliz para Maxine. Ela vai ter a infância que eu não tive.

— Desculpe, madame. Achei que não tivesse ninguém aqui. — Conchita, uma das empregadas, entrou equilibrando uma enorme pilha de presentes e cartões de casamento. — Não cabia mais nada na guarita. — Sem a menor cerimônia, ela jogou a pilha sobre a cama.

— Todos esses presentes foram deixados no portão?

— Foram sim, madame. Parece que muita gente quer que você seja feliz.

Lexi se sentou e começou a desembrulhar os presentes. Quanto se deu conta, já tinham se passado horas. A festa lá embaixo já estava quase acabando. Alguns dos presentes eram caros: vasos de cristal Lalique, abajures Tiffany, primeiras edições de Hemingway e Mark Twain. Outros eram simples, mas dados de coração. Lexi ficou especialmente comovida com uma caneca de cerâmica que uma criança local fizera para ela, com a data do casamento e as iniciais dela e de Gabe entrelaçadas. ***Que amor.*** Quando chegou ao envelope marrom, estava começando a ficar cansada. ***Este será o último. Abrirei o resto depois.***

Ao pegar o envelope, reconheceu a caligrafia de sua tia Eve na mesma hora. Trinta segundos depois, Lexi já sabia que não abriria seus outros presentes de casamento. Seu mundo mudara para sempre.

Pense. Você não tem muito tempo.

O que Kate Blackwell teria feito?

— SENHOR, dê uma olhada nisso.

O detetive Michael Shaw estava apontando para números na tela de seu computador. Números altos.

— São transferências feitas da Cedar International para a conta comercial de Carl Kolepp 48 horas antes de a Kruger-Brent falir.

— E daí?

— E daí que Kolepp usou esse dinheiro... — o detetive Shaw abriu outra tela — para pegar ações da Kruger-Brent emprestadas de vários bancos. As quais, depois, ele vendeu a descoberto, fazendo o preço da ação cair. Mas não foi só isso. Na segunda-feira, ele pegou ***mais*** um lote de ações emprestado. Desses caras. DH Holdings.

— Que diabos é DH Holdings? — O superintendente Carey franziu a testa.

— Não é nada. É uma empresa de fachada. O presidente é uma tal de Jennifer Wilson. Que, por acaso, também é fundadora, dona e única acionista da... — Outra tela.

— Nem precisa dizer. Da Cedar International?

O detetive assentiu.

— Jennifer Wilson ***é*** Lexi Templeton, chefe. Ela usa esse nome para fazer negócios há 14 anos. Até o registrou na Comissão de Títulos e Câmbio.

Então a velha Eve Blackwell estava certa. Como diabos ela soube?

— Devemos trazê-la agora, senhor?

O superintendente Carey tomou uma decisão.

— Devem. Mas precisamos fazer isso com discrição. É o dia do casamento dela. Metade do Congresso está naquela casa esta tarde. ***Não*** quero armar um circo. Está claro?

— Está sim, senhor. Claro como cristal.

Capítulo 29

LEXI OBSERVOU OS DOIS POLICIAS à paisana se aproximarem da casa.

O plano dela era audacioso. Calculou suas chances de sucesso em vinte por cento. ***Probabilidade maior do que Jamie McGregor tinha quando sobreviveu àquelas minas terrestres no deserto da Namíbia.***

Forçando-se a ficar calma, Lexi dobrou a carta de Eve e colocou-a no sutiã. Então, fazendo um enorme esforço para acalmar sua respiração, desceu. Por algum milagre, a entrada estava vazia. Podia escutar as vozes de Gabe e Robbie no escritório de seu pai. Teria de agir rápido.

— Entrem. Eu estava mesmo os esperando.

Ela abriu a porta da frente da casa com um sorriso. Havia dois policias na varanda. Um era jovem, não mais do que 30 anos, bonito e hispânico. O outro era mais velho, da idade de Lexi, pálido e careca. ***Quem será o chefe?***

Ambos pareciam constrangidos. Serem recebidos por Lexi Templeton em pessoa, ainda usando seu vestido de noiva, parecia tê-los deixado desconcertados. ***Pessoas como ela não tinham mordomos para atender à porta? E como diabos ela poderia estar esperando por eles?***

— Sigam-me — disse Lexi. — Vamos a algum lugar onde possamos conversar em particular.

O detetive Shaw olhou para o detetive Sanchez. Normalmente, ***eles*** assumiam o controle na hora de prender alguém. Mas o superintendente Carey deixara bem claro que queria que esse assunto fosse tratado com "muito cuidado". Decidiram deixar rolar.

— Claro, madame. Damas primeiro.

Lexi levou-os para a biblioteca. No segundo andar da casa, ela havia sido o orgulho e a alegria de Kate Blackwell. O cômodo suntuoso e acolhedor com poltronas de brocado cor de vinho e paredes revestidas de madeira, que davam um toque aconchegante, transpirava uma riqueza discreta e educada. ***Classe.*** Lexi fez um gesto para que os dois policiais se sentassem. Trancou a porta.

— Assim não seremos incomodados.

O detetive Shaw começou.

— Sentimos muito por ter de fazer isso no dia do seu casamento, madame.

Lexi balançou a cabeça.

— Por favor, não precisam se desculpar. Estão fazendo seu trabalho. Suponho que tenham recebido uma cópia da carta da minha tia, Eve Blackwell?

Os detetives trocaram olhares de novo.

— ***É*** por isso que estão aqui, não é?

— Infelizmente, não temos liberdade para discutir isso, madame — disse o detetive Sanchez.

— Você sabem que ela estava louca? No final, já nem sabia o próprio nome, coitadinha.

— Acho que seria melhor se tivéssemos esta conversa na delegacia.

O rosto de Lexi desabou.

— Entendo. — Ela estava tão linda, parecendo tão vulnerável em seu vestido de noiva, que o detetive Sanchez se sentiu péssimo. Queria fazer amor com ela, não prendê-la.

— Eu estou presa?

— Bem... preferimos não formalizar até que estejamos na delegacia — disse ele, sendo gentil. — A senhora tem o direito a um advogado. Acho que quanto menos falar agora, melhor.

Lexi assentiu com calma.

— Compreendo. Podem me dar alguns minutos para trocar de roupa e falar com o meu marido?

O detetive Shaw pareceu desconfortável.

— Não sei, madame.

— Por favor. Gostaria de explicar a ele esse mal-entendido antes de sair.

O detetive Shaw pensou: ***mal-entendido, até parece.***

O detetive Sanchez disse:

— Claro. Não tenha pressa.

Quando Lexi saiu, o detetive Shaw pediu explicações para seu parceiro.

— Que diabos foi isso? Estamos aqui para prendê-la por fraude, não para convidá-la para sair.

— Por favor, cara. É o dia do casamento dela. Não tem sentimentos?

— Ela é uma criminosa, Antonio.

O detetive Sanchez deu de ombros.

— Ainda assim, é o dia do casamento dela.

GABE ENCONTROU Lexi no topo das escadas.

— Aí está você. Onde estava? Estou procurando-a há horas.

— Desculpe, amor. — Ela deu um beijo nele, saboreando a sensação dos lábios dele nos seus. ***Não posso perdê-lo. Não posso.***

— Você sabia que a polícia está aqui? A segurança acabou de avisar Robbie. Disseram que têm um assunto urgente para tratar com você.

— Eu sei. Eu abri a porta para eles. Vieram me prender.

Gabe arregalou os olhos.

— ***Prender*** você? Por quê?

Lexi pegou a mão dele e levou-o para o quarto, trancando a porta. Não tinha como escapar. Teria de contar a verdade para ele. Sem a ajuda de Gabe, e de Robbie, seu plano não daria certo.

— Você se lembra quando me pediu em casamento? Na clínica de aborto?

Gabe estremeceu. Ainda tinha pesadelos com as lembranças daquele dia — de quanto estiveram perto de perder a pequena Max.

— Claro que sim.

— Você se lembra do que disse para mim?

— Alguma coisa do tipo "quer se casar comigo"? Acho que sim. Por quê?

— Não. — Lexi o olhou, nervosa. — Você se lembra das suas palavras exatas?

— Não das palavras exatas. Mas por que isso é tão...?

— Você disse: "***nada é imperdoável.***" — Lexi segurou a mão dele. — Você disse: "***Eu não ligo para o que você fez. Eu amo você. Amo você do jeito que é.***"

Gabe lembrava. Lembrava-se de seu desespero naquele dia. Teria feito qualquer coisa para tê-la de volta.

— Você quis dizer isso mesmo?

Ele pensou por um momento.

— Quis, sim. Eu fui sincero. Qualquer que seja o problema que esteja enfrentando, Lex, pode me contar. Enfrentaremos juntos.

Colocando a mão dentro do vestido, Lexi pegou a carta de Eve.

— Leia isto.

Capítulo 30

GABE LEU A CARTA EM SILÊNCIO. Depois, leu de novo. Quando levantou os olhos, Lexi já tinha trocado o vestido de noiva por calça jeans e uma suéter e estava arrumando uma pequena mala para uma noite.

Gabe tinha um milhão de perguntas: como, por quê, quando? Mas não havia tempo para nenhuma delas. Lexi, como sempre, estava sob controle.

— Dois detetives estão esperando na biblioteca. Quando eu chegar à delegacia, eles vão me prender. Não temos muito tempo.

— Tempo para quê? — O pobre Gabe não estava conseguindo acompanhar. Poucas horas atrás, era o homem mais feliz do mundo. Agora era um sonâmbulo vagando em um pesadelo.

Colocando o passaporte na mala, Lexi fechou-a e entregou para ele.

— Tempo para fugir, claro. Agora, escute com atenção. Este é o plano.

TODOS OS OUTROS convidados do casamento já tinham ido embora, menos August Sandford, que ainda estava na cozinha. Envolvido em um debate com Paolo Cozmici sobre uma garrafa de Ychem que era boa demais para não ser saboreada com calma, perdera a noção do tempo.

— Meu Deus! — Ele olhou para o relógio. — Preciso ir. Minha esposa vai achar que eu estava de gracinha com alguma madrinha. — Oscilando feliz, ele seguiu para o jardim um pouco sem equilíbrio. Lexi, cercada por dois policiais, estava entrando no banco de trás de um carro da polícia. A poucos metros, Gabe estava parado assistindo, com o rosto pálido.

August esfregou os olhos. Devia ter bebido mais do que achou.

— Gabe? Que diabos está acontecendo?

— Eles estão prendendo Lexi. — A voz de Gabe era arrastada. Era claro que ainda estava em estado de choque. — Os advogados de Eve Blackwell a estão acusando de fraude. Alguma coisa a ver com vender as ações da Kruger-Brent a descoberto. Um monte de bobagem.

— Claro que é bobagem. — August passou o braço em volta dos ombros de Gabe de forma tranquilizadora. — Deus. Que merda. Tem alguma coisa que eu possa fazer?

— Não. Só mantenha segredo. Em uma hora mais ou menos, o advogado de Lexi já vai ter resolvido tudo. — Gabe parecia perplexo. — Nós devíamos estar em lua de mel.

— Logo estarão — disse August. — Sério, não se preocupe. É óbvio que isso é um engano bizarro.

Sozinho em seu carro dois minutos depois, sóbrio como um juiz, August fez uma ligação urgente para seu corretor.

— Bill? Acho melhor vender as minhas ações da Kruger-Brent. Isso mesmo. Todas. Assim que os mercados abrirem na segunda-feira de manhã. Quero que liquide com tudo.

August Sandford não fazia a menor ideia do tipo de problema em que Lexi tinha se metido dessa vez. E nem queria saber. Ela trouxera a Kruger-Brent de volta do mundo dos mortos uma vez. Sempre seria grato a ela por isso. Mas mais um escândalo e estariam acabados.

Nem Lázaro ressuscitou duas vezes.

Capítulo 31

GRETA, A BABÁ DE MAXINE MCGREGOR, não viu sua patroa sendo presa. Uma sueca de 30 anos com cabelo louro e quadril largo, Greta Sorensen era babá profissional havia nove anos. Tempo suficiente para saber que empregos como este, trabalhar para pessoas ricas e famosas como Lexi Templeton, podiam ***parecer*** glamorosos; mas, na verdade, eram trabalhos difíceis. Com tantas pessoas na casa hoje, Greta levou horas para conseguir colocar a pequena Max para dormir. Agora, com seu fardo dormindo no berço, a babá estava deitada no sofá da suíte da bebê, roncando alto em frente à TV que exibia ***Quem quer ser um milionário?***.

Gabe entrou e sacudiu-a pelo ombro.

— Desculpe, senhor. — Greta deu um pulo. — Eu estava apenas descansando meus olhos. Max está dormindo no quarto dela. Eu acordaria se ela se mexesse.

— Tudo bem, Greta.

— Achei que o senhor e a Sra. McGregor já tivessem saído para a lua de mel. Queria se despedir da bebê?

— Na verdade, houve uma mudança nos planos. A Sra. McGregor teve uns... problemas. Ela irá nos encontrar em um ou dois dias.

A babá parecia confusa.

— Como assim, ***nos*** encontrar?

— Isso mesmo. Decidimos levar Maxine na lua de mel conosco. Lexi não conseguiu suportar a ideia de deixá-la, então vocês vão viajar comigo esta noite. Em quanto tempo você consegue arrumar tudo?

Greta cerrou os dentes e desligou a televisão.

— Preciso de uma hora para arrumar todas as coisas da bebê, senhor. — ***Por que as pessoas ricas sempre mudavam de ideia na última hora e esperavam que todo mundo estivesse pronto para acompanhar? Viajar com um bebê era como uma operação militar. Não era possível simplesmente levantar e ir.***

— Você tem vinte minutos — disse Gabe. — Peça para uma das empregadas vir ajudá-la, se precisar. Tem um barco esperando no cais para nos levar para o continente. De lá, é rápido até o aeroporto.

— Posso perguntar para onde vamos, senhor?

— Turcas e Caicos.

— Ah.

— Não fique preocupada — disse Gabe. — Vai adorar.

O SUPERINTENDENTE John Carey sentiu o suor escorrendo na sua nuca. Assumira um risco grande ao prender Lexi Templeton aqui em Dark Harbor e trazê-la para a delegacia local para interrogatório. Esse caso era enorme, a maior fraude desde Bernie Madoff. Quando a notícia se espalhasse, todo mundo ia querer um pedaço: o FBI, o departamento de fraudes, a Interpol. Mas John Carey decidira deixar todos esperando.

Por que eu deveria permitir que algum figurão do FBI assumisse o caso e roubasse toda a glória bem debaixo do meu nariz? Fizemos uma prisão sem maiores problemas. Agora só preciso que ela confesse sem maiores problemas.

— Então, Srta. Templeton. Podemos ir direto ao assunto? Levar a Kruger-Brent Limited à falência foi sua ideia? Ou do Sr. Kolepp?

Mark Hambly, o advogado com cara de cachorro de Lexi, sussurrou em seu ouvido:

— Você não precisa responder a essa pergunta.

Lexi conhecia Mark havia anos. Um homem baixo com ombros largos, com um pescoço grosso e braços curtos e musculosos, Mark Hambly parecia mais um lutador de luta livre do que um advogado. O que era bem apropriado, já que vários promotores deixaram o tribunal em que estavam enfrentando Mark Hambly com a sensação de que tinham lutado dez assaltos com o Godzilla. Outros advogados de defesa contavam com a sutileza, seduzindo júris, mostrando nuances e tons de cinza nas provas. Mas não Mark Hambly. Ele atropelava os jurados como um caminhão de lixo. Essa era uma das coisas que Lexi amava nele.

Graças a Deus, eu o convidei para o casamento, pensou Lexi. ***Se Mark estivesse em Nova York e eu precisasse contratar um advogado local...*** Estremeceu só de pensar.

O superintendente Carey pressionou.

— A senhora sabia das intenções do Sr. Kolepp de fugir para a América do Sul?

Mark Hambly balançou a cabeça para Lexi. ***Não responda.***

— Quando foi a última vez que falou com o Sr. Kolepp?

Mais uma vez, o advogado balançou a cabeça.

O superintendente Carey perdeu a paciência. Com quem esse advogado elegante de Nova York acha que está lidando?

— Escute aqui, seu metido a besta. Estou perguntando à senhora, não a você. Ela não está se ajudando em nada ao obstruir a lei, sabe? Você acha que o tribunal vai gostar dessas fitas? Acha?

Lexi falou.

— Tudo bem, Mark. Fico feliz em responder às perguntas do superintendente. Não tenho nada a esconder. Pode ir para casa agora.

O queixo de Mark Hambly praticamente caiu sobre a mesa de fórmica. Ela era espertinha. Não podia estar falando sério sobre conversar com esse babaca sem a presença de um advogado. Podia?

— Lexi, confie em mim, não é uma boa ideia. Não está pensando com clareza.

— De verdade, Mark. Estou bem.

Um sorriso de triunfo apareceu no rosto do superintendente Carey.

— Você escutou o que ela disse, ***Mark***. Vá para casa.

— Será que não tem uma sala mais confortável em que possamos ficar, superintendente? — Lexi abriu seu sorriso mais lindo para o superintendente John Carey, o mesmo que derretera o coração do detetive Sanchez mais cedo. — A minha impressão é que isso vai demorar um pouco. Essas cadeiras são muito duras.

Mark Hambly implorou.

— Lexi, por favor, isso é loucura. Não fale com esse idiota sozinha.

"Esse idiota"? John Carey precisou se conter para não agarrar Mark Hambly pelo pescoço e estrangulá-lo. — Está surdo, camarada? Ela pediu para você sair.

Mark Hambly lançou um olhar suplicante para sua cliente, mas não adiantou. Pegou a pasta e saiu sem mais nenhuma palavra.

O superintendente Carey concentrou-se em Lexi.

Estou começando a gostar dessa mulher.

— Vamos para a sala três, Srta. Templeton. Lá tem um sofá. Posso pedir que tragam alguma coisa para a senhora comer, se quiser.

— Seria muita gentileza. Obrigada.

O prazer é todo meu. Se falar comigo, querida, terá o que quiser.

GRETA SORENSEN parecia preocupada. Estava na limusine com Gabe, seguindo para o aeroporto.

— Não sei, Sr. McGregor. Eu poderia me meter em encrenca.

— Não se confirmar a história. A companhia aérea já foi informada.

Greta franziu a testa.

— Ainda não tenho certeza.

Gabe pegou o talão de cheques.

— Cinquenta mil dólares a ajudariam a se resolver?

Greta olhou para o cheque. Depois, para Gabe. Finalmente, olhou para Maxine, sonhando feliz em sua cadeirinha, sem fazer a menor ideia do jogo de apostas altas no qual estava prestes a se tornar um peão involuntário. Greta estendeu a mão.

— Sabe, Sr. McGregor? Acredito que ***ajudaria*** sim.

Gabe sorriu e entregou o cheque para ela.

Sempre gostara das suecas.

A NOVA SALA DE interrogatório tinha as paredes pintadas de amarelo brilhante, com um tapete rasgado, quadros na parede e dois sofás de imitação de camurça. Alguém trouxe um sanduíche e uma xícara de café para Lexi, que pensou: ***esta deve ser a sala do "policial bonzinho". Perfeito.*** O relógio na parede marcava 20h15.

Tinha trinta minutos.

— Fale sobre Carl Kolepp.

Lexi falou, devagar. Era importante que parecesse relaxada na fita. Mas, ao mesmo tempo, precisava medir cada palavra.

Não posso me incriminar. Preciso pisar com cuidado. Contou a Carey sobre sua primeira reunião com Carl. O respeito que tinha por ele como um homem de negócios. Falou sobre a Kruger-Brent.

— É importante que o senhor compreenda um pouco da história da empresa, superintendente. O que aconteceu com o preço das nossas ações não foi um evento unidimensional. Não foi apenas um acontecimento, mas uma complexa teia deles.

John Carey assentiu.

— Continue.

Vinte minutos... Faça com que ele fale.

Doze minutos.

John Carey não entendia metade do que Lexi estava falando. Índices, pedidos de cobertura, tudo isso era grego para ele. Mas não importava. O importante é que ela estava ***falando***. E estava sendo gravado.

Havaí. Seria um bom lugar para se aposentar. Talvez um tempo em Kanapaali Beach?

Lexi olhou para o relógio. Sete minutos. Franzindo a testa, ela colocou a mão sobre a barriga.

— Está tudo bem?

— Está. Eu... — Lexi colocou a mão na barriga de novo. — O senhor se importaria de parar a fita por um momento, superintendente?

Carey se levantou e desligou o gravador. Era irritante ter de parar quando estavam indo tão bem, mas não queria contrariar Lexi, não quando ela estava colaborando tanto.

— Tem certeza de que está bem, Srta. Templeton?

— Estou bem. Obrigada. — Lexi sorriu corajosamente. — Não queria que estivesse na fita. Mas acabei de descobrir que estou grávida de novo. Os enjoos... o senhor sabe.

— Ah, claro. — Carey pareceu constrangido. Não era bom com problemas femininos. — Sinto muito. Eu não sabia. Posso... tem alguma coisa que eu possa fazer?

— Vou ficar bem. Só preciso de um pouco de ar fresco.

— Claro. Quer ir ao toalete primeiro?

Lexi assentiu, agradecida.

— Obrigada.

— Venha comigo.

Carey acompanhou-a pelo corredor até o banheiro. Normalmente, as suspeitas eram escoltadas por uma oficial, mas não achava necessário nesse caso. ***Esta é Lexi Templeton. Não é provável que tente fugir pela janela do banheiro como um criminoso qualquer.***

Como previsto, Lexi saiu do banheiro cinco minutos depois, novinha em folha. Parecia muito pálida.

— Sei que o senhor quer continuar o interrogatório, superintendente. Mas será que eu poderia ir lá fora um pouco? Não estou me sentindo muito bem.

— Claro. Fique à vontade.

Ele a acompanhou até um pequeno pátio nos fundos da delegacia. Havia uma mesa de metal e duas cadeiras, ambas sujas com guimbas de cigarro em cima. Um único vaso de planta em um canto, com algo muito, muito morto.

O superintendente Carey estava tagarelando.

— Não é o mais bonito dos pátios, infelizmente. Ninguém do meu pessoal tem muito jeito para jardinagem... se é que me entende... Bom, estarei na sala três quando estiver pronta.

— Obrigada. Não vou demorar.

Lexi esperou ele fechar a porta. Pegando uma das cadeiras, arrastou até o fundo do pátio. À primeira vista, o muro parecia relativamente baixo. Mas quando Lexi subiu na cadeira, viu que faltavam uns noventa centímetros entre seus dedos esticados e a liberdade. Teria de pular.

Dobrando os joelhos, os braços esticados para cima, ela pulou o mais alto que pôde. A cadeira escorregou, não estando mais embaixo dela, e caiu no concreto, fazendo um barulho alto. Em pânico, Lexi olhou para a porta da delegacia.

Não abra. Por favor, não abra.

Segundos agonizantes se passaram. Nada aconteceu.

Segurando-se ao topo do muro com os dedos, as mãos de Lexi começaram a suar. ***Estou escorregando.*** Os pés dela balançavam no ar, procurando desesperadamente algum apoio, um tijolo sobressalente, uma rachadura, qualquer coisa. Não adiantou. O muro era como gelo. Estava escorregando.

Ah, meu Deus! Vou cair.

A mão quente de um homem segurou a sua. Depois outra. Os dedos agarraram os pulsos de Lexi. Alguém a estava puxando, com tanta força que parecia que os ombros de Lexi iam deslocar. Segundo depois, estava passando por cima do muro.

Uma lata de lixo aliviou a sua queda, mas, ainda assim, Lexi caiu com força, machucando o quadril no chão duro do beco. Ela gritou de dor.

— Quieta.

Alguém puxou-a como se fosse uma boneca de pano. Jogando-a no banco de trás de um carro, ele acelerou o mais rápido que pôde. Lexi ficou deitada no chão do carro, o coração acelerado. Lembranças do sequestro da sua infância preencheram sua mente. Só que, desta vez, sabia aonde estava indo.

Dez minutos e muitas curvas fechadas depois, o carro começou a diminuir a velocidade. Lexi sentiu os solavancos quando saíram da estrada. Finalmente, desligaram o carro.

— Você está bem? — A voz de Robbie estava trêmula.

— Estou bem, obrigada. Não sabia se você conseguiria.

Aliviada, Lexi caiu na gargalhada.

— Eu não comemoraria ainda se fosse você — disse Robbie.
— Essa foi a parte fácil. Agora precisamos tirá-la da ilha.

— PASSAGEIROS DO VOO US Air 28 para Providenciales, podem embarcar.

Gabe e Greta estavam no saguão de embarque da primeira classe no Bangor International Airport. Maxine dormia como um querubim de cabelos pretos nos braços da babá. Dois andares abaixo, no portão, um exército de paparazzi estava esperando, querendo tirar uma foto de Lexi a caminho de sua lua de mel. Max seria um bônus.

— Está pronta para ir?

— Estou sim, senhor. Pronta como sempre.

— Bom.

Gabe olhou para o relógio.

Vamos, Lexi.

O SUPERINTENDENTE John Carey esperou cinco minutos. Depois dez.

Devo ir lá e chamá-la?

Como Lexi estava sendo tão inesperadamente solícita, não queria parecer insensível. Lembrava da ex-esposa quando estava grávida. Os hormônios descontrolados, como um hipopótamo furioso. Era possível irritar uma mulher grávida apenas respirando. ***Preciso dessa confissão.***

Quinze minutos. ***Está começando a ficar ridículo. Talvez eu deva levar um copo de água para ela? É. Boa ideia. Aja como se estivesse preocupado com a saúde dela.***

Três minutos depois, o superintendente Carey saiu para o pátio com um copo de papel com água. Quando o sargento de plantão escutou o grito do chefe, pensou que estivesse tendo um infarto. Correu para fora.

— Não fique aí parado! — O superintendente Carey estava apoplético. — Chame todas as unidades. A suspeita está foragida. Quero blitz nas estradas. Quero pessoal no aeroporto e no porto. Quero helicópteros.

— Sim, senhor.

— E chame Sanchez e Shaw.

— Sim, senhor. Devo avisar alguém, senhor?

— Como quem?

— Não sei, senhor. Pensei talvez... no FBI?

O superintendente John Carey fechou os olhos e viu sua aposentadoria na praia de Kanapaali ir por água abaixo. Fitou o sargento.

— Não. Isso fica aqui dentro. Entendeu?

— Sim, senhor.

— Ela ainda deve estar na ilha.

Eu vou encontrar aquela vadiazinha mesmo que seja a última coisa que eu faça.

A COMISSÁRIA DE bordo sorriu para Gabe.

— Vou acompanhá-lo até sua poltrona, senhor. Por aqui. Meu nome é Catherine.

— Obrigado, Catherine. — Ele seguiu-a até a parte da frente do avião. Max acordara havia alguns minutos e estava balbuciando feliz em seu colo. A comissária de bordo pensou: ***que lindo ver um bebê no colo do pai. A maioria dos pais deixaria o bebê com a babá durante o voo inteiro e abriria um jornal.***

— A propósito, parabéns, senhor.

Gabe fitou-a sem entender.

— Foi hoje, não foi?

— Ah! Foi sim. Obrigado. — ***O casamento.*** Parecia que já havia passado uma vida inteira.

— A Sra. McGregor não vai viajar conosco hoje?

— Não. — Ele não se prolongou. A comissária de bordo torceu para não ter sido indiscreta, inadvertidamente.

— Bem, de qualquer forma, desejo que sejam muito felizes.

Gabe não sabia se ria ou se chorava.

Eu também, Catherine. Eu também.

ESTAVA TÃO ESCURO que Lexi mal conseguia ver as próprias mãos na frente do rosto. Escutou as ondas baterem. Segurando a mão do irmão com força, ela seguiu pela trilha suja até a água.

— Danny! — chamou Robbie baixinho na escuridão. — Está aí?

— Bem aqui.

Iluminado por um lampião a gás portátil, um rosto familiar saiu das sombras.

— Ei, Lex. Quanto tempo.

— Meu Deus! Danny French? — Lexi o abraçou. — Não acredito.

Lexi conhecia Daniel French desde que era menininha. Eles costumavam brincar juntos nas férias de verão em Dark Harbor. Uma vez, quando Lexi tinha 13 anos, eles até se beijaram embaixo da rede de pescador do pai dele. Não o via havia décadas.

— Robbie lhe contou?

— Ele me disse que está com problemas. Para mim, é suficiente. Suba a bordo.

Segurando o braço de Lexi, Danny acompanhou-a até o cais apodrecido no final da trilha e a ajudou a entrar no pequeno barco pesqueiro. Havia um esconderijo improvisado embaixo de algumas redes e lonas. Fedia a peixe. Lexi não ficaria mais grata a ele se a estivesse acompanhando à sua suíte no Ritz.

— Obrigada. — A voz dela estava engasgada de emoção. Nunca fizera nada por Danny French para merecer este tipo de lealdade. ***Danny devia estar no meu casamento, não um bando de senadores estúpidos. Quando vou aprender?***

— De nada. Pensei assim: "Se alguém sabe sair de uma enrascada, esse alguém é Lexi." Quando tudo estiver resolvido e você for podre de rica de novo, pode pagar a minha hipoteca. Fechado?

Lexi sorriu.

— Fechado.

Danny ligou o motor do barco.

Robbie Templeton ficou olhando da areia até que a escuridão envolvesse sua irmã completamente. Não fazia ideia de quando, ou se, a veria de novo.

Capítulo 32

— QUER QUE EU LHE TRAGA alguma coisa antes de aterrissarmos, senhora? Uma toalha quente, talvez? Algo para beber?

Greta Sorensen balançou a cabeça. Apontou para a trouxinha cor-de-rosa em seu colo.

— Não quero acordá-la.

— Ela foi tão boazinha, não? — A comissária de bordo sorriu. — Acho que nunca vi uma neném viajar tão tranquila quanto ela.

— Ela gosta de dormir. Puxou ao pai.

Do outro lado do corredor, uma pilha de cobertores se mexia para cima e para baixo, seguindo um ritmo. O único sinal de que havia um ser humano ali embaixo era o tufo de cabelo branco saindo por cima.

— Que Deus o abençoe — disse a comissária.

O SUPERINTENDENTE Carey estava ao telefone.

— O que você tem para mim?

— Eles reservaram a suíte de lua de mel no Amanyara. Em Turcas e Caicos.

O detetive Antonio Sanchez falava rápido.

— Voos?

— Ambos tinham passagem marcada para o voo de 21h15 para Providenciales. Mas Gabe McGregor mudou a passagem esta tarde, logo depois que chegamos na casa. Ele cancelou a reserva da esposa e comprou para a babá e para a menininha. Não cancelou a dele.

— Ele foi para a lua de mel ***sozinho***? Deixando a esposa na cadeia?

— Sim, senhor. Parece que sim. Ele deve estar voando neste momento.

— Hmmmm. — O superintendente Carey pensou um pouco. — Mais alguma coisa?

— Sim, senhor. — Havia um tom de animação na voz do detetive Sanchez. — Logo depois que ele cancelou a primeira passagem, fez uma terceira reserva. Também para Providenciales, em um jatinho particular. Esse voo deve sair de Bangor à meia-noite de hoje com 12 passageiros.

O coração do superintendente Carey estava palpitando.

— No nome de quem?

— Essa é a melhor parte. O nome da passageira é Wilson. Jennifer Wilson.

O superintendente Carey fechou os olhos. O nome lhe dizia alguma coisa, mas não conseguia se lembrar bem... Finalmente caiu a ficha.

Claro! Jennifer Wilson. Presidente da Cedar International. Presidente da DH Holdings. Pseudônimo de Lexi Templeton nos negócios.

Será que Lexi realmente achava que seria assim tão fácil? Que poderia usar um nome falso e ir se juntar ao marido na lua de mel, como se nada tivesse acontecido? Talvez tenha saído impune por tanto tempo que acreditasse que era inatingível. ***Bem, não desta vez, doçura. Peguei você.***

O superintendente Carey desligou e olhou para o relógio. Precisava ir para o aeroporto.

A MULHER LOURA com óculos escuros enormes entregou o passaporte para o funcionário do aeroporto.

— Poderia, por favor, tirar os óculos, madame. Preciso ver seu rosto.

Ela fez o que ele pediu. Por alguns momentos tensos, o homem a fitou em silêncio. Depois, sorriu.

— Tenha uma boa viagem, Srta. Wilson. Espero que goste de Turcas e Caicos.

— Obrigada. Vou gostar sim.

GABE OLHOU PELA JANELA do avião. O tapete de nuvens abaixo parecia tão macio e aconchegante. ***Tranquilo.***

Pensou em Lexi. Onde estaria ela agora? Detestava não saber. Gabe fizera a sua parte. Mas será que Lexi fizera a dela? Estava a salvo? Mesmo se estivesse — mesmo se por algum milagre o plano dela desse certo —, o que fariam depois? Perguntava-se o que o futuro guardava para eles. Que tipo de vida teria a pequena Max, sendo criada como filha de uma criminosa foragida?

Ou melhor, dois criminosos. Agora, já estou atolado até o pescoço. É tarde demais para voltar atrás.

Gabe pensou em Eve Blackwell. Como o ódio e a amargura dela destruíram tantas vidas. Seria a dele uma dessas vidas? E a de sua filha?

Escutou a voz de seu pai, aquele forte sotaque escocês: "***Os Blackwell arruinaram esta família. São todos uns ladrões, nada além de ladrões!***"

— O senhor está bem? Deseja alguma coisa?

Lexi é uma ladra. Mas eu a amo. Não posso evitar.

— Não, obrigado. Estou bem.

O SUPERINTENDENTE Carey sentiu que sua pressão estava começando a subir.

— Que trânsito é esse? Ligue as sirenes.

O motorista hesitou.

— Achei que fôssemos fazer isso discretamente, chefe?

— Ligue a maldita sirene e ande logo!

O superintendente Carey decidira ir pessoalmente ao aeroporto. Era uma missão importante demais para confiar a algum subordinado. Se a notícia de que Lexi Templeton tinha fugido da custódia da polícia — da custódia ***dele*** — se espalhasse, seria alvo de deboche. Não podia deixá-la entrar naquele avião.

Finalmente, chegaram. O superintendente Carey saiu do carro antes mesmo que freasse.

— Portão 62, chefe. — A voz do detetive Sanchez soou em seu fone de ouvido.

O superintendente Carey estava correndo. Suas bochechas queimavam, suas calças amarrotadas roçavam em sua cintura e sua camisa branca estava encharcada de suor.

Meia-noite exatamente. Será que o avião já decolou?

As telas ainda anunciavam: Portão 62, Fechando. Alguns passageiros noturnos vagavam pelo aeroporto. O superintendente Carey abriu espaço entre eles a cotoveladas. ***Rápido!***

Acelerou o passo, descendo o corredor.

Portão 46... 52... 58... Ofegante, fez uma curva. Ali estava, Portão 62.

Merda.

O portão 62 estava completamente deserto.

Capítulo 33

A LOURA COM ÓCULOS ESCUROS grandes sentiu o tremor do avião que se preparava para decolar. Agarrou as laterais da poltrona.

— Medo de avião? — perguntou o homem sentado ao seu lado.

— Não costumo ter. Só estou um pouco estressada esta noite.

— Não fique. Pense que amanhã estará deitada na praia, embaixo de uma palmeira sem nenhuma preocupação.

A loura pensou: ***sem nenhuma preocupação? Não seria ótimo?***

UM COMISSÁRIO DE BORDO apareceu atrás da mesa. O superintendente Carey mostrou seu distintivo. Estava tão ofegante que mal conseguia falar.

— Eu... Polícia... Preciso entrar naquele avião.

— Sinto muito, senhor — começou o comissário. — É impossível. A tripulação já fechou as portas.

— Não me venha com essa baboseira, Nancy Drew. Agora escute. Fale com eles pelo rádio e mande abrir as malditas portas, agora, ou eu mesmo vou providenciar para que você passe o resto da vida usando suas bolas como brincos.

O comissário adorava machões, principalmente policiais. Infelizmente, *esse* policial tinha idade para ser seu pai, era mais gordo do que Papai Noel e fedia a queijo estragado. Não que fosse fazer alguma diferença se fosse o irmão gêmeo de George Clooney. Não podia fazer nada.

— ***Sinto muito***, senhor. Eu realmente não posso fazer nada.

Ele se virou e olhou pela janela. O superintendente Carey seguiu seu olhar.

O jatinho de 12 passageiros já estava acelerando na pista. Segundos depois, suas asas estremeceram conforme decolava.

NOTÍCIAS RUINS CORREM rápido. O superintendente Carey levou um minuto inteiro para se despedir de sua aposentadoria dos sonhos no Havaí. Foi mais ou menos o mesmo tempo que o jato levou para desaparecer de sua vista, as luzes de sua cauda sendo engolidas pela escuridão.

Logo, estava ao telefone.

Uma hora depois, um grupo de oficiais seniores da Interpol nas Antilhas foi acionado. Uma comitiva iria receber primeiro o voo de Gabe, depois o de Lexi no aeroporto de Providentiales. Ambos seriam presos assim que aterrissassem e imediatamente repatriados para os Estados Unidos. Depois disso, seriam problema do FBI.

O superintendente Carey sentiu a amargura em seu peito.

Feliz lua de mel, Sra. McGregor.

Espero que joguem a chave fora.

Capítulo 34

Os PASSAGEIROS DO VOO US AIR 28 saíram para o saguão de desembarque do aeroporto de Providenciales em Turcas e Caicos parecendo exaustos. Já eram quase 2h30, horário local. Mulheres com olheiras tão grandes quanto suas bagagens de mão seguravam bebês chorões enquanto os maridos pegavam as malas. O oficial da Interpol analisou todos. Estava procurando um bebê em particular.

— Lá estão eles.

Saindo pelas portas duplas, o trio foi reconhecido na mesma hora, apesar da echarpe de seda que o homem usava cobrindo o nariz e a boca. O oficial da Interpol lembrou-se da ordem.

Mulher sueca, 31 anos, loura, com um bebê recém-nascido. Homem de cabelo branco, 1,85m. (Alguém deve ter se enganado. Esse cara não tinha nem 1m80.) ***Pouca bagagem.***

Acompanhado por três colegas, o oficial seguiu em frente. Colocou a mão sobre o ombro de Greta Sorensen. Os dois outros oficiais cercaram o acompanhante dela, enquanto uma policial tentava pegar o bebê.

— Com licença, senhorita. Senhor. Poderíamos conversar um minuto?

O homem abaixou a echarpe, mostrando um rosto muito enrugado. Devia ter, no mínimo uns 70 anos. Quando ele falou, tinha um forte sotaque europeu.

— Qual é o problema, oficial?

— Você não é Gabriel McGregor!

Paolo Cozmici sorriu.

— Realmente não sou. A companhia aérea não avisou?

— Avisou o quê?

— Que eu viajaria no lugar do Sr. McGregor. Foi tudo bem aberto, posso garantir, oficial. São os malditos paparazzi, entende? Eles seguem Gabe e Lexi para todos os lugares. Piorou tanto com o casamento que eles decidiram deixar vazar informações falsas sobre a lua de mel, para despistá-los.

— Para despistar a ***imprensa***? — O oficial da Interpol virou os olhos. Esse cara estava falando sério?

— Certo. A US Air foi muito solícita. — Paolo parecia satisfeito. — Greta e eu somos ***iscas***! Não é fabuloso?

Ah, é. É mesmo fabuloso.

— Senhor. — A oficial deu um tapinha no ombro do chefe.

— Agora não, Linda. — Ele se virou para Paolo de novo. — Então, está me dizendo que, se eu ligar para a sede da US Air agora mesmo, eles saberiam sobre toda essa encenação de vocês?

— Exatamente. — Paolo riu. — Achei um tanto engenhoso.

— Desculpe, senhor — disse a policial. — Mas realmente acho que deveria ver isto. — Ela entregou a ele a trouxa que Greta Sorensen entregara a ela um momento atrás. O oficial da Interpol arregalou os olhos. ***Jesus Cristo.***

Não tinha bebê nenhum.

Dentro dos cobertores cor-de-rosa havia uma boneca de plástico do tamanho de um bebê de verdade.

GABE SENTIU UM pulo quando o avião atingiu o solo da pista. Em seu colo, a verdadeira Max estava berrando.

— Ela logo ficará bem — disse a comissária, tentando ajudar. Catherine Blake tinha sido contratada havia pouco tempo para trabalhar no jatinho particular de Gabe e Lexi. Queria que o novo patrão gostasse dela. — Vou preparar uma mamadeira. Quando ela começar a sugar, os ouvidos vão desentupir.

— Vão mesmo? OK. — Gabe gritou sobre o barulho. — Vamos tentar, então.

Sacudindo a filha nos braços, desejou que Lexi estivesse aqui. Ela saberia o que fazer.

— Quanto tempo até decolarmos de novo?

— Não muito, senhor. Devemos reabastecer em uns quarenta minutos. O piloto avisará nosso plano de voo.

— OK.

Gabe suspirou. Só queria que tudo isso acabasse.

QUANDO O SEGUNDO avião aterrissou em Turcas e Caicos uma hora depois o oficial da Interpol estava lá para recebê-lo.

— Jennifer Wilson?

— Sim? — A loura sorriu educadamente.

— Poderia tirar os óculos, por favor?

— Claro.

Ela era bonita. Definitivamente linda.

Mas não era Lexi Templeton.

Nem a responsável pelo plano. Jennifer Wilson era apenas uma secretária que trabalhava na Kruger-Brent havia anos. Lexi Templeton escolhera um nome que conhecia para ser seu pseudônimo. Mas isso não era nenhuma surpresa. A maioria das pessoas fazia isso. A Jennifer Wilson ***de verdade*** não imaginava em que estava se metendo quando aceitou a oferta de Gabe para uma viagem com todas as despesas pagas. Uma recompensa pelos seus leais serviços.

— Estou em algum tipo de encrenca? — O rosto de Jennifer Wilson se contraiu, mostrando ansiedade. O policial parecia irritado.

— Não, senhora. — O oficial da Interpol suspirou. — Mas alguém certamente está.

A INTERPOL CULPAVA a polícia local. A polícia local culpava o FBI. ***Por que ninguém checou com a companhia aérea?*** Todo mundo culpava John Carey, o babaca do Maine que deixou Lexi escapulir entre seus dedos.

Em uma audioconferência nas primeiras horas da manhã, o agente do FBI responsável pelo caso, pensou em voz alta.

— Você acabou de executar uma das maiores fraudes financeiras da história dos Estados Unidos. Você tem um dos rostos mais reconhecíveis do planeta. Está fugindo com seu marido igualmente reconhecível e um bebê recém-nascido. Para onde diabos você vai?

De algum lugar do outro lado do mundo, uma voz ecoou do telefone.

— Para algum lugar que não tenha tratado de extradição com os Estados Unidos.

— De preferência com praias de areia branca, palmeiras e um hotel cinco estrelas decente — disse outro brincalhão. Todo mundo riu.

O agente do FBI ficou em silêncio por um momento. Então, riu também. Estava na cara.

Claro.

Sei exatamente onde eles estão.

Capítulo 35

24 HORAS DEPOIS

A LUZ DO SOL INVADIU O CÔMODO muito branco. Gabe abriu os olhos e logo fechou de novo.

— Que horas são?

— Quase meio-dia. Você dormiu muitas horas.

Lexi estava andando pelo quarto nua, abrindo as persianas de madeira. Do lado de fora, o oceano Índico batia na areia. A vila particular deles na praia tinha, de um lado, uma vista espetacular do mar e, do outro, a ilha paradisíaca de Ihuru. Lexi comprara a casa anos atrás por uma mixaria, quando os imóveis nas ilhas Maldivas despencaram. Agora, era de novo um imóvel valioso.

Valioso não. Inestimável.

Havia uns cinquenta países espalhados pelo mundo que não tinham acordo de extradição com os Estados Unidos. Infelizmente para Lexi, a maioria deles era ou impossível de entrar, principalmente sem aviso prévio, ou eram lugares horrorosos que faziam as prisões federais parecerem atraentes. Lexi não tinha a menor intenção de criar Maxine em um campo de refugiados no Camboja, nem acabar como um item exótico no cardápio da Guiné Equatorial.

E por que eu deveria, se tenho a casa perfeita para a minha lua de mel esperando por mim?

— Onde está Max? — Gabe sentou ereto na cama. Estava suando. — O berço está vazio! Alguém a pegou!

— Relaxe. — Lexi se aproximou para beijá-lo. — Ela está lá embaixo com a empregada. Estamos seguros aqui, amor. Estamos juntos. Não precisa mais se preocupar. — Puxando o lençol, ela deitou ao lado dele.

— Vamos fazer amor.

Era a primeira vez deles como marido e mulher e foi lindo. Lexi poderia estar cansada. Levara um dia e meio para chegar aqui. Trinta e seis horas em que não comeu nada nem dormiu mais do que alguns minutos.

Depois que Danny French levou-a de barco a salvo até o continente, ele dirigiu duas horas até a fazenda de um amigo, na região rural do Maine. De lá, Lexi pegou uma carona em um pequeno avião pulverizador até um aeroporto particular onde um jatinho esperava para levá-la até Le Touquet no norte da França. Depois para Londres, trocando de avião de novo para a parte mais longa da jornada.

Gabe já estava na vila quando Lexi chegou, desmaiado na cama com um braço protetor apoiado sobre o berço de Max. Ela tocou no braço dele e ele acordou, abraçando-a com força, o alívio que sentia era intenso demais para ser colocado em palavras. Segundos depois, ambos estavam em um sono profundo.

Agora, deitada nua nos braços de Gabe, depois de fazerem amor, Lexi se sentia mais acordada e viva do que jamais se sentira na vida. Tinha tanta coisa para ***fazer.*** Saiu da cama e abriu o armário, procurando alguma coisa para vestir. Nenhuma das roupas lhe era familiar. Não vinha a essa casa havia anos.

— Por que a pressa? — Gabe bocejou, observando-a descartar um vestido atrás do outro. — Estamos em lua de mel, lembra?

— Eu sei, amor. Mas tenho um almoço de negócios no Angsana Resort. Não posso aparecer nua. — Escolhendo um vestido de verão marrom e simples, Lexi passou-o pela cabeça.

— Um ***almoço de negócios***? ***Aqui***? Está falando sério? Com quem, pelo amor de Deus?

— Com meu advogado, claro — disse Lexi. — Ele chegou ao hotel ontem à noite, exatamente como combinamos. Se alguém pode provar a minha inocência, esse alguém é Mark Hambly.

— Amor — disse Gabe, baixinho. — Você ***não*** é inocente.

Lexi fitou-o de forma repreendedora.

— De que lado você está?

MARK HAMBLY tomou um gole deleitante de seu Chablis gelado e entregou a Lexi a última edição de ***The Wall Street Journal***.

— Parabéns. Você está na primeira página.

Lexi leu rapidamente a matéria. Como sempre, o jornal estava assustadoramente correto sobre os fatos. Ficou mais interessada em sua foto. Algum espertinho conseguiu tirar uma foto sua de vestido de noiva. Estava deslumbrante. ***Acertei em cheio em escolher algo antiquado.*** Devolveu o jornal.

— Precisa me tirar dessa, Mark.

— Vou dar tudo de mim.

— Não posso ficar aqui, eu enlouqueceria. Preciso voltar para os Estados Unidos.

— Devagar, OK? Você acabou de ***sair*** dos Estados Unidos. E não foi nada fácil.

— Quero a minha empresa de volta.

Mark Hambly riu.

— Uma coisa de cada vez, Lexi. Vamos nos concentrar em mantê-la fora da prisão, certo?

— O que você sugere?

Mark explicou as várias possibilidades para uma defesa: todo mundo sabia que Eve Blackwell era mentalmente perturbada. O superintendente Carey não seguiu os procedimentos apropriados.

— Mas a nossa melhor aposta, honestamente, é jogar toda a culpa nesse Kolepp. Não sei o que você acha.

Lexi balançou a cabeça.

— De forma alguma. Não posso fazer isso com Carl.

— Por que não? Esse cara está no Paraguai. Cheio da grana. Está feliz da vida.

— Mesmo assim...

— Pense a respeito. Os federais não podem fazer nada contra ele. E que motivos Kolepp tem para voltar? Nenhum. Ele não é casado. A empresa dele acabou.

Lexi pensou. Mark tinha razão.

— Ou... — o advogado tomou outro gole de seu vinho. — Você poderia fazer o mesmo que Kolepp.

Lexi franziu a testa.

— Como assim?

— Esquecer de voltar para casa, se estabelecer aqui, relaxar, se aposentar. Refazer sua vida. Suponho que tenha fundos em paraísos fiscais que possa acessar.

— Naturalmente.

— Então, por que não? Existem muitos lugares piores.

Lexi olhou para o tranquilo mar azul. Veleiros iguais apareciam no horizonte, banhados por raios de sol amarelo-claros. Pensou em Gabe, ainda nu e dormindo na cama deles. E em Maxine, satisfeita e adormecida no colo da empregada. ***Eu os amo tanto.*** Por um momento, a felicidade a inundou.

Então, pensou em Eve Blackwell. E a felicidade se transformou em ira.

— Não. Eu preciso voltar.

— OK. — Mark levantou uma sobrancelha. — Você é quem sabe. Mas entenda, mesmo se eu conseguir livrá-la da acusação de fraude, haverá toneladas de processos civis contra você. Seus negócios nos Estados Unidos não vão mais ser levados a sério. Vão declarar a sua falência. A de Gabe também. Não posso protegê-los disso.

— Eu sei.

— Você ficará pobre, Lexi. Você não sabe ***como*** ser pobre.

— Eu sei. Mas a Kruger-Brent...

Mark disse bruscamente:

— A Kruger-Brent está acabada, Lexi. Sinto muito. Mas você precisa encarar a realidade. Não tem como sair dessa. Não desta vez.

Você está errado. Tem um jeito. Sempre tem um jeito.

NAQUELA TARDE, Lexi estava caminhando sozinha pela praia. A água do mar estava tão quente quanto a de um banho de banheira molhando seus pés. Uma leve brisa afastou o cabelo de seu rosto.

É tão tranquilo aqui.

Gabe e Maxi estavam na vila. Mark Hambly já estava em um avião, voltando para Nova York para enfrentar o problema de Lexi. Não levaria muito tempo para se espalhar a notícia de que ela e Gabe estavam nas ilhas Maldivas. Quando isso acontecesse, a tranquila ilha de Ihuru se tornaria uma zona de guerra. Os paparazzi atacariam por terra, ar e mar. Lexi teria de se isolar em sua vila. Era linda, mas ainda era uma prisão. Precisava saborear sua liberdade enquanto durasse.

Sentando-se na areia, ela desdobrou um papel. Ela a recebera dois dias atrás, mas a carta de Eve já estava gasta de tanto ser manuseada. Agora Lexi leu pela última vez. A bonita caligrafia de sua tia saltando da folha.

425, Quinta Avenida,
Nova York
12 de outubro de 2025

Querida Alexandra,

Posso chamá-la de Alexandra? Claro que posso. Se você estiver lendo isto, eu já terei ido me encontrar com a minha querida irmã, sua mãe, no inferno. Os mortos podem fazer o que quiserem.

Todos acham que estou maluca. Mas não estou. Sou a única da família que manteve a cabeça no lugar. Eu deveria estar dirigindo a Kruger-Brent desde o início. Aí nada disso teria acontecido.

Sei o que você fez. Sei de tudo. Você estava certa em se livrar do meu filho. Max era um tolo, fraco como o pai. Mas você realmente achou que fosse escapar depois de levar a minha empresa à falência? Você é uma ladra, Alexandra. Roubou dos acionistas e roubou de mim, assim como a sua mãe. Ladrões precisam ser punidos.

A polícia está a caminho. Mandei outra carta para eles, detalhando tudo. Você não tem escapatória, Alexandra. Não desta vez. Você e seu amigo, o Sr. Kolepp, poderão pensar em como a vida poderia ter sido do conforto de suas celas na prisão. Prisão é pior do que você pode imaginar, Alexandra. Acredite em quem sabe.

Que Deus amaldiçoe você e seus filhos, assim como amaldiçoou a mim e ao meu filho.

Adeus, Alexandra.

Sua devota tia,

Eve.

COM A CARTA ainda nas mãos, voando na brisa tropical, Lexi levantou a saia e entrou no mar. Andou até que a água cobrisse suas coxas. Então, lentamente, deliberadamente, começou a rasgar o papel em pequenos pedaços, jogando-os nas ondas como confetes.

Adeus, tia Eve.

Já vai tarde.

Eu posso não ter vencido o jogo. Ainda não. Mas ainda estou aqui. Jogando.

Para Eve Blackwell acabou.

Mas para Lexi Templeton, o jogo continuava.

FIM

AGRADECIMENTOS

Devo sinceros agradecimentos a todos que trabalharam duro para tornar realidade este livro. Primeiramente, a toda a família Sheldon, por sua confiança em mim e sua generosidade. Também a Mort e Luke Janklow, sem os quais nada disso teria sido possível — devo muito a vocês dois — e a todos da Harper Collins de Nova York e Londres, especialmente a meus editores Wayne Brookes e Carrie Feron. A minha família por seu amor e apoio, especialmente meus pais e meu marido, Robin. Finalmente, gostaria de agradecer ao grande Sidney Sheldon por ser uma inspiração para mim e para tantos outros. É uma honra seguir seus passos.

NOTA DA AUTORA

Sou uma grande fã dos livros de Sidney Sheldon desde que li ***Se houver amanhã***, aos 14 anos. Quando escrevi meu primeiro romance, ***Adorada***, enviei um exemplar para Sidney, junto a uma carta contando como seu trabalho havia sido uma inspiração para mim. Ele me enviou uma resposta muito generosa e simpática, que agora está na parede do meu escritório em Londres. Dificilmente poderia imaginar que cinco anos depois eu teria a honra de ser convidada a escrever a continuação de ***O reverso da medalha***, a épica saga da família Blackwell.

Sidney Sheldon sempre foi conhecido como o Mestre do Inesperado. As marcas registradas de sua escrita são suspense, emoção e, sobretudo, tramas cativantes e envolventes. Suas heroínas são mulheres fortes e inesquecíveis — eu iria mais longe e descreveria Sidney como um feminista, mais um fator que atraiu a mim e a milhões de mulheres para seus livros. Mas os livros de Sheldon não encantam apenas as mulheres. Durante toda a vida, ele recebeu centenas de milhares de cartas de homens e mulheres que sentiram a necessidade de relatar a ele a importância que os livros tiveram em suas vidas. Seus leitores são tão diversos como seus personagens: princesas e plebeus, chefes da máfia e prisioneiros no corredor da morte, pacientes de câncer e magnatas gregos da navegação. Todos foram seduzidos por sua narrativa. E essas histórias permanecem vivas.

Escrever ***A senhora do jogo*** foi mais divertido que qualquer trabalho pode ser. Espero sinceramente que os fãs de Sheldon gostem do livro tanto como gostaram das histórias incríveis de Sidney, e que talvez uma nova geração de leitores tenha a sorte de conhecer a magia do incomparável Sidney Sheldon.

T. B., 2009

Este livro foi composto na tipografia
Minion, em corpo 11,5/15, e impresso em
papel off-set no Sistema Digital Instant Duplex
da Divisão Gráfica da Distribuidora Record.